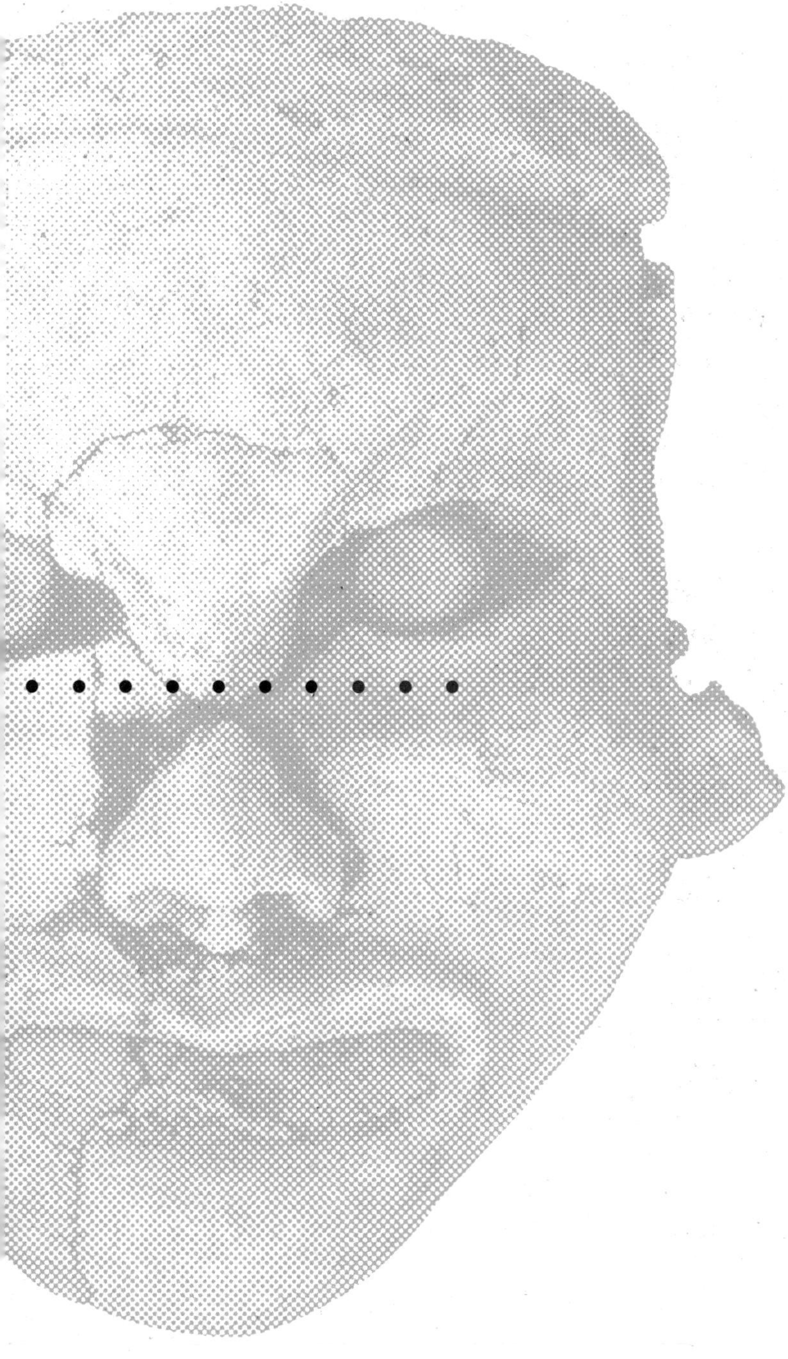

话说中国

创世在东方

200万年前至公元前1046年的中国故事

杨善群 郑嘉融 著

上海文艺出版社

总顾问：李学勤
总策划：何承伟

本卷顾问：孟世凯

主编：　刘修明
副主编：陈祖怀

正文作者（按卷次先后排列）

《创世在东方》　　　　杨善群　郑嘉融
《诗经里的世界》　　　杨善群　郑嘉融
《春秋巨人》　　　　　陈祖怀
《列国争雄》　　　　　陈祖怀
《大风一曲振河山》　　程念祺
《漫漫中兴路》　　　　江建中
《群英荟萃》　　　　　顾承甫
《空前的融合》　　　　刘精诚
《大唐气象》　　　　　刘善龄　金尔文
《变幻中的乾坤》　　　刘善龄　金尔文
《文采与悲怆的交响》　程　郁　张和声
《金戈铁马》　　　　　程　郁　张和声
《集权与裂变》　　　　马学强
《落日余辉》　　　　　孟彭兴
《枪炮轰鸣下的尊严》　汤仁泽

辅文作者（按姓氏笔画排列）

马学强　田　凯　仲　伟　江建中　刘善龄
刘精诚　汤仁泽　杨善群　李国城　张　凡
张和声　陈先行　陈祖怀　苗　田　金尔文
郑嘉融　宗亦耘　孟彭兴　赵冬梅　顾承甫
殷　伟　郭立暄　程　郁　程念祺

图片提供

文物出版社、河南省博物院等单位
及（按姓氏笔画排列）　田　凯　仲　伟
孙继林　李国城　何继英　张　旸　陈先行
殷　伟　徐吉军　郭立暄　郭灿江　崔　陟
翟　阳　薄松年等
本页长城照片由郑伯庆拍摄

梦想与追求

上海文艺出版总社编审　何承伟

为最广大读者编一部具有现代意识的历史百科全书

> 中国是一个拥有五千年灿烂文明史、又充满着生机与活力的泱泱大国。中华民族早就屹立于世界的东方，前赴后继，绵延百代。

> 作为中国人，最为祖国灿烂的过去与崛起的今天感到骄傲。

> 作为中国的出版人，应义不容辞地以宏大的气魄为广大热爱中国历史的读者，承担起传播这一先进文化的责任：努力使中国历史文化出版物，与中国这样一个拥有五千年文明史的过去相适应，与当代中国日新月异的发展现实相适应，与世界渴望了解中国的需求相适应。

> 人民创造了历史，历史又将通过我们的出版物回赠给人民，使中华民族数千年积累起来的灿烂文化成为当今中国人取之不尽的思想宝库，让更多的读者感悟我巍巍中华五千年光辉历史进程和整个中华民族灿烂的文明成果。

> 为此，我们作了大胆的探索：以出版形态的创新为抓手，大力提高这套中国历史读物的现代意识的含量，使图书能够真正地"传真"历史；以读者需求为本位，关注现代人求知方式与阅读趣味的变化，把高品位的编辑方针和大众传播的形式有机结合起来，独辟蹊径，创造一种以介于高端读物与普及读物的独特的图书形态，努力使先进的文化为最广大的读者所接受。

> 经过多年的努力，这套融故事体的文本阅读、精彩细腻的图片鉴赏、便捷实用的检索功能于一体的中国历史百科全书——《话说中国》终于将陆续与读者见面。这套书计15卷，卷名分别为：《创世在东方》、《诗经里的世界》、《春秋巨人》、《列国争雄》、《大风一曲振河山》、《漫漫中兴路》、《群英荟萃》、《空前的融合》、《大唐气象》、《变幻中的乾坤》、《文采与悲怆的交响》、《金戈铁马》、《集权与裂变》、《落日余辉》和《枪炮轰鸣下的尊严》。

> 在《话说中国》这部书里，你将看到以故事体文本为主体的感性与理性的统一。

> 现代人对历史的感悟，最能产生共鸣、最能感到激动的文学样式是什么，是故事。是蕴涵在故事里的或欣喜或悲切或高亢或低回的场面。这些经典场面令人感慨唏嘘，荡气回肠。记住了一个故事，也就记住了一段历史。故事是一个民族深沉的集体记忆，容易走进读者的心灵世界，它使读者在随着故事里主人公的命运起伏跌宕之时，不知不觉地与中国历史文化进行了"亲密接触"，从而让历史文化的精华因子，潜移默化地影响着我们的行为，净化着我们的心灵。因此，《话说中国》以故事体的文本作为书的主体。同时，它还突破了传统历史读物注重叙述王朝兴衰的框架，以世界眼光、一流专家学者的史识来探寻中国历史的发展脉络与规律；以密集的信息，弥补故事叙述中知识点不足的局限，从而使故事的感性冲击力与历史知识的理性总结达成高度的统一。它让读者既见树木，又见森林；既享受了故事所带来的审美快感，同时又能寻绎历史的大智慧。

> 在《话说中国》这部书里，你将看到互为表里的图与文的精彩组合。

> 当今社会已进入"读图时代"，这一说法尽管片面，但也反映了读者的需求。在这套书里的图片与通常以鉴赏为主的图片有很大不同：

> 图片内容涵盖面广。这些图片能够深入再现历史现实，立体凸现每一不同历史时期社会

生活各方面的发展变化。透过生动的"图片里面的故事"，可以体味其中蕴涵着的深刻内容，堪称是历史文化的全息图像。它们与故事体文本相关联，或是文本内容的画面直观反映和延伸，或是文本内容的背景补充，图与文珠联璧合，相得益彰。同时，纵观整套书的图片又分别构成了一个个独立的专门图史，如服饰图史、医药图史、书籍图史、风俗图史、军事图史、体育图史、科技图史等等。

> 图片的表现形式极其丰富。这套书充分顾及现代读者的读图口味，借助现代化手段尽量以多种面貌出现，汇集了文物照片、历史遗址复原图、历史地图与示意图、透视图以及科学考古发掘现场照片在内的3000余幅图片。既有精炼简洁的故事，又有多元化的图像，读者得到的是图与文赋予的双重收获。

> 创造了一种新的读图方式。书中的图片形象丰富，一目了然，具有"直指人心"的震撼力，但在阅读过程中，尤其是在欣赏历史文化的图片中，这种震撼力很难使读者感悟到。原来他们是凭自己的文化底蕴和生活积累在品味和理解书中的图片。两者一旦产生矛盾，就不可能碰撞出火花。本书作为面向大众的出版物创造了一种全新的阅读环境：改造我们传统的图片的文字说明，揭示图片背后的信息，让读者在读完这些文字后，会产生一个飞跃，对第一眼所看到的图片有一种新的发现和新的认识。

> 在《话说中国》这部书里，你将看到一个充满数字化魅力的历史百科知识体系。

> 数字化给我们的社会生活带来了许多崭新的变化，作为文化产品的创新也不例外。为此，我们在这套信息密集型的中国历史百科全书里，大量运用了在电脑网络上广泛使用的关键词检索方式，以关键词揭示故事内核，由此来检索和使用我们的故事体文本与相关知识性信息。这套书的信息化、网络化、数字化，充分表现了中华民族不但有自强不息的过去时，前进中的现在时，而且还有充满希望的将来时。

> 一则故事，一幅图片，一个关键词，都是某个有代表性的"点"，然而这个点不是孤立的存在，而是一个有意义的叙事单位。它是中华民族的文明亮点，折射了我们民族的文化性格。把这些亮点连接起来，就会构成一条历史之"线"，而"线"与"线"之间的经纬交织，也就绘成了历史神圣的殿堂。点、线、面三维一体，共同建构着上下五千年的民族大厦。

> 著名科学史家贝尔纳曾说："中国在许多世纪以来，一直是人类文明和科学的巨大中心之一。"我们知道，印刷是中国引以为骄傲的四大发明之一，中国出版在世界出版史中，曾留下许多脍炙人口的灿烂篇章。然而近代中国出版落后了，以至于到今天与发达国家相比，无论是在出版技艺上，还是在出版理念上，都存在着不小的差距。我们在本书的出版过程中善于学习、消化与借鉴，"洋为中用"，充分发挥"后发优势"，努力把世界同行在几十年中创造的经验，学习、运用到这套书的编辑过程中，以弥补两者之间的差距。事实证明，只要我们努力了，只要我们心中有了读者，我们一样可以后来者居上。

> 中国编辑中的一位长者曾说过这样一段话："我们没有显赫的地位，却有穿越时空的翰墨芬芳；我们没有殷实的财富，却有寄托心灵的文化殿堂。"

> 在编辑这套书的过程中，我们深深感到，中国历史文化太伟大了，无论你怎样赞美，都不为过；中国历史文化又太神奇了，无论你以何种方式播种，都会有意想不到的收获。今天，我们所撷取的，只不过是其中的一朵小花，还有更多更美的天地需要我们去开拓。

现代人与历史

上海社会科学院研究员　刘修明

> 历史与现代人有什么关系？历史对现代人有什么用？这并非每一个现代人都能正确回答的问题。

> 过去的早就过去了。以往的一切早已灰飞云散，至多只留下遗迹和记载。时光不能倒流，要知道过去干什么？历史无用的混沌和蒙昧，不是个别现象。在科学技术高度发达的现代社会，人们更易对远离现实的历史轻视、淡漠。对历史无知而不以为然的人，不在少数。

> 不能简单地指责这种现象。一旦通过有效途径缩短了现代人和历史的距离，人们就会从生动形象的历史中取得理性的感悟，领悟历史的哲理，开发睿智，从而加深对现代社会文明的认识，使现代人的认识和实践达到一个新的层次。那时，人们就会有一个共识：历史和现代是承续的。历史是现代人生存和发展不可缺少的内容。历史和现代人是不可分的。

> 祖国的历史是一部生动的、博大精深的启迪心智的教科书。中国历史是独树一帜的东方文明史。承载中华文明的中国历史，在她形成发展的曲折而漫长的过程中，从未中断过（不像埃及、两河流域、印度文明或中断或转移或淹没）。她虽然历尽坎坷，备尝艰辛，却始终以昂首挺立的不屈姿态，耸立在亚洲的东方。即使从19世纪上半叶开始的对中华文明一个多世纪的强烈冲击和重重劫难，也没有使曾创造过辉煌的中华文明沉沦，反而更勃发了新的生机。中国的历史学家从孔子、左丘明、司马迁开始，持续不断地以一种不辜负民族的坚韧精神，把中华民族放在辉煌与挫折、统一与分裂、前进与倒退、战争与和平、正义与邪恶的对立统一的辩证过程中，将感悟到的一切，记录在史册上。以一笔有独特美感并凝结高超智慧的精神财富，绵延不绝地传承给一代又一代炎黄子孙，从而成就了中华民族及其创造的文明的沿续和发展。中华文明的创造和中国历史的记载是不可分的。中国历史是兼容时空又超越时空的中华文明有形和无形的载体。

> 英国哲学家培根说过："历史使人明智。"历史的经验是前人付出巨大的代价（甚至生命的代价）才总结出来的。历史经验包蕴着发人深思的哲理。要深刻地了解现实，理智地面对将来，就应当自觉地追溯历史。现代人只有了解历史，才能感受历史启

迪现实的无穷魅力。惟有从历史的经验与哲理感知杂乱纷纭的现实，才能体会历史智慧的美感和简洁感。

> 这种由历史引发的智慧、魅力和美感，对丰富一个人的生命内涵，提升人的素质，是非常重要的。我们强调人的素质，但素质的基本内涵是什么，却未必很清楚。我认为，人文素质应该是人的素质的基本内涵。一个人的人文素质是由他所属的民族几千年文化创造的基因，积淀在他的血液和灵魂中形成的。以文史哲为主体的人文教育，对人的素质提高具有特别的价值。而中国历史往往又是文史哲三位一体的糅合和载体。只重视外语、电脑教育而忽视人文教育的偏向应引起重视并加以纠正。这种素质教育应当起步于一个人的青少年时代。对祖国的热爱，民族自信心的树立，正确的人生观、价值观的确立，都离不开对祖国历史的了解。只有这样的人，才能立志报效祖国和中华民族，并以他们的不断传承和新的创造，继续为人类文明的发展作出新的贡献。在共同文化血脉上发展起来的 13 亿中国人和 5 千万在世界各地的华人，都应有这样的共识，都应承担这样的责任。

> 了解祖国的历史，可以从简明的历史教科书入手，也可以从浩瀚的史籍中深究。关键是引起读者的阅读兴趣。我们这里提供的是一本图文并茂用故事形式编写的中国历史。中国有一本几乎家喻户晓、发行量达几百万册的出版物：《故事会》。这是上海文艺出版总社的名牌刊物，在社会上有很大的影响。何承伟先生从几十年编辑的成功实践中，提出了这样一部以图文并茂的故事形式并包涵巨大信息量的中国历史百科全书的设想。在众多学者的参与和合作下，成就了这样一部新体裁的中国通史《话说中国》。它生动形象、别开生面的编写方式，使包括老中青在内的现代中国人，都可以轻快地从这部书中进入中国历史宏伟的殿堂，从中启迪心智，增加知识，开拓眼界，追溯历史，面对未来。它把传统的教育和未来的展望，有机而和谐地结合在一起，引导当代中国人顺应悠久古老的中国文明融注世界发展的现代潮流，以期为世界的文明发展作出新的贡献。我们相信，凝聚了几十位学者和编者多年努力的这部书，一定会为这种贡献尽其绵薄之力，发挥其应有的作用。

目录

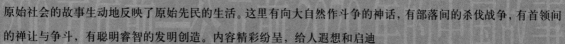

原始社会的故事生动地反映了原始先民的生活。这里有向大自然作斗争的神话，有部落间的杀伐战争，有首领间的禅让与争斗，有聪明睿智的发明创造。内容精彩纷呈，给人遐想和启迪

引言　128

公元前 2070 年至公元前 1046 年

中国历史上最早的两个王朝——夏商

杨善群　郑嘉融

夏商故事生动地反映了夏商二代各种人物的心态及其活动，是一幅幅社会生活的画卷，使你获得知识，受到感悟

专家导言

中国先秦史学会副会长　中国社会科学院历史所研究员　孟世凯

> 我读小学正是抗日战争时期，老师结合对公民的教育，以讲历史故事的形式介绍我国是世界上"四大文明古国"之一，有丰富的历史文化典籍记载了五千年的历史。我便对上古史产生了兴趣，家中有不少线装和铅印的书籍，从看历史演义小说中知道盘古、女娲、有巢氏、燧人氏、伏羲氏、神农氏、炎帝、黄帝、尧、舜、禹、汤等等历史人物。建国初的高中还保留较多历史课，老师用社会发展史的观点讲古史，才知道夏以前的"传说时代"是原始社会。大学时从徐中舒师学先秦史，到研究所也是研究先秦史。体会到用汉字记录的历史资料"浩如烟海"，仅先秦史（原始社会至秦始皇统一）来说，除古书记载外，还有甲骨文、金文、石刻文、简牍等，也记录不少的史料。

> 曾有国内外的学者对我国上古史表示怀疑，说"三皇五帝"是后世著书人编造的，夏商两朝是司马迁编造的。清朝光绪末年在河南安阳小屯村一带的"殷墟"出土了商朝后半期的甲骨文，怀疑者又退一步说夏朝及以前是编造的。自上世纪二十年代末我国考古学诞生以来，在全国各地的考古取得了大丰收，不仅从东北到西南，大河上下，江淮南北都发掘出相当于传说时代的"三皇五帝"的遗存、遗物；而且在黄河流域发掘不少有关夏代遗存、遗物。虽然那时还没有文字或没有更多地使用文字，但是祖先们还是以"口耳相授"的方式来承传祖先的历史。就是上一代讲给下一代听，再一代代地承传，到了有文字能记录的时期，才由史官或掌握文字的人记于古书中。"事实胜于雄辩"，七十年来大量的考古遗存、遗物证明我国历史不只五千年，而是一万年左右。当然，古人对宇宙和自然界的许多事物认识有限，在承传过程中，对人和事难免掺合一些神话，甚至有人神不分的神化成分。这正是反映上古人们在自然界中争生存的理念，认为只有人神一体的力量才能战胜一切。世界上的古国，不也是依据神话来承传自己的上古历史吗？只要剔除神化色彩就呈现出栩栩如生的上古社会生活，何况我国有大量的考古资料作证明。

> 夏、商的历史都有五百多年。大禹抗洪，治水平土成功，为民除去水患，得到各部落、方国的拥戴，在部落联盟基础上建立第一个统一王朝。夏是联盟形式的国家，虽内外都有矛盾、争斗，但随着巩固和发展，传说黄帝时产生延续下来的一些规则、制度被吸收

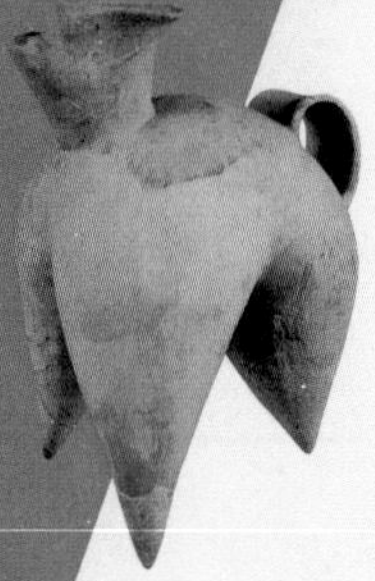

改革、完善，如礼制、官制、刑法和天文、历法（干支纪时夏已使用）等等。夏是有文字的时代，目前虽还没有见到，坚信将来会发现。商是我国第二个统一王朝，对甲骨文的研究，证明夏商王朝的存在。从甲骨卜辞中反映出商代的世系可靠性，证明司马迁《史记·殷本纪》的可信，《夏本纪》也是有史为证。商是个经济、文化发达的强大王朝，虽然部落、方国仍然不少，但大多都臣服于商。商王武丁的东征西伐，使祖国版图比夏扩大很多。又有较完整的制度，保障了社会生产和生活的不断发展，尤其是文化发展较为突出，以"司母戊鼎"（重达875公斤）为代表的青铜器，目前仍为世界古代青铜器之最。礼乐、刑法等制度对后世影响也很大。关于天文、地理、气象、动植、疾病、医药、建筑、交通等方面的记录，在甲骨卜辞中有充分的反映。

伴随社会的进程，人们文化水准日渐提高，生活节奏加快，吸收历史知识不是花时间去读一本本王朝更替的书，而是需求既系统又精粹的知识。加之考古不断地获得丰硕成果，人们要了解历史文化遗存和出土文物与历史进程的关系，《话说中国》就是这样与时俱进、图文并茂的一部史书。书中融科学性、知识性、趣味性为一体，众多图版很有典型性，都是作者精心挑选的传世和新出文物。表述的文字深入浅出，通俗易懂。书中页面设计尤为新颖别致：每页正文上有本时段史的"纪年"和"中国大事记"、"世界大事记"；下有"历史文化百科"，双页底附有历史考题，单页则为答题，很便于记忆。图版在每页中占的比例大于文字部分，但既无喧宾夺主之嫌，也无解说图版之感，如此设计可谓匠心独运。这是一部很有可读性的历史书，定会为文化水准一般的人们所接受，起到普及历史文化知识和热爱祖国的作用，也为教学、科研工作者提供明捷资料和参考。

二〇〇三年二月十六日于北京

本书导读示意图

《话说中国》作为融故事体的文本阅读、精彩细腻的图片鉴赏、便捷实用的检索功能于一体的中国历史百科全书，其中包含着无数令人神往的中国历史的秀美景致，它们经纬交织，互为表里，形成了中华民族上下五千年的灿烂文明。

如同游览名山大川离不开导游和地图的指点，通过以下图例的导读提示，读者定能够尽兴饱览祖国历史美景，流连忘返。

随时感受历史文化的魅力与编纂创意的匠心

整个版面构成充分体现出本书以故事体文本为主体的特点，体现出本书作为历史百科全书的知识信息密集、图文并重、检索便捷的特点，使读者在本书任何一个页面上，都能感受到历史文化的魅力与编纂创意的匠心。

导读、段落标题与编号，能更好地理解故事精髓，更好地运用故事

为了更好地理解故事，在实际学习生活中运用故事，本书在故事体文本中，特地为读者准备了故事导读、故事段落标题与故事编号等三个重要内容。故事导读是概述故事精要，它与故事段落标题，都是为了让读者更好地理解故事的精髓，同时让读者以一种轻松便捷的方式快速获得文本重要信息。故事编号则与检索系统有关。

人物、典故和关键词索引具有很大信息量和实用性

在每一则故事中，都含有故事核心内容（即故事内核）、故事人物和故事典故等基本要素。本书将此三要素提取出来，标注在每则故事的右上角（加上故事来源），并汇编成索引于书末。故事编号则是与书后编制的"人物""典故""关键词"等三个索引相联系。索引的巨大信息量和实用性，是本书的一个重大特点。

建构多元、密集的知识性信息，构成了全书另一个重要组成部分

以密集的信息，弥补故事叙述中知识点不足的局限，从而使故事的感性冲击力与历史知识的理性总结达成高度的统一。它让读者既见树木，又见森林；既享受了故事所带来的审美快感，同时又能寻绎历史的大智慧。如"中国大事记""世界大事记""历史文化百科""历史大考场"和图片说明文字等专栏中的有关内容，都是经过精心选择的练达的知识板块，既是历史知识的精华，又是广泛体现"活"的历史，体现当时社会人生百态，体现当时寻常百姓的寻常生活。与此相配伍的，是便捷的"中国历史文化百科"检索系统。

再现历史现实的图片系统

图片内容涵盖面广泛，能够深入再现历史现实，观赏效果细腻独到，立体凸现了每一不同历史时期社会生活各方面的发展变化。透过生动的"图片里面的故事"，可以体味其中蕴涵着的深刻内容，堪称是历史文化的全息图像。

《话说中国》以精美绝伦的文字和图片，将中华民族最可宝贵的民族精神和生生不息的文化传统，演绎得生动而传神。看了这张导读图，你就开始一程赏心悦目的中国历史文化之旅吧。

故事标题。

故事编号：与卷末的"人物""典故""关键词"等三个索引相联系，每个索引里的数字，即为故事编号，使检索更为便捷。

前170万年

中国大事记

元谋猿人在今云南元谋县活动。

○○三

燧人氏钻木取火

人们生吃鸡鸭鱼肉，不但有一股腥味，而且会拉肚子得病，难以入口。为解决此问题，又出现了一位给人们带来圣火的发明家。

在上古时代，人们的住宿和吃饭，是两个最大的问题。自从有巢氏发明在树上筑巢居住后，住的地方比过去安全舒服多了。但是，吃的方面依然问题严重。人们为了充饥，采野果子吃；或在河里捉来蚌、蛤蜊、虾、螺蛳以及各种鱼类，剥去它们的壳和皮，挖出它们的肉来吃；或在树林里打到兔子、山羊、野鸡、鹿等小动物，也是剥去它们的皮毛，割下它们的肉、和着血一起吃下去。这样吃各类食物，不但味道不好，有一股腥膻恶臭味，使人难以下咽，而且吃食物，伤着肠胃，往往会引起上吐下泻，导致各种疾病，损害身体健康。

新石器时期石斧：早期武器的出现

阶级出现以后，奴隶主为获得财产和奴隶，不断发生着战争，出于防御和作战的需要，武器出现了。广东出土的新石器时代的石斧，后部捆绑长手柄，人既可以把它作随身武器，也可以作标枪，从出土文物看，弓箭和斧是原始人最重要的武器。

偶然的发现导致生活方式的变革

有一次，森林里由于雷击闪电，发生了大火。火势十分猛烈，一些小动物来不及躲避，被火烧死了很多。人们来到大火烧过的森林中，发现被烧死的兔子、野鸡等动物，吃起来味道特别香，而且吃下去很舒服，不会拉肚子。于是，人们悟出了一个道理：食

历史文化百科

〈原始人的取火、保存火的方法〉

原始人的取火方法有：摩擦取火、钻木取火、压击取火、打击取火等，钻木取火是比较进步的，延续的时间也最长久。原始人取火很困难，保存火种就是重大活动，简单的是用篝火，复杂的是火塘。火塘是一种人工筑成的、圆坑形的生火设施，特点是位于住室中央，敞口，并配以三脚或陶支子，进行炊事活动。火塘进一步发展就出现了灶。

原始居住洞穴

在原始时代，我们的先人过着茹毛饮血的穴居生活。研究原始人的生活状况，最好的对象是原始洞穴。半坡人处于半穴居时代，他们的房子一半在地下，有圆形与方形两种形式。方形的房子建筑技术简单，数量也少，房门朝南开，房子内部比较狭小，房子中间有一个很大的土坑，这说明在半坡人比较固定的定居生活中，火塘扮演了极为重要的角色。它的普遍应用成为人类文明发达程度的重要标志。

本卷的历史年代起止。

历史大考场：以最基本的涉及本卷的历史文化知识为内容，以问答方式出现。左页下为问题，右页下为答案。

中国大事记：以每卷所在历史年代为起止，精选与故事相应相近年代的中国历史文化重大事件，以此体现中国历史发展的基本脉络。

故事导读：概述故事精要，更好地理解故事精髓。

世界大事记：以中国大事记为参照，摘选相应年代的世界各国历史文化重大事件，以此体现本书"世界性"的理念。

人物、典故、关键词、故事来源：将故事的三要素人物、典故、关键词提炼出来，标注于此（加上故事来源），并汇编成索引于卷末，具有很大的信息量与实用性。

以直观的表格形式，便于读者对分散信息作系统的查考。

图片：涵盖面广泛，能够深入再现历史现实。纵观整套书的图片，又分别构成了一个个独立的专门图史。

图片说明文字：深入揭示图片"背后"的历史文化内涵，读完这些文字，就会对图片有新的发现和新的认识。作为"历史文化百科"的组成部分，在卷末的检索系统中列出。

历史文化百科：是精选的历史文化百科知识，分别涉及政治、经济、文化、科技等十余个知识领域，在卷末附有分类检索系统。

故事段落标题：揭示本段故事主题，具有阅读提示和增加阅读悬念的作用。

世界大事记

前200万年

人类都靠采集植物或狩猎动物获得生存资料。

《韩非子·五蠹》
善思 勤奋
燧人氏

人物 关键词 故事来源

物最好烧熟了吃，特别是那些在水中和地上生长的各类动物，一定要熟食才不会得病。但是，森林中的大火熄灭了，到哪里再去找火呢？当时，人们想办法在某处存火，就一直把火种保留下来，让它不断燃烧，到需要煮食物时，就可以用火来烧。然而保留火种，需要很多可以燃烧的东西，而且要有人看管：火苗太大，烧到其他物体，就会发生火灾；火苗太小，容易熄灭，再生火就十分困难。人们是否能不靠天火而自己制造出火来，什么时候需要就什么时候生火呢？大家都在思考着这个问题。

黄河流域最早的彩陶三足钵
老官台遗址出土的彩陶约占全部陶器的三分之一，彩陶上有各类交错的绳纹，彩陶呈褐红色，多涂在钵碗类红色陶器和三足钵的口沿部位，是黄河流域发现最早的彩陶，时间距今约7330～7050年。

刻苦的试验终于取得欣喜的成功

当时有一个人发现，用一块石头不断地在硬木头中钻，就会产生火星，如果在底下再放些易燃的干草，不就可以自己生火了吗？这个人不断试验这种偶然发现的取火方法，有一次在经过长时间的钻动后，火星果然引燃了下面的干草，钻木取火的试验终于成功了。这个消息不胫而走，传遍了各个氏族部落，大家都来学习人工取火的经验。从此以后，人们再也不用去找不可火而发愁。进食野生动物的时候都可以烧熟了再吃。人们吃着

原始人的公共会所

半坡的方形房子面积比较接近，只有一间面积较大。房子的中间有灶坑，旁边有四根粗大的柱子支撑。房子本身位于居住区的中心，可能是氏族成员共同集会议事的公共会所。

原始社会古今地名对照表

原始社会古地名	今地理方位
阪泉	河北涿鹿县东南
涿鹿	河北涿鹿县东南
鼎湖	河南灵宝市，一说在浙江缙云县
穷桑	山东曲阜一带
少暤之虚	山东曲阜一带
帝丘	河南濮阳县
颛顼之虚	河南濮阳县
亳	河南商丘一带
大夏	山西翼城县一带
平阳	山西临汾市西南
崇	河南嵩县附近
羽山	山东郯城县东北
历山	山东济南东南，或说在山西南部的黄河边
六	安徽六安市
蒲坂	蒲州，山西永济市西
丹水	河南西南角的丹江一带
三危	甘肃敦煌一带
苍梧	湖南宁远县南
酄	河南商丘市东南的虞城

此表把原始社会常见的古地名，标明其现今的地理方位，互相对照，以便于读者查看。

香喷喷的熟食，自然忘不了钻木取火的发明者，一种尊敬、感激之情油然而生。于是，人们把那位发明取火的人称为"燧人氏"，意思是教会人们取火的人。当时大家都敬佩燧人氏的领导，请他来做天下的王。燧人氏试验成功了人工取火的方法，使人们的饮食习惯发生了根本的变化。他是原始社会时期一位了不起的发明家。

因为他发明钻木取火，教民熟食。 031

话说中国

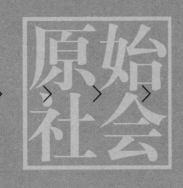

200万年前 ＞ ＞ ＞ ＞ ＞公元前2070年

前言

200万年前—公元前2070年
人类为求生存而艰苦奋斗的时代
原始社会

上海社会科学院历史所研究员　杨善群
上海市第五十九中学教师　郑嘉融

〉自从地球上出现人类以来，最初形成的是原始社会，这种社会一般要经过数百万年。我国是世界上有数的几个文明古国之一，自然在远古也经历了这一阶段。中国境内人类的出现可以追溯到多少万年以前？分布在哪些区域？原始社会的人们是怎样生活的？他们运用什么工具进行生产？中间又有什么变化？原始人形成什么样的社会组织？这些组织的制度如何？其婚姻状况怎样？后来又如何演变？原始社会是由于什么原因而崩溃瓦解的？当时的文化有些什么特征？记录事情的文字是否已经出现？这些都是我们首先要了解的。

人类初期漫长而艰苦的生活〉根据考古学的研究，大约在三百万年以前，地球上已经出现了人类。在中国土地上发现的人类最早的化石，是近年在重庆市巫山县发现的巫山人，距今已有二百万年。1965年在云南元谋发现的元谋人，距今也有一百七十万年。此外，1963—1964年在陕西蓝田发现的蓝田人的遗骨，距今约六十至八十万年；1927年在北京周口店发现的北京人的遗骨，距今约六七十万年。从上述这些古人类遗骨和化石的发现可知，在二百万年到几十万年以前，在中国大地的东西南北，都已经有人类在活动，揭开了社会历史的序幕。〉几十万年前我们祖先的生活状况，可以北京人为代表。北京人的身躯比现代人稍矮，脸部前额稍高，嘴巴前伸，很像猿猴，因此通常称他们为"北京猿人"。他们已能用双腿直立行走，双手也变得日益灵巧。北京人已能制造工具：他们把树枝稍加砍削和修整而制成木棒，可以用来采野果和打野兽；他们把石块稍加敲击和磨尖而制成各种割削器、尖状器，用以剥兽皮、割肉和投射野生动物。北京人使用粗笨的石器和木棒，为了生存而进行着艰苦顽强的斗争。当时已经知道火的使用。他们利用自然火来烧烤食物、照明取暖和防御野兽，并长期保存着火种。这使他们的生活起了巨大变化。〉由于要抵御和捕捉野兽，单独的个人无能为力，因此北京人总是几十个人在一起，共同劳动，共同消费。这种最早的社会组织称为"原始群"。当时的婚姻状况是杂乱无章的。只要是年龄相仿的男女之间都可以成立婚姻关系，不管兄妹和姐弟，而且往往是群婚。北京人的生活极其艰苦。因为科学知识的贫乏和医疗条件的低下，北京人大部分都在青少年时代就死去，能活到五六十岁的只是极少数。〉大约在十万年到一万多年前，我们的祖先又进入到一个新的历史阶段。这一阶段的情况可以距今约一万八千年的山顶洞人为代表。山顶洞人生活在北京周口店龙骨山山顶的一个洞穴里，他们的模样已和现代人没有什么区别，与猿猴相似的特征已完全消失。〉当时社会发展的显著标志就是人的劳动技能的进步和生产工具的变化。山顶洞人改善了打击和修制石器的方法，掌握了穿孔、挖心和磨光等技术，制造出的石器类型众多，形式对称均匀，刃部锋利，更适合于狩猎、切割和刺杀等需要。史家把粗糙地制造石器的北京人阶段称为旧石器时代，而把精细地加工石器的山顶洞人阶段称为新石器时代。〉弓箭的发明是当时生产技术的一大进步。使用箭前有尖石的石簇，投掷木棒前有尖石的石矛，不仅可以追杀走兽，而且可以射击飞鸟。山顶洞人除了打猎、采集外，还捕鱼，从山顶洞发现的青鱼化石和鱼骨装饰品可以清楚地证明这一点。山顶洞的一枚骨针，长82毫米，针尖圆锐，针孔窄小，制作精巧。这说明山顶洞人已能用骨针缝缀兽皮作衣服，它又给生活提供了很大方便。山顶洞里发现的火烧的灰烬，说明这时人们已学会了磨擦取火的方法。因为大量石器、骨器的磨制，必然会产生火花。人工取火的发明，在人类文明史上也是一件具有重要意义的大事。

母系氏族向父系的转变：生产力的发展是第一要素 〉为了发展生产力的需要，

当时的社会组织也形成了一种比较大的稳固的团体。这种团体因血缘关系而聚集在一起，一个团体就是一个氏族，大家过着平等的集体生活，因而史家把这种团体称为"氏族公社"。在这种团体中，出现了在劳动时按年龄、性别的分工。通常的原则是：青壮年男子担任打猎、捕鱼等在野外作业的需要较大体力的事务，妇女和老人孩子则担任采集果品、烧烤食物、缝制衣服、看管住地等任务。〉由于采集的工作比较稳定，能给氏族提供较多的食物，而且在当时婚姻状况混乱的情况下，人们只知其母、不知其父，因此妇女的地位日见重要，她们是公社事务的主持者。在一个氏族公社中，往往有一个共同的女祖先。这个女祖先的后代聚集在一起，不断繁衍发展。当时已经认识到，有血缘关系的直系亲属的男女婚配，会给他们的后代带来很多缺陷，造成痴呆或畸形，因此普遍推行族外婚制。一个祖母生下的子女，男子长大了要迁移到其他氏族公社中去做那里女子的丈夫，女子则留在氏族公社内以迁移进来的外族男子为丈夫。整个氏族公社中，女子的世系脉络是清楚的，祖母、母亲、女儿、孙女都可以明确的知道，而男子的世系是无法辨认的。因此，这种团体就称为"母系氏族公社"，它是氏族公社发展的最初形态。〉大约在六七千年前，母系氏族公社在中国大地上兴旺发展，考古发掘所得这方面的文化遗址遍及全国。其中较著名的有：发现于河南渑池仰韶村的仰韶文化，陕西西安半坡村的半坡遗址，甘肃临洮的马家窑文化，江苏淮安的青莲岗文化，山东泰安的大汶口文化，浙江余姚的河姆渡遗址，浙江嘉兴的马家浜文化，上海青浦的崧泽文化等。〉当时在农业上已经知道种植水稻，河姆渡遗址中发现过很多稻谷的堆积。捕获的禽兽吃不完就把它们豢养起来，同时可以生出小禽兽。这样，人们就学会了饲养家畜家禽。西安半坡遗址中发现有猪和狗的骨头，经鉴定是属于人工饲养的。为便于储存液体和煮熟食物，当时已发明了陶器。陶器的形式多种多样，有鼎、鬲、釜等炊具，碗、盆、杯等饮食器，瓮、罐等储盛器和汲水用的小口尖底瓶等。陶器上涂以

颜料，画上各种几何形图案和动植物形象，看来美观大方，称为"彩陶"。 房屋的建造当时也已初具规模，这是人类征服自然的又一件大事。人们有了住房，结束了巢居穴处的生活，平日可以避风雨，冬夏可以避寒暑，还可以防止猛兽蛇虫的侵害。半坡遗址的居住区，排列着四、五十座方形和圆形的小房。居住区的中央，还有一座长方形的大房，是氏族公社成员集会的场所。 为避免近亲血缘婚姻而造成子女的多病和畸形，当时每个母系氏族公社都取了一个姓，很早以来就约定俗成"同姓不婚"的规矩。因为每个氏族的首领都由妇女担任，妇女在氏族公社中起着主导作用，故我国最早的姓，如姬、姜、妫、姚、姒、嬴、晏(偃)等，大都从女旁。由于人口的不断增多，一个母系氏族就分裂为若干个女儿氏族和孙女儿氏族。这些分出的氏族仍然保持着原姓，它们之间同样不能通婚。许多同姓的氏族构成为一个部落，这是氏族公社联合的大组织。为了区别一个部落中的各个氏族，每个氏族除了共同的姓之外，又取了一个特有的姓，称为"氏"。一个部落的人口不断繁殖，会分裂出新的部落，随着时间的推移、血缘关系的疏远，新的氏族、部落会取新的姓。这样，不同的姓又可互通婚姻。 随着社会生产力的发展，男子由于其生理条件的特点，生产效率不断提高，在农牧工渔各业中逐渐居于主导地位，掌握了氏族的主要财富。于是，在母系氏族公社中发生了一次激烈的变革：原来由妇女担任的氏族首领改由男子担任；原来女子留在本氏族而男子迁往他族的婚姻方式，改为男子留在本氏族而女子出嫁到他族去。这样，母系氏族公社就转化为父系氏族公社。同时，为了子女继承父母财产的方便，原来的群婚、对偶婚，即女子有一个"主夫"、男子有一个"主妻"，也变成了一夫一妻或一夫多妻的家庭。 母系氏族向父系氏族的转变，最明显的表现在墓葬方面。原来母系氏族实行群婚，因此墓葬的形式是男女分别集体葬。男子生时迁往他族结婚，死后要回归原族，这样男子的墓葬都为二次迁移葬。婚姻进步到对偶婚阶段，因为各人有了一个主要对偶，但又不稳固，所以便男女分别单葬。到父系氏族公社时，由于单个家庭的形成，出现了夫妻合葬墓及少数一夫二妻的合葬墓。在这些合葬墓中，男性的丈夫仰卧直肢，躺在右边或中间；女性的妻子侧身屈肢，位于左边或两侧。这充分表现了男子在家庭中的统治地位和女子居于屈从依附的地位。

财富和土地是导致社会动荡的基本原因 父系氏族公社时期的生产力有了进一步

发展，其主要标志是铜器的使用和丝织物的发明。在这一时期的许多文化遗址中，发现了锥、刀、匕、斧、镯、铃、镜等小铜器和铜片、铜液、铜渣等冶炼的残物。这说明，当时铜的冶炼和铜器的使用已很普遍，考古学把这一时期称为"铜石并用时代"。据测定，这些铜器的成分是红铜，也有少数是青铜或黄铜，含有较多的杂质。在浙江吴兴的良渚文化遗址中发现了一些丝织物，有绢片、丝带和丝线等，其原料经鉴定是家蚕丝。由此可知，早在五千年前，我国的养蚕缫丝业已在江南地区兴起。 由于生产力的不断发展，本来需要集体劳动才能完成的事，现在几个人甚至单个人就可进行。个体家庭成了一个生产单位，生产的物品不再交公，而作为家庭的私有财产。私有制逐渐代替了公有制。父系氏族公社后期各个家庭都有了相当多的剩余产品，于是就产生了互相交换以通有无的要求。传说在神农氏时，民众相约"日中为市"，即在中午前后，大家把剩余产品拿出来进行交换，形成集市贸易。〉各个家庭由于劳力的强弱、经营的好坏、遭遇的不同，因而占有的财产也各异，逐渐出现了贫富的差别。这从当时的墓葬就可以看得很清楚。在一块氏族的公共墓地中，有的墓坑道长大，棺椁制作精良，随葬物非常多，有珍贵的象牙品、玉器，精美的彩陶、装饰品，数目多达几十件到一百多件，还有不少牲口的头骨，以示其家庭的富裕。有的墓极其简陋，随葬品一件也没有。这样贫富悬殊的差异，预示着财产共有、人人平等、没有阶级、没有剥削压迫的原始社会已经面临着崩溃的前夜。〉当时中国大地上存在着黄帝、炎帝、蚩尤、太皞、少皞等部落，他们之间为争夺土地和财富经常发生战争。个人的生产劳动除了本人消费之外还有剩余产品，这样，就有了人剥削人的可能。起初，各部落间进行战争，抓到了俘虏便把他们杀掉。后来，主人可以强迫战俘劳动而剥削其剩余产品，为主人创造财富，于是就更促使一些部落首领对外发动战争，去掠夺人和财物。战争加强了各部落间的联系。为使各部落有统一的领导，稳定天下的局势，经过组织和协商，逐渐形成了部落联盟。在开始成立的黄河流域部落联盟中，黄帝部落的首领以其强大的军事实力和治理百姓的成功经验，被公推为部落联盟的首领。〉在人类初期的原始社会中，从氏族公社、部落到部落联盟的首领，一直是由公众推举道德高尚、办事干练、才能出众的人而产生的。相传黄帝之后过了若干代，部落联盟的首领由陶唐氏的尧来担任。尧改变了首领由公众推举的办法而确立了禅让制，即由首领自己选定一个接班人，经过一段时间的考验而把权力全部转让给他。这种"禅让"制，较之公众推举的方式已经带有专制的成分，但首领迫于舆论的压力，毕竟还不敢选择自己的儿子为接班人。经过尧传舜、舜传禹几代的禅让，部落联盟的首领成为高居于民众之上的帝王，权力愈来愈大，积聚的财富越来越多。一旦当上这样的君王，便再也不肯禅让给别一家族的人；同时，君王的儿子也要凭借其优势，极力争传其父的职位；这样，统治天下的帝王之位由禅让而变为父子世袭，乃是势所必然的事。帝王父子世袭的出现以及一大批官吏的特权化，标志着原始社会的彻底崩溃。

神话与图腾：人类幼年的文化 〉原始社会的文化，具有人类幼年时期的特征。当时为了共同生产和生活，为了交流思想感情的需要，人们口头的语言很早就已经产生，但记录事情和表达思想的文字尚处于萌芽状态。在出土的原始社会晚期的一些陶器和玉器上，曾发现有不少刻画符号和表意图像。据专家的分析，这些符号和图像，是原始社会人们的创造，也是我国最早的文字记载。〉由于生产力总水平的低下和科学知识的贫乏，原始社会时期人们无法战胜自然灾害的侵袭，便幻想有一种神的力量来保护人民，改变自然。于是，就在人民中间流传着许多"神话"，如"盘古氏开天辟地"、"女娲氏炼石补天"、"精卫填海"、"愚公移山"等。因为当时还不具备记载这些神话的条件，故它们只能在人们的口头流传，到后来才整理成书面文字而保存下来。〉原始社会的各氏族部落，往往对一种物特别崇拜，认为他们的祖先就是由这种物转变来的，禁止对它的伤害。这种物大都是动物，如鸟、鱼、龙等，也有少数为植物或自然物。这种被人们崇拜的物，称为"图腾"。图腾是外来语，意译为"他的亲族"。图腾崇拜的盛行，是原始社会特有的文化现象。

200万年前—公元前2070年
人类为求生存而艰苦奋斗的时代
原始社会

原始社会重要遗址分布图

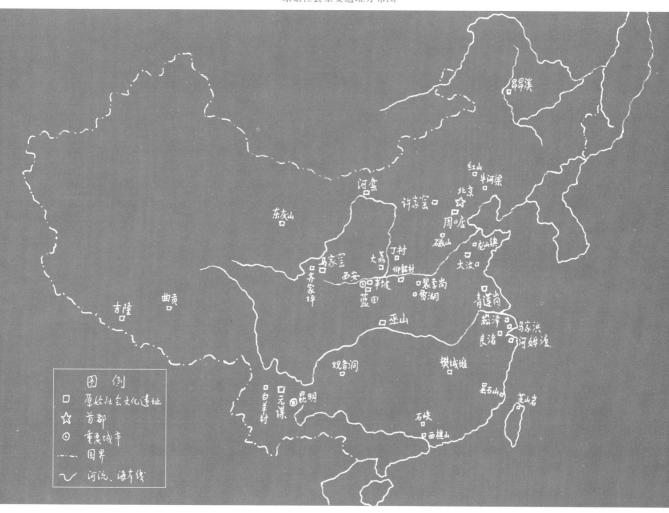

图例
- □ 原始社会文化遗址
- ☆ 首都
- ◉ 重要城市
- —·— 国界
- ～ 河流、海岸线

昂昂溪
红山
牛河梁
北京
河套
许家窑
周口
东谷山
磁山
龙山镇
乌家窑 大岛
丁村
仰韶村
大汶
齐家坪
西安
半坡
裴李岗
青莲岗
蓝田
斐湖
巫山
崧泽
骆驼洪
良渚
河姆渡
观音洞
屈城堆
昙石山
白羊村
元谋
昆明
卑南岩
石峡
西樵山
吉隆
曲贡

传说中的原始社会首领传承表

1 盘古氏	2 有巢氏	3 燧人氏	4 伏羲氏	5 神农氏	6 黄帝	7 颛顼	8 帝喾	9 唐尧	10 虞舜	11 夏禹

原始社会

盘古氏开天辟地

天地、日月、山川、风雷，这一切是如何形成的？原始社会的人们在思考、探索，流传着一个构思奇特、充满幻想的故事。

上古时代，人们对自然界一无所知，只见蓝天上飘着白云，太阳高高地在天上转动，发出强烈的光和热；到了晚上，天上又出现了月亮和星星，也在慢慢地转动；地上有许多花草树木，泥土石块，飞禽走兽，江河湖泊；江河中的水在不停地流动，天空中会刮风下雨，有时还会出现一道闪光，然后雷声大作，震动四面八方。自然界的这一切奇怪现象，究竟是如何形成的？人们在思考，在探索。渐渐地，在人们中流传着这样一个开天辟地的故事。

推动大西瓜的上下裂变

据说在很久很久以前，天地浑沌一体，像一只鸡蛋，或者说像一只西瓜，万物都在里面。其中还生出了一个人，叫盘古氏。经过一万八千年，天地渐渐动起来，慢慢分离。生活在天地之间的盘古，显得特别活跃。他一日九变，上下跳动。于是，天每日升高一丈，地每日加厚一丈，盘古也每日长高一丈。他不断地将天往上推，将地往下沉。又经过一万八千年，天变得极高，地变得极厚，盘古长得极长。天不断地升高变宽，地不断地下沉加厚，直至天和地离开九万里时，到达了极限，就成为现在这个样子。

英雄身体化作宇宙万物

盘古氏开天辟地，由于过度劳累而病倒了。在他临近死亡的时候，他的身体突然化作天上地下的万物：他的左眼变成了太阳，右眼变成了月亮；他身上隆起的部分变成了高山，血液变成了江河；他的肌肉变成了土田，头发和胡须变成了天上的星星和地下的草木；他的牙齿和骨头变成铁块和巨石，身上的精髓变成了珍珠和美玉；他的呼气变成了风云，喊声变成了雷霆，流出的汗变成了雨水。特别是他身上长出

最早成型陶器：新石器时代开始的重要标志
江西万年县仙人洞出土的一件距今一万年的陶罐，是迄今中国境内发现年代最早的成型陶器，陶器的出现是新石器时代开始的重要标志之一，历史学家据此认定中国的新石器时代开始于一万年前。文物显示当时的制陶技术相当原始，陶器均系用手捏制而成。

> 历史文化百科 ＜

〔200万年前的人类洞穴〕
山西太行山东南端的陵川县丈河乡后河一带，近年发现有10个古人类洞穴。在洞穴中掘出一具带有6枚完整牙齿的猿人下颌骨，以及猿人的骨骼化石多件，打制石器多件，还有大量火烧灰烬和木炭屑块。
据考古学家推断，此古猿人遗址群迄今至少有200万年，比北京房山猿人要早150万年。

塑有裸体双性浮雕的彩陶壶
青海新石器马厂文化遗址出土了一件陶壶,壶面塑有一个裸体双性人像,壶的背面颈部绘有长发,发下绘出一只大蛙。在萨满信仰中两性人往往是天和地的中介,具备沟通天地人神的能力。大蛙是萨满作法时的青蛙附体。

的许多小虫,经风一吹,变成了活生生的人。

盘古氏把一切都献给了这个世界和人类。他是开天辟地的英雄,自然受到人们的崇敬。据说在南海曾有盘古氏墓,是人们为了追葬盘古之魂而建立的。在桂林有盘古氏庙,不断有人来为庙中的盘古氏像烧香磕头。在湖南各地,人们还规定农历十月十六日为盘古氏生日,每逢那天都有一番热烈的纪念活动。

开天辟地的始祖
盘古是开天辟地的始祖,神性自然非寻常可比拟。我们面前的这位祖先魁伟雄壮,声威逼人,刚刚劈开混沌的气势跃然纸上。

盘古氏开天辟地、化作万物的故事,当然不可能是真的。但是,盘古氏的神话反映了原始人对世界开初的幻想,它有奇妙的构思、丰富的想象、生动的情节和广阔的意境。这些故事,正如马克思对古希腊神话所作的评价那样,它对人们具有"永久的魅力"。

> 历史文化百科 <

〔华夏第一龙〕
河南濮阳市西水坡仰韶文化遗址墓葬中,近年发现用蚌壳砌塑的龙、虎形象。墓主人是具有特殊身份的男性。在墓主人骨架右侧,是一条卷曲急驰的龙,左侧是一只快步行走的虎。

这些龙虎,形状各异,别致生动。其中这些龙是我国目前发现的最早的龙,具有很高的研究价值。

中国大事记　西侯度人在山西省芮城县西侯度村一带活动。那里发现一批石制品，包括石片，砍斫器、刮削器等。它们是目前我国发现的年代最早的石器。

〇〇二

困扰人们的恶劣环境

自从人类出现在世界上，便和其他飞禽走兽杂居在一起。当时气候炎热，人类少而飞禽走兽多，除了大象、狮子、老虎、豹、豺狼、犀牛等野兽

有巢氏上树栖居

原始社会的人们经常受到野兽的侵袭，蛇虫的叮咬，这时出现一个聪明的建筑师，为人们解除痛苦，造福于民。

外，在地上和水中爬行的鳄鱼和各种蛇类都能伤害人。就是那些小爬虫，如蝎子、蜈蚣、蚂蟥等，咬人一口，也疼痛难忍。人们常常一觉醒来，发现自己的同伴已被野兽咬死、拖走，或者野兽就在自己身旁，使人心惊肉跳。为躲避野兽和其他蛇虫的侵害，有人发现山边的洞穴，住在里面比较安全。但洞穴往往比较阴湿，住在里面容易得病；且洞穴内一片黑暗，行动不便，一旦有野兽进入，更是无法逃脱。

特征鲜明的筒形三足陶罐

出土于陕西省西安市临潼区老官台遗址，该遗址是早于仰韶时代的遗存，有居址和墓葬两部分。遗址出土以陶器为主，多是仿实用制作的小型明器，特征鲜明，以圆底钵、三足钵、圈足碗、三足鼓腹罐、三足筒形罐和鼓腹瓮为器群，多数饰各类绳纹，以交错绳纹最富特色，此筒形三足罐即是当时的出品。

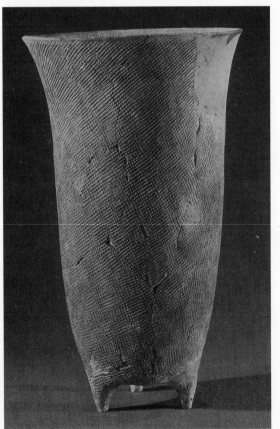

从大自然中吸取智慧

正当人们在为没有理想的居住之处发愁的时候，部落中有一个人看到了树上的鸟巢。鸟儿白天出外寻找食物，晚上回来栖息在巢中，地上的野兽不能伤害它。由于有树叶的遮蔽，下雨也淋不到它。居住在巢中，既安全又舒适。那个人就想，人类为什么不可以学学鸟儿的居住方式呢？于是，他便动手折来一些树枝插在树上，用泥浆把树枝加固起来。一个庞大的能住人的巢便筑成了。爬上树住在巢里像鸟儿一样，果然舒服！一时间，人们纷纷效仿在树上搭巢居住。当时的树木又高大又多，人们在树上筑起了各式各样的

色彩明艳，纹饰简约的鱼鸟纹彩陶葫芦瓶（上图）

姜寨遗址位于陕西西安市临潼区，属半坡文化，是迄今中国史前聚落遗址中发掘面积最大的一处。姜寨遗址出土的彩陶最为精美，此鱼鸟纹彩陶葫芦瓶，色彩鲜艳，纹饰简练古朴，是原始艺术的珍品。

原始社会

世界大事记

印度尼西亚在爪哇卡里森巴一带有早期猿人活动，在那里发现一块人头化石，称卡里森巴早期猿人。

有巢氏　善思　灵感　《韩非子·五蠹》

人物　关键词　故事来源

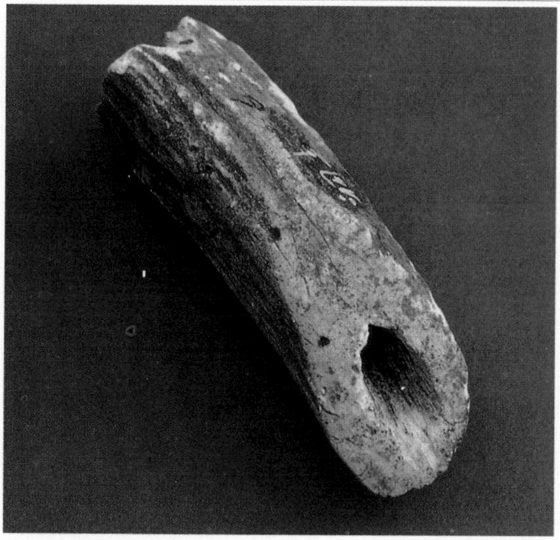

古老的骨器技术

如果说电脑是现代人必不可少的用具，那么相信骨角铲对于旧石器时代晚期的人同样重要，因为它是重要的挖掘工具。这件骨角铲是距今1.4万年前的文物，用截断的鹿角磨制而成，反映出当时人已熟练地掌握了磨制骨器的技术。

巢，晚上栖居在那里，从此便能放心地一觉睡到天亮，再也不怕野兽来侵扰了。

为了感谢这位发明在树上筑巢居住的人的功绩，人们选举他为王，服从他的调配，称他为“有巢氏”。过了很长一段时间，人们感到在树上居住，爬上爬下很不方便，一不小心从树上跌下来，还会把人摔伤。于是，人们又从树上迁移到地上，效仿筑巢的方法，在地上建造起坚固的房屋，同样能防野兽的侵害。这样，比在树上筑巢居住更加舒适和安全了。虽然如此，有巢氏还是原始社会历史上的一大发明家。在人类的生活方式不断进步的过程中，有巢氏倡导上树筑巢居住，在当时确实是人们最优越的居住条件。有巢氏的智慧和功德，人们将永远深深地怀念！

历史文化百科

〔原始人的住宅〕

生活在黄土高原的原始居民，由于黄土高原气候干燥、雨量较少，在穴居的启发下发明了窑洞式住所。而在我国南方，由于地势低洼，气候炎热，雨量过多，人们在巢居的基础上发明了高脚建筑——杆栏。树木桩为底架，桩下有石基，在木桩上铺梁搭木板或竹片，其上建长脊短檐房屋，房顶覆盖茅草。上边住人，下边养牲畜。上楼用木梯。

神秘的人面

人面纹是今存新石器时代岩画的常见主题，见于江苏连云港市的这幅则别具特色。一张张活泼的人面都从植物中伸出，与常见的太阳神主题大相径庭，它比以太阳的光热祈祷五谷丰登来得更加直接了。

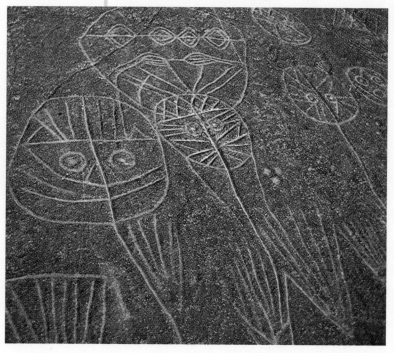

〇〇三

燧人氏钻木取火

人们生吃鸡鸭鱼肉，不但有一股腥味，而且会拉肚子得病，难以入口。为解决此问题，又出现了一位给人们带来圣火的发明家。

在上古时代，人们的住宿和吃饭，是两个最大的问题。自从有巢氏发明在树上筑巢居住后，住的地方比过去安全舒服多了。但是，吃的方面依然问题严重。人们为了充饥，采野果子吃；或在河里捉来蚌、蛤蜊、虾、螺蛳以及各种鱼类，剥去它们的壳和皮，挖出它们的肉来吃；或在树林里打到兔子、山羊、野鸡、鹿等小动物，也是剥去它们的皮毛，割下它们的肉，和着血一起吃下去。这样生吃各类食物，不但味道不好，有一股腥臊恶臭味，使人难以下咽，而且生吃食物，伤害肠胃，往往会引起上吐下泻，导致各种疾病，损害身体健康。

新石器时期石矛：早期武器的出现

阶级出现以后，奴隶主为获得财产和奴隶，不断发生掠夺战争，出于防御和作战的需要，武器出现了。广东出土的新石器时代的石矛，后部捆绑长手柄，人既可以把矛作随身武器，也可以作标枪，向敌人投掷。从出土文物看，弓箭和矛是原始人最重要的武器。

偶然的发现导致生活方式的变革

有一次，森林里由于雷击闪电，发生了大火。火势十分猛烈，一些小动物来不及躲避，被火烧死了很多。人们来到大火烧过的森林中，发现被烧死的兔子、野鸡等动物，吃起来味道特别香，而且吃下去很舒服，不会拉肚子。于是，人们悟出了一个道理：食

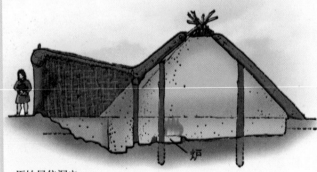

原始居住洞穴

在原始时代，我们的先人过着茹毛饮血的穴居生活。研究原始人的生活状况，最好的对象是原始洞穴。半坡人处于半穴居时代，他们的房子一半在地下，有圆形与方形两种房型。方形的房子建筑技术简单，数量也少。房门朝南开，房子入口比较狭小，房子中间有一个烧火的土炕。这说明在半坡人比较固定的定居生活中，火扮演了极为重要的角色，它的普遍应用成为人类文明发达程度的重要标志。

炉

> 历史文化百科 <

〔原始人的取火、保存火的方法〕

原始人的取火方法有：摩擦取火、钻木取火、压击取火、打击取火等，钻木取火是比较进步的，延续的时间也最长久。原始人取火很困难，保存火种就是重大活动，简单的是用篝火，复杂的是火塘。火塘是一种人工修筑的、圆坑形的生火设施，特点是位于住室中央、敞口，并配以石三脚或陶支子，进行炊事活动。火塘进一步发展就出现了灶。

原始社会

物最好烧熟了吃，特别是那些在水中和地上生长的各类动物，一定要熟食才不会得病。但是，森林中的大火熄灭了，到哪里再去找火呢？当时，人们想办法在某处着火后，就一直把火种保留下来，让它不断燃烧，到需要煮食物时，就可以用火来烧。然而保留火种，需要很多可以燃烧的东西，而且要有人看管：火苗太大，烧到其他物体，就会发生火灾；火苗太小，容易熄灭，再生火就十分困难。人们是否能不靠天火而自己制造出火来，什么时候需要就什么时候生火呢？大家都在思考着这个问题。

黄河流域最早的彩陶三足钵
老官台遗址出土的彩陶约占全部陶器的三分之一，彩陶上有各类交错的绳纹，彩陶呈褐红色，多涂在钵碗类红色陶器和三足器的口沿部位，是黄河流域发现最早的彩陶，时间距今约 7330—7050 年。

刻苦的试验终于取得欣喜的成功

当时有一个人发现，用一块石头不断地在硬木头中钻，就会产生火星，如果在底下再放些易燃的干草，不就可以自己生火了吗？这个人不断试验这种偶然发现的取火方法，有一次在经过长时间的钻动后，火星果然引燃了下面的干草，钻木取火的试验终于成功了。这个消息不胫而走，传遍了各个氏族部落，大家都来学习人工取火的经验。从此以后，人们再也不用为找不到火而发愁，进食野生动物的时候都可以烧熟了再吃。人们吃着

原始人的公共会所

半坡的方形房子面积比较接近，只有一间面积较大。房子的中间有灶坑，旁边有四根粗大的柱子支撑。房子本身位于居住区的中心，可能是氏族成员共同集会议事的公共会所。

原始社会古今地名对照表	
原始社会古地名	今地理方位
阪泉	河北涿鹿县东南
涿鹿	河北涿鹿县东南
鼎湖	河南灵宝市，一说在浙江缙云县
穷桑	山东曲阜一带
少暤之虚	山东曲阜一带
帝丘	河南濮阳县
颛顼之虚	河南濮阳县
亳	河南商丘一带
大夏	山西翼城县一带
平阳	山西临汾市西南
崇	河南嵩县附近
羽山	山东郯城县东北
历山	山东济南东南，或说在山西南部的黄河边
六	安徽六安市
蒲坂	蒲州，山西永济市西
丹水	河南西南角的丹江一带
三危	甘肃敦煌一带
苍梧	湖南宁远县南
商	河南商丘市东南的虞城

此表把原始社会常见的古地名，标明其现今的地理方位，互相对照，以便于读者查考。

香喷喷的熟食，自然忘不了钻木取火的发明者，一种尊敬、感激之情油然而生。于是，人们把那位发明取火的人称为"燧人氏"，意思是教会人们取火的人。当时大家都服从燧人氏的领导，请他来做天下的王。燧人氏试验成功了人工取火的方法，使人们的饮食习惯发生了根本的变化。他是原始社会时期一位了不起的发明家。

因为他发明钻木取火，教民熟食。

伏羲氏画八卦

原始社会人才辈出。有一个能人，他既会捉兽捕鱼，烹调弹琴，还发明了用八卦来表达思想感情。

燧人氏钻木取火获得成功，受到人们的拥戴做了天下的王。传说在燧人氏去世后，又出现了一位能人叫"伏羲氏"，继燧人氏当了天下的王。

伏羲氏的形象非常特别，有的书上说他"人头蛇身"，也有说他是"龙身"、"麟身"，即他的身体像蛇、像龙或像麒麟。麒麟是传说中一种代表吉祥的怪兽。

穿树叶时装的始祖

伏羲在关于上古历史的传说中居古代三皇五帝之首。他与女娲兄妹成婚而生息繁衍了中华民族，并传留下捕鱼狩猎等许多生产劳动技能。据说在古代思想和生活领域中极为重要的八卦，也是他创制发明的。这幅画像模仿了《山海经》里面的神人形象，想来是要突出远古的味道。但他毕竟是我们的祖先，因此，虽然身上披的是树叶，却也整洁漂亮，比起我们现今的时装来大概也不算逊色的。

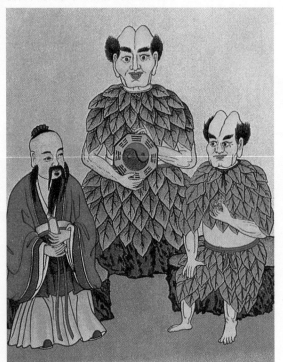

捕兽捉鱼样样精通

伏羲氏有着各种各样的本领。首先他教人结网：在陆地上结网可捕捉野兽，在水中张网可捕捉鱼类，从此，人们在田猎、捕鱼方面取得了很大的进步。在捕捉到野兽后，伏羲氏又教人们把野兽养起来，变成家畜，从而畜牧业又大大发展起来。人们可以不去打猎而依靠放牧，就能获得大量的动物产品。

上古的人们没有文字，为记住事情不要忘掉，就在一根长绳上打个结。这种方法太含糊，时间久了，人们不知道那绳上的结究竟是指什么。伏羲氏"造书契"以代替结绳，就是在木头或石头上刻划许多符号，这比结绳的意思清楚多了。伏羲氏是中国古代最早的文字学家。

娱乐烹调行行高手

当时的人们生活单调，没有娱乐活动，伏羲氏又教人制作琴瑟。他砍伐桐树做琴身，用丝线拉起来做弦。他制作的瑟长七尺二寸，上有二十七根弦。伏羲氏制作琴瑟，丰富了人们的文化生活。

伏羲氏还能养供祭祀用的牲口，以充庖厨，据说他有一手烹调的好手艺，能改变腥臊之味。他之所以又叫"庖牺"，就是因为他能在庖厨里把牺牲烹调成美味佳肴的缘故。伏羲氏又是中国最早的烹调大师，这对改善人们的生活意义也很重大。

上古的人比较粗鲁，不懂什么礼仪，伏羲氏又为他们制订一些礼仪规范。据说在嫁娶时以"俪皮"即两张鹿皮作为礼物，就是伏羲氏制订的。从此，野蛮的掠夺婚姻减少了，人们开始以文明的赠送礼品的方式进行嫁娶活动。

原始社会

远古风范太昊伏羲氏
传说中的三皇五帝之首。相传他人首蛇身，与亲妹妹女娲成婚，生儿育女成为人类的始祖。关于伏羲氏的传说很多，像中的他散发披肩，身披鹿皮，一派远古风范。

奇妙创造推进文明

伏羲氏最著名的创造发明，是画八卦。当时他仰观天文，俯察地理，旁观鸟兽身上的花纹以及土地的

〔原始人的烹饪方法：烧烤法、石烹法、蒸煮法〕
原始人学会用火以后，发明了各种烹饪方法，主要分为烧烤法、石烹法、蒸煮法等三类。有些烹饪方法，现在还在使用，如烤肉、石板烧、煮米饭、蒸面食、竹筒饭等。中国烹饪技术的最大特点是利用油脂炒炸食物，当时没有金属炊具，所以限制了烹饪技术的发展。

特性，近取身上的器官，远取天下的万物，用一条长画代表阳，用两条短画代表阴，阴阳搭配，画成八种不同的图案，称作"八卦"，象征天、地、雷、风、水、火、山、泽八种自然现象。伏羲氏不愧是中国最早的天文学家、地理学家。据说，在祭祀天神、告示民众、表达万物之情时，都可以用"八卦"来进行。这又是一个奇妙的创造！

伏羲氏在打猎、捕鱼、畜牧、文化、娱乐、烹调、礼仪、祭天、治民等方面都有许多突出的创造，他的形象又是那么奇怪。这个故事代表了原始社会的人们对当时能发展生产、推动文明进步的杰出人物的崇拜。

汉代壁画里的伏羲
1967年6月，在河南洛阳西汉卜千秋墓壁画中发现的伏羲画像。

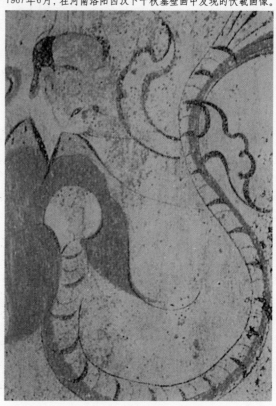

〉传说是伏羲氏所作，周文王再演为六十四卦，说明世间一切变化。

女娲氏炼石补天

一个本领高强的女性，练就一手补天洞、止洪水的功夫。这是原始社会又一则精彩的神话。

在众多的传说人物中，女娲氏是一个本领高强、异常特别的女性。据说她人头蛇身，一天之中可以有七十种变化。

除灾去难为民造福

女娲氏生活在天地很不太平的时期：地的四极忽然坍塌，九州四散分裂；天也分成许多片，望上去到处都是黑洞。不少地方燃起了大火；有些地方被浩瀚的大水所淹没。猛兽横行人间，专门扑食善良的百姓；鸷鸟在天空盘旋，看见老人和儿童，就下来抓捕啄食。女娲氏不忍看到天地发生如此的灾难，人民遭受如此的痛苦，于是她建造了一个炉子，用高温炭火烧炼出一种五色的石头，把它镶嵌在分成许多片的苍天之

寓意深奥的伏羲女娲图

伏羲、女娲是我国古代传说中人类的祖先。据说伏羲曾教导人们从事农、牧、渔业生产，女娲曾教导人们婚姻嫁娶的人伦礼法。根据中国古代男左女右的礼俗，伏羲在左，左手执矩，女娲在右，右手执规，人首蛇身、蛇尾交缠，头上绘日，尾间绘月，周围绘满星辰。寓意深奥，构图奇特，富于艺术魅力和神秘色彩。他们手中拿的规和矩，既是生产工具，又是社会秩序的象征。

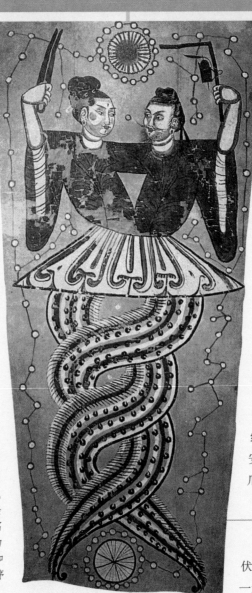

中，将苍天的黑洞补得没有一点缝隙。然后她又截断海中一只大龟的四足立于地的四极，把地稳固地支撑起来；再杀掉水精黑龙，使滔滔的洪水不再在地上横流；她同时还积聚芦苇烧成的灰，用来止住从地面冒出的淫水。通过女娲氏的辛苦操劳和勇敢斗争，苍天的洞补好了，地的四极牢固了，淫水涸竭了，吃人的猛兽被制服了，黎民百姓得以生活安定，大地又出现了宁静、祥和的景象。

女娲氏背靠着四方的地面，手抱着浑圆的天体，使春天风和日丽，夏天阳光灿烂，秋天肃杀萧瑟，冬天万物隐藏。她躺在长方形的枕头上，直身睡着。看见天下阴阳壅塞、沉积不通的地方，就挖开通道加以理顺；看见乱气与万物乖离，伤害民众积累财富，就堵绝和制止。经过女娲氏的扶正祛邪、救危为安，当时的禽兽虫蛇，无不藏匿其爪牙、毒汁，没有攫取、吞噬之心。

兄妹夫妻说合男女

传说女娲是伏羲的妹妹，又是伏羲的妻子，他们兄妹结为夫妻。一天，兄妹两人在昆仑山上，欲为

前180万年

前１８０万年

世界大事记

能人在非洲坦桑尼亚奥杜瓦伊峡谷一带活动，那里发现头骨和牙齿。

《淮南子·风俗通义》《风俗通义》

女娲 伏羲

胸怀 勇敢

人物 关键词 故事来源

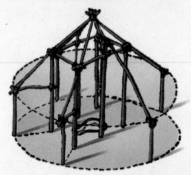

原始建筑艺术的进一步发展

半坡人的住所属于原始的圆形房子，构造比方形房子复杂，多数是在平地上建筑起来，墙壁以木头柱子为骨，门口开阔平坦，有撑持房顶的柱子，多立在房子中间或者爨坑的两旁，形状酷似蒙古包。与方形房子相比，圆形房子体现了原始建筑艺术的发展变化。

夫妻而又害羞，就向天空大喊道："天如果牵合我兄妹二人为夫妻，这山上的白烟就合拢到一起来；如不同意，就使烟散。"结果山上的白烟立刻合拢，兄妹两人就合宿一处。人类由于他们兄妹通婚而越生越多。

女娲还有造人的本领。当时天地刚开辟，人口稀少，女娲就捏黄土造人，一捏就是一个。后来，因为捏土太累，就把粗绳和在烂泥中。粗绳一拉，就成一

人。传说女娲还能为男女之事作媒。古代有媒氏在仲春之月为男女说合，同时男女祭媒神于郊外，称为"郊禖"。"郊"与"高"音相近，故又称"高禖"。由于女娲具有为男女之事说合的技巧和癖好，因而成为"高禖"之神。后世男女为求配偶或夫妻盼望生子，都要向高禖之神进行祭祀。

女娲氏既是能炼石补天、救世除灾和捏土造人的神，又是兄妹结婚，即原始社会初期血缘通婚的人。女娲氏的故事反映了原始社会初期人们的幻想和婚姻状况。

骨笛：体现音乐文化的发展

贾湖遗址挖掘出贾湖人生活的各类遗存，出土遗物数千件，其中墓葬中随葬的七声音阶的骨笛，精致美观，反映当时人不仅物质生活达到一定水平，音乐文化也有一定发展。

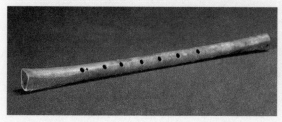

> **历史文化百科** <

〔迄今所见最古的乐器——骨笛〕

1988年，一批契刻符号的甲骨在河南舞阳县北的贾湖新石器时代遗址出土。这比以往发现的西安半坡陶器上的刻划符号要早一二千年。

同时，还出土了一些骨管，均系猛禽的骨骼制成。其中一件七孔骨笛，经测试，音阶具备，仍可吹奏出旋律。这是我国发现的最古的乐器，在世界上也是罕见的。

原始社会

在伏羲氏教民打猎、捕鱼、畜牧、画八卦而治天下之后，又出了一位能人，人们称他为"神农氏"。伏羲氏去世后，神农氏被人民拥戴为王。

神农氏尝百草

人们经常得病，有拉肚子、发高烧，也有被虫咬伤而红肿、化脓。有位能人试以各种草药治病，取得奇效。

受尽痛楚，寻找药物，医治疾病有方

然而还有一件事困扰着人们，就是当时的人经常生病。晚间着了凉，或者吃了不清洁的食物，就要发高烧、拉肚子、呕吐、头晕眼花，无法参加生产劳动。时间拖得久了，病情愈来愈严重，甚至危及生命。被蛇、虫咬了，或者不小心擦破了皮，被毒菌感染，四肢就肿起来，如不采取治疗措施，肿的地方就会化脓，严重的也有生命危险。

由于各种疾病的侵袭，当时人的寿命比较短。神农氏看在眼里，急在心中。他奔走各地，尝百草的滋味，水泉的甘苦，研究其治病的效果。由于不知道一些草的性能，神农氏经常误食毒草而使身体受到损害。据有的书上记载，神农氏"一日而遇七十毒"。可见他尝百草的用功之勤和受害之多。功夫不负有心

教民耕种，收获庄稼，百姓衣食丰足

当时的人们，肚子饿了采摘野果子或野生植物充饥。捕捉到野兽后，伏羲氏教给人民把野兽加以畜养和繁殖的方法，畜牧业开始发展起来。但是，人们还不知道在土地上耕种，可以获得丰富的粮食和新鲜的蔬菜、瓜果。神农氏治理天下后，第一件大事就是教人们制作耕田农具，在田野里播种五谷。他把坚硬的树枝头削尖成叉形，用以翻土；又在耜上装一根揉曲的长柄，称为"耒"，用以提高翻土的效率。他视察各地土壤的干湿、肥瘠和性质，教人播种不同品种的谷物。从此，人们在春季播种谷物，秋季便可收获庄稼，把粮食积聚起来，以供一年食用。人们再也不愁找不到食物充饥，生活开始富足起来。

尝百草的神农氏

神农氏是中国古代神话传说中农业和医药的发明者，相传他发明及制造了耒耜，教人耕作。据说他亲自品尝百草，发明药物及教人治病。由于品尝百足虫（一说断肠草），不能解毒而死。神农氏的传说反映了中国原始时代从采集、渔猎进步到农业文化的情况。

> 历史文化百科

〔五千年前的农作物籽粒〕

甘肃民乐县六坝乡东灰山遗址近年发现小麦、大麦、高粱、粟(小米)和稷(黄米)等农作物的炭化籽粒。这些籽粒形态完整，与现今的农作物籽粒基本相同。

该遗址经碳14科学方法测定，确认为距今5000年前的新石器时代遗址。这些农作物炭化籽粒的发现，证明我国是小麦、大麦、高粱等农作物的重要起源地。

《淮南子·修务训》
《史记·补三皇本纪》

善思　勤奋

神农氏

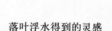

人物　关键词　故事来源

人，在神农氏日夜辛劳的试验下，用草药治病终于有了成果。他总结了许多用什么药可以治什么病的经验，中国从此有了医药，神农氏乃是中医学的鼻祖。

作琴娱乐，集市贸易，理想太平时光

神农氏还是一个非常乐观的人。他在辛勤工作

神农尝百草是古代绘画中的常用题材
历代以神农尝百草为题材的画有多种，现存日本的这幅古代佚名氏的画，当属古画中的精品。

落叶浮水得到的灵感
远古人类多居住在河川湖海之滨，他们从落叶浮水得到灵感，发明了船筏，史载是伏羲氏发明了船。中国考古发现最早的船只在距今七千多年的新石器时代早期，此为浙江余姚河姆渡遗址出土的木桨实物。

之余还制作琴瑟。他用琴瑟弹奏乐曲，一方面自娱自乐，一方面也为了丰富人民的文娱生活。据说神农氏的琴长三尺六寸六分，上有五根弦，其弦的名称依次是宫、商、角、徵、羽。神农氏造的五弦之琴，在乐理上又有了新的认识和发展，弹奏的乐曲逐渐动听悦耳。

神农氏治天下的时候，男耕女织，衣食丰足。大家没有相害之心，不用刑罚而天下大治。神农氏又教人民在中午时分，拿出多余的东西去交易需要的物品，进行物物交换，互通有无。可见当时已经有了集市贸易。当时法宽刑缓，天下无争，其化如神，是历史上理想的太平时光。

> 历史文化百科 ⟨

〔群婚·掠夺婚〕

原始社会早期的婚姻往往是一群男子或兄弟与另一群女子或姐妹通婚，称为群婚。群婚时同胞的或旁系的兄弟姐妹间通婚是被禁止的。

在某些部落中，男子常常通过抢劫女子来成婚，称为掠夺婚，当然有时在抢劫前已先得女方的默许。

群婚和掠夺婚到原始社会末期，由于私有制的确立而被一夫一妻制的婚姻家庭形式所取代。

话说中国

中国大事记 | 贵州黔西县沙井观音洞一带有人类活动。那里发现的石制品有三千多件，加工精细，方法多样。和县人在安徽和县龙潭洞一带活动。那里发现有头盖骨、下颌骨和牙齿等，伴出的还有骨角制品和动物化石。

阪泉大战

黄帝与炎帝两个部落因争夺土地、财物而经常发生摩擦，终于在阪泉进行激烈的决战。

在神农氏的后期，中国大地上出现了黄帝与炎帝两支氏族部落，他们的势力不断扩展。为了争夺土地、财物和领导权，他们之间发生了长期的争战。

来居住的地域已经容纳不下，于是两个部落都开始了迁移活动。他们除了一部分人继续留在陕西原地外，两个氏族的许多部落逐渐向东发展，去寻找新的能居住生活的土地。

友好相处的两个部族

黄帝族的姬姓部落和炎帝族的姜姓部落原来都在我国的西部地区，今陕西境内。黄帝部族活动于姬水附近，炎帝部族活动于姜水之滨。这两条河流十分接近，因此两个部族经常互相通婚。炎帝部族的姜姓女子嫁到黄帝部族，黄帝部族的姬姓女子嫁到炎帝部族。双方的关系原来十分融洽。

由于人口的长期繁殖，氏族部落的不断增生，原

迁移活动造成相互摩擦

黄帝氏族东迁的路线偏北，他们经过今陕西北部，渡过黄河，到达今山西南部一带。又经过一个时期，他们继续往东北方向迁移，其中有一支较大的部族到达了今河北北部。炎帝氏族也向东迁移而路线偏南，他们顺着渭水东下，再顺黄河南岸向东，到达今河南的西南部、中部和东部。两个氏族东移的过程

有了农业与中医

神农氏也称烈山氏，是远古传说中的"三皇"之一，即炎帝。传说他发明了耒耜，教民耕植，是农业的发明者。当然，关于神农最著名的传说还是他亲口品尝百草以求疗病，是中医药的发明者。

华夏初祖

黄帝是传说中的远古五帝之首，号轩辕氏。他先后打败了炎帝、蚩尤以及荤粥，成为各部落联盟的首领。他的发明很多，像宫室、舟车、桑蚕及历法、音律、医药等等，被奉为中原各族的共同祖先。

原始社会

世界大事记

印度尼西亚爪哇的特里尼尔附近有人类活动。那里发现头骨、大腿骨等，定名为直立猿人。

故事来源：《国语·晋语四》《史记·五帝本纪》

关键词：壮志　勇敢

人物：黄帝　炎帝

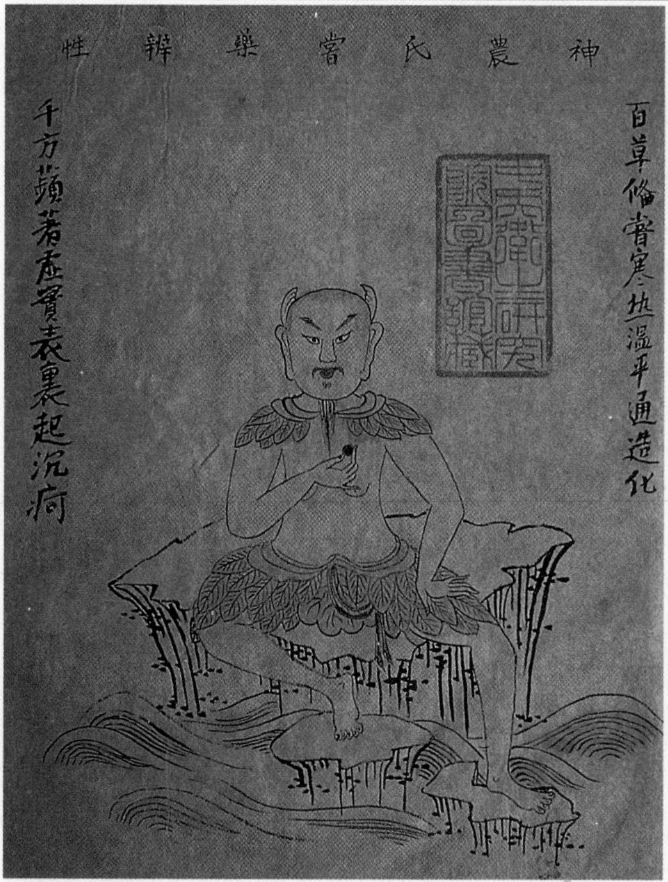

神农氏尝药辨性

出自清代嘉庆年间（公元1796—1820年）林钟绘制的《古代医学家画像》稿本。

中，一路上都留下一部分本氏族的人。因此，经过长期的迁徙活动，黄帝和炎帝两个氏族部落的人就遍布黄河南北，形成两股较强大的势力。

当时各氏族部落间为了争夺土地、财物，开始互相侵伐，发生了一些小规模的战争。神农氏虽然名义上是天下的王，但是此时他的势力已经衰弱，无法控制动乱的局势。黄帝部族有一位首领名轩辕，他看到局势的混乱，就动员自己部落制造兵器，练习打仗，以征服那些不听从命令、到处进行掠夺的部落。轩辕的名声大振，各方部落都来归附于他。这时炎帝氏族依仗人多势众，不服从轩辕的命令，还在侵掠其他部落。一些受侵掠的部落纷纷到轩辕那里求救，要求轩辕出来制止炎帝氏族的侵掠行为。

勇猛冲杀黄帝赢得胜利

轩辕十分气愤，他决心维护正义，给炎帝氏族一点教训。于是，轩辕在部落内继续推行德政，训练士兵的作战本领，鼓舞士气；同时号召人民种好五谷，积蓄粮食，以备作战的需要。他还安抚四方的部落，希望他们同心同德，与炎帝氏族作斗争。

经过长期的充分准备，黄帝族终于和炎帝族在阪泉之野即今河北涿鹿县东南发生了大战。黄帝族的士兵手执干戈，以熊罴虎豹等猛兽为前驱，向来犯的炎帝族阵营中冲杀过去。炎帝族的士兵也不甘示弱，双方厮杀成一团。经过三次激烈的战斗，炎帝族士兵逐渐不支而溃退，黄帝族部落取得了胜利。自此，轩辕更加为各方部落所拥戴。炎帝族人民散居各地，不敢再侵凌其他部落，天下又趋于太平。

历史文化百科

〔炎帝：古代传说中姜姓部落首领〕

中国古代传说中姜姓部落的首领，与黄帝同时。相传炎帝部落起初在今陕西中部的渭水一带活动，后沿着黄河以南向东发展，到达今山东境内。炎帝部落曾与黄帝发生冲突，大战于今河北涿鹿东南的阪泉，被黄帝击败。炎帝部落农业比较发展，故后来传说炎帝即神农氏。

炎帝和黄帝都是原始社会晚期影响很大的领袖人物，后来人们尊崇他们为中华民族的祖先。

前60万年 前 6 0 万 年 >

中国大事记

沂源人在山东沂源县骑子鞍山一带活动。那里发现有头盖骨、眉嵴骨和部分肢骨。南召人在河南南召县杏花山一带活动。那里发现有与北京人相似的臼齿。郧县人和郧西人在湖北郧县龙骨洞和郧西白龙洞一带活动。那里发现许多牙齿、石器和动物化石。

〇〇八

原始社会

战败部族心情抑郁伺机报复

炎帝族虽然在阪泉之战中被黄帝族打败，他们想统治天下的欲望受到了遏制，但是炎帝族是一个人多势大的部族，他们决不甘心于失败。族中的许多人都想伺机报复，为本族人争雄出气。

刑天断头

炎帝族中一个意志顽强的人被黄帝斩首，这人把两乳变成双目，肚脐变成嘴巴，继续进行抗争。

炎帝族中有一个官员叫刑天，他负责管理农业生产，又懂得音乐，喜欢拨弄乐器。有一次，炎帝族首领为了促进农业生产的发展，命令刑天作《扶犁》之乐，又作《丰年》之歌。刑天在春天吹奏督促人们"扶犁"的乐曲，教本族人民赶快下地播种谷物；到秋天农田出现一片丰收的景象，他又唱起赞颂"丰

新石器时代不同时期主要遗址分布图

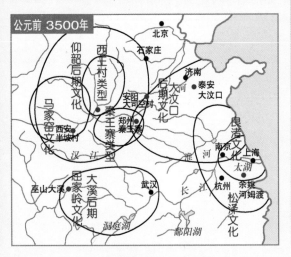

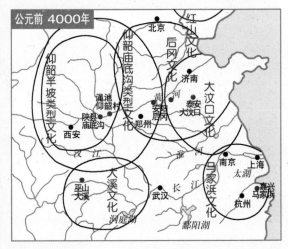

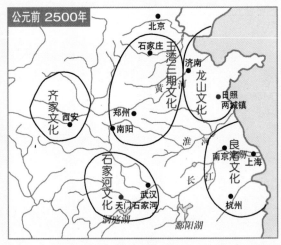

《山海经·海外西经》

勇敢
刑天 坚强

人物 关键词 故事来源

年"的歌曲，教本族人民赶快收割庄稼，储藏粮食。炎帝族被黄帝族打败后，人民死伤很多，生产受到影响，土地的开辟也受到限制，特别是作为一个战败的部族，还受到精神上的屈辱。刑天看到这些，引起无限惆怅，他终日闷闷不乐，总想着要与黄帝族争个高低，洗刷失败的耻辱。

顽强不屈的抗争精神永放光彩

有一天，黄帝族首领出外巡游，带着一队人马途经刑天所在的部落，巡视田里的庄稼和人民的生活，并察看有没有反叛的行动。这时刑天怒不可遏，冲出去与黄帝族首领论理，责问他为什么要杀伤炎帝族的人民？为什么要进入炎帝族部落的领地？并说炎帝族人民总有一天要报仇雪耻，扬眉吐气。黄帝族首领见刑天的态度如此傲慢，便立刻命令手下的人将刑天斩首，把他的尸体埋葬在常羊山上。

然而刑天是一个意志顽强的人，他被斩首埋葬后，竟又出来活动了。他的两乳变成了双目，他的肚

石器时代对龙的崇拜

河姆渡遗址出土的骨制龙纹碗龙纹的线条相对比较简单，但制作比较精良，这表明当时骨器的应用比较普遍。而龙纹碗的出土也说明我们的祖先对于龙的崇拜历史极为悠远。

神农氏：华夏民族的祖先

神农氏又称炎帝，是传说中的"三皇"之一，也是中华民族的祖先之一。炎帝的称呼，可能与农业起源之初，使用刀耕火种有关。据传，除发明农业，炎帝还发明了医药、制陶和凿井技术。

脐变成了嘴巴，拿着"干戚"在那里挥舞。干戚就是打仗时用来防卫和进攻的盾牌和斧钺，刑天死而不屈，挥舞干戚，以表示他抗争不屈、奋斗到底的决心。

东晋大诗人陶渊明曾作诗说："刑天舞干戚，猛志固常在"，表示他对刑天顽强不屈的抗争精神的赞美。

> 历史文化百科 <

〔原始社会的杰出首领——三皇五帝〕

传说中的上古帝王，有多种多样的说法。"三皇"有说是天皇、地皇、人皇，有说是伏羲、女娲、神农，还有说是燧人、伏羲、神农。"五帝"有说是黄帝、颛顼、帝喾、唐尧、虞舜，有说是太昊、炎帝、黄帝、少昊、颛顼。

实际上，三和五都是古代常用的数字。传说上古有"三皇五帝"是指原始社会有许多杰出的首领，领导人民进行开天辟地的斗争。

话说中国

○○九

黄帝擒杀蚩尤

今山东一带的部落联盟首领蚩尤，本领高强，横行霸道。黄帝族与他在涿鹿展开激战，终于将其擒杀。

黄帝族在各部落的帮助下，经过多次激烈的战争，终于把来势汹汹的炎帝族打败。炎帝族部落分散退居各地，难以再形成强大的力量，天下局势暂时趋于太平。但是时隔不久，长期居于今山东一带的部落联盟首领蚩尤，又蠢蠢欲动起来。蚩尤在东方横行霸道，邻近的部落都害怕他。现在他又企图扩大势力，向西发展，想与黄帝族争个高低。这样，黄帝与蚩尤的一场大战就迫在眉睫。

本领非凡的武林高手

蚩尤是一个不同凡响的人物。据说他有兄弟八十一人，都有像野兽一般的强壮身躯，铜头铁额，能够吞食沙石。他制造的戈、矛、戟等铜兵器，坚硬锋利无比，故后世称他为"兵主"。特别是他能吞云吐雾，飞沙走石，制造变幻莫测的天气，使对手迷失方向，陷

于失败。蚩尤依靠这特殊的本领，侵凌各部落，所向无敌。

黄帝素知蚩尤的厉害，但为了天下的安宁，制服强横的凶顽，他一定要与蚩尤决一雌雄。正当黄帝策划如何去战胜蚩尤时，天上派遣了一名玄女下凡，授给黄帝一块"兵信神符"，告诉他如何战胜蚩尤的方法。黄帝得到这块神符，战胜蚩尤的信心更足了。

施展法术各显神通

黄帝与蚩尤的激烈大战终于在涿鹿之野，即今河北涿鹿县东南的广阔地带展开了。来犯的蚩尤部队首

辉煌战史的再现
涿鹿之战是中国古代战争起源的标志。战争使我国逐渐形成为以黄、炎部落为核心的华夏民族。传说中的黄帝、炎帝，则被后人尊崇为华夏族的祖先。这幅油画再现了当时战争的辉煌场面。

原始社会

前150万年

世界大事记

在印度尼西亚爪哇的莫约克托、桑吉兰等地，先后发现8个晚期猿人头盖骨化石，已能直立行走，典型的爪哇晚期猿人距今约80万年。

《太平御览》卷七十九引《龙鱼河图》

蚩尤　勇敢
黄帝　谋略

人物　关键词　故事来源

先使出看家本领，作大雾三日。一时间大雾弥漫，无法辨别方向。黄帝乃下令大臣风后制作指南车。这种指南车上有一个仙人，不管车子如何转动，仙人的手一直指向南方。依靠指南车的帮助，黄帝明确方向，指挥若定，蚩尤所施的下马威没有成功。

黄帝令水神应龙向蚩尤发起进攻。应龙放出的水把蚩尤部队围困起来。蚩尤请来了风伯、雨师，使得战场上风雨大作，黄帝部队不能前进了。于是，按照神符的指示，请来了一位叫"魃"的天女，她是一位旱神。魃一出现，风雨立刻停止。蚩尤顿时惶恐起来，黄帝乘势大举进攻，结果取得大胜，擒获了蚩尤，并将他杀戮于野外。

以凶狠画像威慑天下

黄帝擒杀蚩尤的消息，使天下各部落受到极大

涿鹿之战示意图（约4600年前）

直观的示意图

涿鹿之战为华夏族的形成奠定了基础，涿鹿之战示意图让我们了解黄河流域的空间位置以及炎帝、黄帝、蚩尤等部落的活动区域，使我们对炎帝、黄帝、蚩尤等部落和部落之间的征战有更直观的了解和认识。

震动。他们都拥戴黄帝为部落联盟的首领，代神农氏统治天下。黄帝不辞辛劳，管理天下，对不顺从的部落，进行征伐，还把山路开辟成通达的大道，加强与各部落的联系。

然而天下太平的局面仍然不时被打破，常有一些反叛者不听命令，蠢蠢欲动，想侵凌其他部落。黄帝想了一个办法，请人画了蚩尤像到处张示，以此威慑天下。天下人都说蚩尤没有死，谁如果不守规矩，兴风作浪，就会受到蚩尤的攻击。这个办法还真灵，反叛者害怕蚩尤凶残，不敢轻举妄动，天下立即出现了安定的局面。

> 历史文化百科

〔武艺高强的东夷集团首领——蚩尤〕

原始社会晚期东夷集团黎族部落的首领，其活动地域在今山东西南部。蚩尤曾与黄帝部落发生冲突，大战于涿鹿(今属河北)，经过反复较量，最后战败被杀。

蚩尤因善造锐利兵器，他的部落曾横行一时。传说他有兄弟八十一人，武器装备精良，并能呼风唤雨。后来他被奉为"兵主"、"战神"，各处为他立祠，受到华夷各族的共同祭祀。

> 历史文化百科

〔原始人的奇特葬俗〕

内蒙古赤峰市兴隆洼村近年发现原始社会的统一营建聚落。住房共7排，每排3间至7间不等，每间约50平方米至80平方米。房址内有许多陶器、石器、骨器等遗物。

墓中随葬品各异：有一墓主两耳佩玉，制作精细；另一墓主右侧葬两头整猪，骨架保存完好。此种葬式为研究原始人的信仰、习俗提供了宝贵材料。

话说中国

黄帝众妃的传说

黄帝有四个妃子，三十五个儿子。元妃叫嫘祖，是西陵氏的女儿，她是正妃；次妃叫女节，是方雷氏的女儿；三妃是彤鱼氏的女儿；四妃叫嫫母，其地位在上面三妃之下。

元妃嫘祖生子名昌意，居于若水。昌意娶蜀山氏女，叫昌仆，生高阳。高阳品德高尚，又有才能，黄帝去世后，由高阳继承部落联盟的首领，号为"帝颛顼"。嫘祖生性勤劳，因为她开始养蚕，故又称"先蚕"，被后世祭祀供奉。嫘祖又好远游，据说她南游时死于衡山的道路上，故又被后人祭祀为"道神"，以求道路之福。

次妃女节生子名玄嚣，字青阳，居于江水。据说黄帝时有大星如虹，下落到一块光亮的水中陆地。女节梦接流星，心中有所激动而生玄嚣。后来玄嚣生子

丑妃嫫母

黄帝有四个妃子，其中嫫母最丑，但因她道德高尚、举止贤惠而得到黄帝的钟爱。

名蛴极，蛴极生子名高辛，当了部落联盟的首领，号为"帝喾"。三妃彤鱼氏女生子名夷鼓，四妃嫫母生子名苍林。四个妃子所生的其他儿子的名字及其世系，已经不清楚了。

恋爱不以相貌取人

在黄帝诸妃中最特别的要算四妃嫫母。据说她的形象极为丑陋：像锤子一样的额头，坍塌的鼻梁，形体粗壮，面色黝黑。但是她道德高尚，最为贤惠。当元妃嫘祖陪黄帝周行天下、死于道路时，黄帝令嫫母在那里监护，使百姓按时进行祭祀。

就像人们喜爱各种不同的食物一样，黄帝十分钟爱嫫母，并不因为她容

实用与装饰兼具的陶釜
河姆渡遗址出土的釜，材质为夹炭黑陶，肩脊上饰繁缛花纹，腹部有绳纹，是实用与装饰兼具的用具。

祭祀用的玉玦
兴隆洼遗址出土的玉器有玦、管、匕形器、锛、凿等，是迄今国内所知年代最早的真玉器，其色泽翠绿，玉质极佳。玉玦形似玉璧，只是有一缺口，可戴在耳上，在早期多为祭祀之用。

> 历史文化百科 <

〔黄帝：原始社会晚期的部落联盟首领〕
中国古代传说中的部落首领，姓姬，号轩辕。相传以黄帝为首的部落起初在陕北一带活动，后向东发展至河北大平原，先击败炎帝部落，后击杀蚩尤，因此被拥戴为部落联盟首领。传说有很多发明创造，如养蚕、舟车、文字等都始于黄帝时期。

黄帝是原始社会晚期的杰出人物，后被尊为中原各族的共同祖先。

原始社会

《吕氏春秋·遇合》

嫫母　黄帝　嫘祖
善良　端庄

人物　关键词　故事来源

证明农业得到较大发展的石磨盘、石磨棒
贾湖遗址出土的石磨盘、石磨棒是经过磨制、加工过的，表面光洁，同期出土的还有炭化的稻谷，说明当时的农业已得到较大的发展。

貌丑而产生厌恶情绪。黄帝经常对人们说："嫫母也有美的地方，就是她的心地纯正，行为端庄，待人诚恳，没有邪念。她可以作为女子品行的楷模。"对于貌丑的女子，黄帝经常鼓励她们说："砥砺你的道德而勿忘检点，赋予你内心的纯正而勿衰退，虽然貌丑有何伤害呢？"黄帝喜欢面貌丑陋而道德高尚、举止贤惠的妃子嫫母，成为历史上男女恋爱的一则佳话。

> 历史文化百科 〈

〔走访婚：黑夜结合、白天分开的临时性婚姻形式〕
　　这是母系氏族外婚制，男子和女子在夜间结合，一到白天两人就分开生产和消费了，比如摩梭人的"阿注婚"。走访婚以女子为主体，子女随母方。走访婚的基础主要是性生活的需要，很不稳定，尤其在青年时期，也缺乏独占和嫉妒心理。

指导黄帝养生的岐伯
根据传说，岐伯是黄帝时的神医，曾经回答过黄帝关于养生的问题。岐伯说要懂得对四时不正之气及时避让，思想闲静而没有杂念，调和自身的正气，这样才能养生。这可能是中国最早的养生术。

王权的产生
从殷代宫殿基址平面图以及复原图来看，殷代的建筑艺术已经非常发达了，它的宫殿规模已经非常巨大，而且具有了堂和室的区别。从复原图来看，当时的宫殿已经拥有了大堂和为数众多的室，其中室又分成大室和小室。建筑规模之可观是半坡时代的公共会所所无法比拟的。这说明私有制的发达程度，王权已经出现，贫富的分化已经得到了政治的保障。

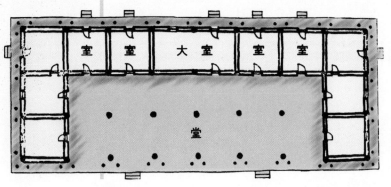

室　室　大室　室　室

堂

话说中国

原始社会

黄帝时代，天下野兽众多。人类长期与野兽打交道，逐渐学会了利用野兽来为人服务的本领。传说黄帝族就很会驯服野兽，使野兽按照人的意志行动。当年攻打炎帝时，就曾经以熊罴虎豹为先驱，使部队凭借野兽的威力而处于明显的优势，终于把炎帝族战败。

雷 兽

黄帝经常与野兽打交道。有一次，他捉到一只野兽，把它的皮制成大鼓，敲击起来其声如雷。黄帝以此作为讨伐叛逆的进军号。

毛美丽、作为祥瑞象征的凤凰在上空盘旋。黄帝还组织乐队，吹奏《清角》这种激昂嘹亮的乐曲。这次在泰山上集合各种野兽、"鬼神"的活动，为黄帝威慑天下百姓大摆排场，出尽风头。黄帝族所驯服的飞禽走兽在这次活动中表现突出，为场面的壮观起了不小的作用。

装神弄鬼，虎狼开道

为了显示自己的实力，威慑有异心的部落，黄帝经常集合野兽和善于装神弄鬼的巫师，举行各种耀武扬威的活动。有一次，黄帝集合野兽与巫师在泰山之上，驾着用象牙雕刻的大车，这大车由六匹蛟龙似的马拉着，毕方神鸟兀立在车上，已经被黄帝征服的蚩尤族的人冲在车前作为卫队，装作"风伯"的巫师在前面的路上进扫，又有"雨师"洒水于道路以防止尘土飞扬，一大群虎狼在前方开道，一批装束异样的"鬼神"在后压阵，能兴云吐雾的腾蛇伏于地上，羽

雷兽皮大鼓威震四方

当时还有一种野兽，形状如牛，浑身青灰色，没

始祖的陵墓

黄帝陵位于陕西黄陵县城北一公里的桥山之巅，是中华民族始祖——黄帝的陵墓。黄帝陵四周古柏环绕，共有柏树 8 万多株，是我国最大的柏树长生林。每年的清明节人们在这里祭祀始祖黄帝。

＞历史文化百科＜

〔良渚文化遗址的大量殉人墓葬〕

江苏昆山市赵陵山遗址近年发掘清理出属原始社会良渚文化的墓葬83座，大多有杀殉现象。特别是西北部的19座小墓中，发现半数下肢被砍，或双腿呈捆绑状，或无头骨架、身首异处等现象。

杀殉如此集中、多样，在良渚文化遗址中尚属首次发现，它为研究原始社会末期的人类生活状况提供生动例证。

前80万年

《韩非子·十过》
《山海经·大荒东经》

恐惧 权术
黄帝

人物　关键词　故事来源

以野牛形象著称的黑山岩画

甘肃嘉峪关市发现的岩画基本集中在黑山之中，故称黑山岩画。画中凿刻着人物、动物和车辆，以人物和野牛图最为著称。这种野牛今天已经绝迹，研究黑山岩画对于了解当时的气候、生态以及当时的人类活动都有重要意义。这些岩画反映了古代游牧民族的历史文化。

有角，出入水中必引起风雨。它的眼中能发出一道道闪光，它的叫声像打雷一样震动四方。这种野兽的名称叫"夔"（音葵），俗名叫"雷兽"。雷兽的皮特别坚硬，是制作鼓的好材料。但是雷兽在当时已很少见，是一种稀有动物。黄帝在一次外出打猎中发现了雷兽，下令合力围捕，终于把它射死。黄帝命人剥下雷兽的皮制成一台

大鼓，再用雷兽的骨去敲击，其声如雷，轰隆轰隆的巨响使周围五百里的地方都受到震荡。黄帝利用这台大鼓威慑天下。哪里如果有不服命令的叛乱行为，黄帝就要进行讨伐，敲击这台雷兽皮制成的大鼓作为进军的号令。天下各部落一听到雷鼓之声无不胆战心惊，不敢再有叛逆的举动。雷兽皮大鼓又成了黄帝镇治天下的武器。

新石器良渚文化扁足陶鼎
发达的制陶技术

良渚文化的出土文物反映出这一时期高度的文化水平，其陶器基本是轮制而成，器壁较薄，器表素面磨光，少数有精细的刻画花纹和镂孔，盛行圈足器和三足器。这件扁足陶鼎是这一文化的代表器物之一。

原始社会

原始社会人民的弹琴歌唱

朱襄氏是伏羲氏之后的一个部落首领，他有个下属名叫士达的做了一把五弦琴，不但能使民众得到欢娱，而且能调和阴阳，使果实成熟，人民的生计因而得到发展。

葛天氏是朱襄氏之后的一个部落首领，在葛天氏时代，人们在劳动之余，手里拿着牛尾巴，脚来回地踢伸摆动，口里歌唱着八段歌词：第一段叫"载民"，歌唱天地覆载人民的恩德；第二段叫"玄鸟"，歌唱有神灵的玄鸟即燕子飞来飞去，给大自然带来了勃勃生机；第三段"遂草木"，歌唱草木繁茂，茁壮生长，把大地打扮得郁郁葱葱；第四段"奋五谷"，歌唱勤劳的人民奋力地播种五谷，争取今年庄稼的好收成；第五段"敬天常"，歌唱人们恭敬地按照天地常规活动，祈求神灵的保佑；第六段"建

原始音乐的载体——兽骨笛

河姆渡出土的兽骨笛与现在的笛子外形比较类似，虽然都是三孔，但是，有的两孔集中在一端，有的三孔均匀分布，这说明笛子的音节并不相同。音阶不同的骨笛大量出土充分说明音乐在新石器时期的发达程度。

> ### ▷历史文化百科◁

〔史前时期的玉敛葬〕

浙江余杭、上海青浦等地的良渚文化遗址中，近年发现有大量的玉器作为随葬品。如一座墓随葬品达260件，其中一些玉璧、玉琮上雕琢有兽面纹图案，构思巧妙，制作精致。

专家指出，大量使用礼玉入葬是史前时期的玉敛葬。这些氏族显贵作为墓主，已经占有大量财富，反映了当时社会即将跨进文明时代的门槛。

乐师伶伦

音乐是谁发明的？传说黄帝时有个乐师，制成八种材料的乐器，定其音的高低，奏出美妙的乐曲。

帝功"，歌唱人们辛勤地劳作，为上帝创造万物建立功勋；第七段"依地德"，歌唱人们依靠土地神的恩德，必将取得丰硕的果实；第八段"总禽兽之极"，歌唱人类为万物之灵，能总括禽兽的一切能力，而创建出登峰造极的成绩。葛天氏人民的歌唱，曲调虽然简单，但精神十分昂扬，表现出奋发向上的饱满热情。

制定音律、演奏乐曲的大师

为了使音的高低有一定的规律，奏出优美动听的音乐，黄帝便命令乐师伶伦制定音律。伶伦接受这个命令后，从大夏山之西一直走到昆仑山之北，在溪谷中找到一根竹子，这根竹子空窍处厚薄均匀。伶伦把它从两节间断开，形成长三寸九分的竹管。伶伦试吹这根竹管，定其律为"黄钟"，其音为"宫"，相当于现代音乐中的C调1。伶伦接着又制成十一根竹管，他一边吹竹管，一边听凤凰的叫声，互相比较其音的高低，再慢慢进行校正。最后，伶伦制定了十二个律作为音高的标准。这样，音乐中的各个音阶，包括半音的音高，基本上都具备了。同时，他还制定了音乐中的五个音名，为宫、商、角、

镰刀的祖先：骨镰

河姆渡遗址出土的骨镰残长17.5厘米，有一孔，可用来固定柄，有不规则的齿形，与现代农具镰刀的原理相同。

前60万年
前40万年

前60万年－前40万年

世界大事记　朝鲜在平壤市发现旧石器时代早期的洞穴遗址，为朝鲜迄今发现最早的旧石器时代遗址。

欢乐
伶伦　方技
人物　关键词　故事来源

《吕氏春秋·古乐》
《风俗通·声音》

微（音止）、羽，称为"五声"。伶伦同时又规定了用八种不同材料制成的乐器的名称：用土制的叫"埙"，用匏制的叫"笙"，用皮革制的叫"鼓"，用竹制的叫"管"，用丝制的叫"弦"，用石制的叫"磬"，用金属制的叫"钟"，用木制的叫"柷"（音处）。这八种乐器，称为"八音"。用这八种乐器经过适当组合，其音高用十二律统一调整，配合和谐，自然就能演奏出美妙动听的音乐了。

在伶伦制定十二律的标准音高以后，黄帝又命伶伦与另一名乐师荣将，用金属铸成十二个编钟，编钟的音高依次与十二律相配。这十二个编钟按音的高低排成上下两排，乐师按一定的节奏敲击高低不同音调的编钟，就能奏出抑扬悦耳的音乐。于是，黄帝选定一个吉日，让大臣们都来聚会。在聚会的时候，命伶伦敲击编钟，演奏庄严热烈的乐曲，用来祭祀，用来庆贺，并把这首乐曲命名为《咸池》。

相传伶伦为音乐制定了"五声"、"八音"、"十二律"，又创作和演奏了《咸池》这首艺术性很高的乐曲。他是中国第一位杰出的音乐理论家、作曲家和演奏家。

绝壁上的歌舞
广西花山岩画临江一面，崖壁如削，在数千平方米的范围内，绘满大大小小的人形，间以巨兽、铜鼓、铜锣、藤牌等图像。其中舞蹈图人物鲜明，头上的冠饰与腰间的长剑告诉我们他身份的特殊。在陡峭绝壁上留下如此生动的画面，令人惊叹。

原始社会 2000616—1046

原始社会的人们为了记录事情，留下生活的经验和教训，最早采用绳上打结的办法。每发生一件重大事情，或有一次生活教训，就在绳上打一个结。这样，时间长了，绳上的结愈来愈多，谁也弄不清那么多结各代表的是什么事情和什么教训。到伏羲氏时代，发明了用画八卦来表示事情的新方法。这种方法是用三根横线组成一个图案，这三根横线有的是一长画，有的是两短画，组成八种不同的符号，各表示自然界的某种事物。八卦符号虽然比绳上的结表达的意思要多，但也只有八种图案符号，毕竟还是太少，无法表达更具体更完全的事情和思想。于是，适应治理社会、记录经验和交流感情的需要，创造出许多能准确全面地表达各种具体事情和思想的文字，就是势所必然的了。

仓颉造字

文字是谁创造的？传说黄帝时有个史官，经过苦心孤诣的探索，终于创造了一套能记录事物、表达思想的文字。

苦心孤诣地探索完成划时代的创造

黄帝时代有个人名叫仓颉，他生而神灵，十分聪明，小时候就能刻画许多符号来表示各种事情。后来，他被选为黄帝的史官。为了要把黄帝时代的许多人和

事记载下来，留给后人作为纪念和借鉴，他决心要创造一套能够表达各种具体事物和思想的文字。

于是，仓颉上爬高山，下俯沼泽，观察各种野兽的足迹、飞鸟的姿态、昆虫的爬行、鱼虾的游动，还有高山的走向、水流的弯曲、太阳的升落、月亮的圆缺，同时他还深入到人群中去，注意他们喜怒哀乐感情的变化，起早贪黑从事各项劳动的辛苦，人群中男女老少各种人物的特征，还有房屋的建造、生产的工具、集市的贸易、家畜家禽的饲养、一日三餐和拉屎撒尿、男女结合和生育孩子，如此等等，凡是生活中发生的事情，他都细心地观察、描摹。经过苦心孤诣地探索和夜以继日地描绘，一套既有象形、又能会意，能够表达世界上各种事物和思想感情的文字，终于被仓颉创造出来了。

仓颉创造出了这套文字，史官可以用它来记录历史事实、人物言行，把这些记录保存下来，集合成典册，就成为富有教育意义的历史资料。在上的领导人物可以用文字发布告示，传达命令，治理下属的

表情生动的人头壶
仰韶文化层中出土的陶器种类繁多，像鼎、灶、釜、甑、钵、壶、瓮和小口尖底瓶等，制作以红陶为主。这只人头造型壶制作精美，人头表情生动，是极为罕见的文物珍品。

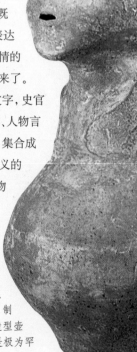

前50万年 〉前 5 0 万 年

世界大事记　乌克兰发现晚期猿人的生活遗址。

《淮南子·本经训》
《说文解字序》

善思　勤奋
仓颉

人物　关键词 故事来源

赵宝沟遗址的陶塑人面像
赵宝沟聚落遗址位于内蒙古赤峰市，是一处新石器时代遗址，出土文物以陶器、石器为主，此陶塑人面像面部为阴刻，轮廓清楚，对研究该地区史前文化有一定价值。

百官、平民：在下的平民百姓也可以用文字来记载往事，使之不忘，还可与远处的朋友交流思想，传递信息。

文字的力量：惊天地，泣鬼神

在仓颉造字成功后，天上和地上都出现了奇异的现象：天上下起了谷子，地上有鬼在夜间哭泣。于是，人们议论开了：有人说文字的创造，使得一部分人脱离生产劳动而专门去舞文弄墨，用书写文字来欺骗百姓，使奸伪萌生而田地荒废，粮食短缺，故而天落下些谷子来使人民免遭饥饿；也有人说由于有了文字，人们可以用文字来揭露邪恶，弹劾丑行，鬼感到有被揭露的危险，故在夜间哭泣起来。这些说法当然都是没有根据的，上面所讲的两件事也不可能有，或者是牵强附会上去的。当时正遇龙卷风把甲地的谷子卷上天，又在乙地落下来，人们就说"天雨粟"；正有人因为冤屈而在晚上哭泣、喊叫，人们就说是"鬼夜哭"。然而从史书上有这方面的记载来看，仓颉创造文字成功对人们生活带来的震动的确是不小的。

根据考古学的发现，在距今六千年的新石器时代遗址中，出土过不少上面划有许多符号的彩陶。这些符号笔画各异，很明显具有象形和会意的性质，是我国最早的文字雏形。公元前四千年，正当传说中的黄帝时代，说不定这些符号就是黄帝的史官仓颉所造的。仓颉是中国历史上第一位文字学家。他辛辛苦苦创造出第一批文字的功绩，是永远值得纪念的。

原始艺术的杰作——半坡文化彩陶片
从这些彩陶片上刻画的几何线条来看，多为动物的纹样，表明了半坡人丰富的艺术想象力以及模拟自然物态的能力。而这些纹样所具有的文字性质充分表明半坡彩陶不仅是原始艺术的杰作，也是这一时期最为灿烂的文化成就。

〉历史文化百科〈

〔原始文字〕

人类最早的记事方式是利用自己的手足记事，后来发展成刻木结绳记事、刻画记事，又出现了图画文字和象形文字。汉字最初的字体结构是象形文字，按事物的实体绘出想象的图形，用物的本来名称来确定读音。为了表达某些动作和活动，就利用几个符号组成一定文字，即会意字。后来又产生形声字，即利用标音的方法，或用两套符号形式，一种符号表示字的类属和意义，另一种符号表示读音，两种符号既能注音，又可反映字义。

话说中国

世界大事记

直立人学会了使用火。在非洲、欧洲都有发现。

〇—四

《淮南子·览冥训》
《帝王世纪》

黄帝　风后　力牧
尊贤　识才

人物　关键词　故事来源

黄帝自战胜炎帝、擒杀蚩尤后，成为中国广大领土上部落联盟的首领。他管辖的地域辽阔，人口众多，但是手下辅佐他治国的大臣却很少，实在难以应付众多的事务。因此他求贤若渴，希望有贤者能出来帮助他治理国家。据说当时黄帝派人立在四面的交通要道口，遇到行为高尚、才能出众的人，就把他请来，在宫廷中任职，立为自己的辅佐。可是经过一段时间，有才德的贤人很难求到。黄帝为此十分焦虑。

黄帝求贤

为了寻找辅佐治理国家的大臣，黄帝求贤若渴。他晚上做梦，白天出行，终于在天涯海角，找到许多人才。

根据奇怪的梦在天涯海角寻觅

有一天晚上，黄帝梦见大风把天下的尘垢统统吹掉了，天下变得清洁如洗；又梦见有人拿着千斤重的鞭子，驱赶着成万个羊群。黄帝醒来后，觉得这个梦很奇怪，便暗自思索："'风'为号令，吹刮天下，他应该成为执政者；垢字去土，还有'后'在。天下难道有姓风名后的人吗？能够执千斤的重鞭，是力大无比者；驱羊数万群，是能牧民也就是管理人民朝好的方向发展的人。天下难道有姓力名牧的人吗？"于是，黄帝就去占卜。测定这风后、力牧二人是否存在。黄帝占卜了两次，得到的都是吉兆，证明风后和力牧确有其人；而且卜辞中显示："风后在海，力牧于泽。"求贤心切的黄帝急速派人分为两

具有神秘色彩的酒器
甘肃秦安县出土，距今约5000－6000年，泥质红陶，彩瓶腹部夸大，纹饰古朴，瓶口雕成具有当地文化特色的人头状。是一种实用但又具有某种神秘意义的酒器。

队，一队朝大海的方向去巡察，一队朝大泽的方向去寻求。经过一番寻觅，终于在海角处找到了风后，黄帝立刻举他为丞相；又在大泽边发现了力牧，黄帝就举他为将军。此后，黄帝又找到了常先、大鸿、封胡、太山稽等贤者，把他们任用为师傅或治理一方的行政长官。在通过各种方法求索贤人之后，黄帝周围人才济济，形成了一个类似政府的机构。这个机构治理全国各方事务，办事效率高，成绩卓著。

广求贤者辅佐出现太平盛世局面

由于黄帝广求贤者辅佐治国，黄帝时代出现了空前安定太平的局面。据说当时没有强者欺凌弱者、依仗人多势众而暴虐他人的行为；气候风调雨顺，庄稼年年丰收，百官公正无私，上下协调无怨，人民安居乐业，健康长寿；耕田的互相不侵犯疆界，打渔的不争夺水域；城门可以不关，邑里没有盗贼。甚至于连动物也变得循规蹈矩起来：凶猛的虎狼不妄加咬噬，鹰雕等鸷鸟不妄加搏击，美丽的凤凰在庭院中飞翔，吉祥的麒麟在郊外游荡。这样的太平盛世引得四方的国族都来朝贺纳贡。黄帝求贤治国得到如此良好的效果，成为历史上盛传的佳话。

历史文化百科

〔原始社会已有符形文字〕

陕西西安市西郊的一个原始社会遗址上，近年发掘出一些符形文字。它们分别刻在骨笄、兽牙和兽骨上，已清理出十多个单字。其字形清晰，刚劲有力，结构严谨，与殷代甲骨文相近。

专家认为，这批原始先民刻写的符形文字比殷墟出土的甲骨文要早1200年以上，它的发现把我国使用文字的历史大大提前了。

〇一五

骑龙升天

黄帝治理天下，成绩辉煌，功劳卓著。人民中流传着黄帝时凤凰来集、晚年又骑龙升天的故事。

黄帝把天下治理得昌盛太平、风调雨顺，使得他在人民中的威信越来越高，于是，关于他的奇闻轶事也就在民间流传开来。

天赐图书

传说有一次，大雾三日三夜，天昏地暗，黄帝问大臣天老、力牧和容成说："你们看天会怎么样？"天老答道："臣听说，国家安定，君主好文，则凤凰来居；国家动乱，君主好武，则凤凰离去。今见凤凰在东郊

华夏始祖黄帝像
明代人所绘的《历代帝王名臣像册》中的黄帝画像。

飞翔而乐，以此观之，天必有严格教诲赐帝，帝不要冒犯。"黄帝便召史官占卜看究竟是怎么回事，不料龟甲全被烧焦了。史官说："臣不能占卜了，请问圣人。"黄帝说："已经问过天老、力牧和容成这些贤臣了。"史官听后便朝北面拜道："龟甲不违圣人之智，故显焦状。"此时大雾已经消失，黄帝便去洛水上巡游，忽然看见大鱼背上背着图书，十分惊异，便命人杀牛、羊、豕、犬、鸡"五牲"进行祭祀。忽然天下起了大雨，一直下了七日七夜，最后大鱼东游入海，而把图书留下了。一张《龙图》从黄河中浮出来，一本《龟书》从洛水中浮出来，这就是著名的"河图洛书"。图书上写着红色的文字，明显地是天授给黄帝轩辕的。黄帝在明庭举行了接受天赐图书的仪式，并按照着图书上的教诲去治理国家。于是，黄帝时代变得更加欣欣向荣、生机勃勃了。

凤凰来集

自从获得天赐的"河图洛书"后，黄帝更日夜盼望着吉祥之鸟凤凰的来临。他朝思暮想，晚上睡得很迟，清晨一早就起来，凝望着天空。由于思念情切，他召见大臣天老询问："凤凰的形象是怎么样的？"天老答道："凤凰的形象，前有鸿毛后有鳞，蛇的颈项鱼的尾，龙的花纹龟的身，燕子下巴鸡的嘴。她戴德负仁，抱忠扶义；小鸣如金声，大鸣如鼓声；伸长脖子奋

世界大事记 ▷ 英国克拉克顿文化，旧石器早期文化。遗址中有用火的痕迹。▨法国阿布维利文化，欧洲旧石器早期文化。

《韩诗外传》卷八
《史记·封禅书》

黄帝　欢乐
天老　激动

人物　关键词　故事来源

新石器时代红山文化玉龙：早期的龙

龙到底是什么样，内蒙古红山文化出土的玉龙是中国已发现的时代较早的龙的形象之一。其吻部较长，鼻部前突，并上翘起棱，有两个并排的鼻孔，似有猪首特征。玉龙用墨绿色玉制成，琢磨精细，具有相当高的艺术价值。

翼而飞，五彩之色更加绚丽。她一动而生八风，吹气而成时雨；她去的地方必有文治，来的地方即成大功。凤凰能通天祐、应地灵、和五音、扬九德。天下有道，得凤象之一，则凤凰飞过；得凤象之二，则凤凰会翱翔；得凤象之三，则凤凰会来集合；得凤象之四，则凤凰会春天、秋天都下来；得凤象之五，则凤凰一直居住在此。"黄帝听后感慨地说："讲得真好啊！我怎敢奢想有此福分。"于是，黄帝便穿黄衣，戴黄冠，在宫廷内举行清心洁身的斋戒。凤凰闻讯此事，成群结队，蔽日而至。黄帝虔诚地下到东面台阶，朝西面叩拜磕头，说："皇天降福，不敢不承命。"凤凰就在黄帝的东面降落，集合到梧桐树上，不再离去。黄帝以他优异的政绩和诚挚的愿望，引来了凤凰的聚居。

登龙升仙

黄帝晚年，命人采首山之铜，铸鼎在荆山下，以标志他治理天下功业的辉煌。待鼎铸成后，天上有龙垂胡须下来迎接黄帝。黄帝就骑上龙身，群臣及后宫

人员跟着攀附在龙体上的有七十余人，龙乃冉冉上升。其余小臣围在四周，无法接近龙体，只抓到龙的垂须。待龙上升时，龙须不堪人的重负而掉落，同时掉落下来的还有黄帝的弓。百姓仰望黄帝随龙上天，便抱起弓与龙须在下面呼喊。黄帝及其所骑乘的龙终于消失在天空中。为纪念黄帝登龙升仙之处，后世把那块地方称为"鼎湖"，把黄帝留下的弓称为"乌号"。黄帝飞升之地，或说在今河南灵宝市，也有人说在今浙江缙云县。

庄重的怀念

黄帝开创了中国历史上第一个统一局面，是华夏民族的先祖。黄帝陵位于陕西黄陵县城北一公里的桥山之巅，被称作"天下第一陵"。这是中华民族对这位先祖最庄重的怀念。

> 历史文化百科 ‹

〔原始社会的陶塑女神像〕

辽宁凌源市和建平县交界处的牛河梁一带，近年发现一处5000年前属红山文化的原始神殿遗址，发掘出大量建筑构件、彩绘壁画，以及绘图彩陶、残存石像等。

最引人注意的是大型陶塑女神像，从其头部、乳房、肢体等残块分析，此像体积比真人还大，塑造技艺高超。它是研究原始人的宗教、艺术、风俗、情趣的极好材料。

> ：黄帝从未见过凤，问臣子天老，天老说凤的形象是鸿前鳞后，蛇颈鱼尾，龙纹龟身，燕颔鸡喙，五色俱备。

话说中国

○一六

原始社会

发明创造层出不穷

黄帝时代的草创阶段，人民勤劳勇敢，善于探索，出现了很多发明家。据说大臣容成制成了历法，记载日月星辰运行的规律和一年之中寒暑时节变化的历程，教人们如何运用历法进行农业生产，给人们生活带来不少方便。另一位大臣胡曹为制作衣裳日夜设计劳作。从此，夏天披树叶、冬天披兽皮的行为被认为是一种耻辱，而代之以整齐得体的衣服。黄帝时代的医学比神农氏时又有发展。医师雷公接受黄帝命令论经脉，因而著成《内外术岐经》；另一位医师岐伯尝各种草木之味以治病，著成了《本草》、《素问》等医学书籍。还有一

四千多年前的编织技术

新石器时代已经出现了编织技术，编织工艺的进展为纺织技术的产生创造了前提。这件陶钵出土于西安半坡遗址，说明四千多年前，中国人的祖先已经可以纺麻织布了，这些麻布很少能保存下来，但是印在陶器底部的麻布纹依然可辨。

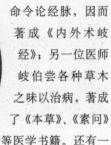

宁封子

人们用什么盛水？木制的桶容易渗漏，泥做的罐容易碎裂。有个能人发明烧制陶器，造福于民。

位神医名叫俞跗，他治病不用汤液醴酒，而是用九根金属针，一拨就见病因，再刮皮解肌，洗涤肠胃，病情立刻就会好转，高超的医术曾经使病人起死回生。同时，还有一个名番禺的人，制造舟船，在江河湖海中航行；一个名吉光的人，用木料制造马车，成为当时一种便利的交通工具。在这许许多多能工巧匠及其创造发明中，宁封制作的陶器更加引人注目，受到人们更多的崇敬。

陶器的制作者葬身火海

传说黄帝担任部落联盟首领的初期，洪水泛滥，人民被迫上山居住。那时，每到山下提水，没有盛水之器，十分不便。木制的桶，容易渗漏；泥做的罐，容易碎裂。当时有一个人名叫宁封，他在一次烧野兽

大汶口文化出土的骨梭

生产的发展导致社会分工的出现，大汶口文化出土的骨梭用宽扁的兽肢骨制成，一端有尖刀，另一端钻有一孔，可用之穿引纬线，是原始织机的组件。这说明当时的纺织技术已较为发展，当时人们主要以野生葛和苎麻为织布的原料。

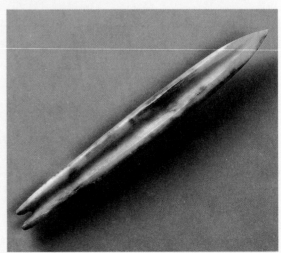

> 历史文化百科 <

〔原始居民的洞穴生活〕

辽宁本溪满族自治县的一处洞穴中，近年发现一个圆形居室，室内有方形灶址及石斧、陶器等遗物。在附近一些洞穴中又出土许多玉斧、玉凿和鱼标、鱼叉等工具。有的洞穴，旧石器、新石器、青铜时代三个历史时期的遗物同出其中。

这些发现说明，辽东地区早在5000年前，原始居民就长期在洞穴内建室居住。

前5万年
前1万年

前 5 万年 – 前 1 万年

世界大事记　法国发现人类化石，克人头部已没有猿类征状遗留，有相当高的智慧，已能制作雕刻、绘画艺术及装饰品。

善思
方技
宁封　《列仙传》

人物　关键词　故事来源

红陶老人头像

仰韶文化出土的陶器以红陶为主，种类繁多。陕西黄陵出土的红陶老人头线条简单，形象模糊，应该是仰韶文化早期的作品。

>历史文化百科<

〔古人类的装饰品〕

贵州考古工作者近年发现一颗由动物的犬齿经过磨、钻加工而成的装饰品。全齿高 32 毫米，内孔径 25 毫米。从全齿保留的痕迹看，可以肯定是被人佩戴过的。

经专家鉴定，这种古人类挂在胸前的装饰品，仅在北京山顶洞人遗址中发现过。在贵州发现这种装饰品尚属首次，它可以使我们窥见原始人类的生活习俗和审美情趣。

进食的过程中，从火里得到一块硬泥，他从中突然悟出了可以用火烧的办法使泥土变硬而制成各种器皿的道理。于是，宁封就开始试验用火烧制泥土制做盛器。宁封先找了些富有黏性的泥土制成器皿的坯，然后又建造了一个像窑一样的密封的土包，把土坯放在里面烧制。当宁封准备引火起烧时，有人从那里经过，便帮助宁封掌握火候。那火微微燃烧，冒出一股五色的烟。经过三天三夜烧制，再拿出那泥土做的器物，已经变得十分坚硬，敲打上去发出当当的响声。宁封高兴极了，就给它取名为"陶"。这是一种简便的盛水和煮食物的器皿。黄帝知道了这件事，就命宁封做"陶正"的官，令他把制作陶器的经验传给千家万户。人民学会了制作陶器的方法，陶器的使用越来越普遍。

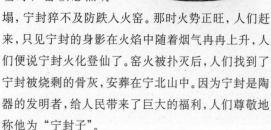

有一次，宁封又架火烧陶。当他爬到窑顶察看火势和窑中的泥坯时，窑顶忽然坍塌，宁封猝不及防跌入火窑。那时火势正旺，人们赶来，只见宁封的身影在火焰中随着烟气冉冉上升，人们便说宁封火化登仙了。窑火被扑灭后，人们找到了宁封被烧剩的骨灰，安葬在宁北山中。因为宁封是陶器的发明者，给人民带来了巨大的福利，人们尊敬地称他为"宁封子"。

有镂空装饰纹的黑陶豆

湖南城头山遗址堆积了新石器石器大溪文化、屈家岭文化、石家河文化、汤家岗文化的遗存，其中揭露了一处包括陶窑、取土坑道、贮水坑及泥坑、众多工棚的制陶作坊区，此黑陶豆即是当地出土的，陶豆身上有镂空纹，应是一种装饰。

话说中国

〇一七

《山海经·海内西经》
《论衡·订鬼篇》

黄帝　神荼　郁垒

谋略　邪恶

人物　关键词　故事来源

门神驱鬼

每逢初一、十五或重要节日，百姓家家户户门前都要放些驱鬼的桃木人和缚鬼的苇索。这是黄帝安定人心的办法。

黄帝时代人们的科学知识还相当贫乏，因而鬼神的势力十分猖獗。黄帝经常要扶持正义，驱除邪恶，维持社会秩序，保持天下太平。当时流传着不少黄帝帮助正义战胜邪恶的故事。

捕捉凶顽，救活无辜

传说那时有一个神名叫"贰负"，他有个部下叫"危"，经常在外横行霸道，杀害无辜。一个蛇身人面叫作"契窳"的，就是被危杀死的。黄帝为了伸张正义，就把危捕捉起来，关押在疏属山上。在他颈上戴上"桎"这种刑具，在他脚上套上"桎"这种刑具，反缚双手与头发，捆绑在山中的树木上。对于契窳，黄帝命巫彭、巫相等医术高明的神巫用不死神药把他救活。不料，契窳被救活后，却变成了另一种怪物，头和身体都像龙一样，生活在弱水之中。

神荼除恶，芦苇缚鬼

当时在东海之中有座度朔山，山上有棵大桃树，盘根错节，高耸入云。大树树枝的东北面有个鬼门，是万鬼出入的地方。鬼门上站立着两个神人，一个叫"神荼"，一个叫"郁垒"，主持检查万鬼之事。如果是邪恶害人之鬼，专在人间制造灾祸，神荼和郁垒就要用芦苇编成的绳索把他捆绑起来，送去给老虎吃掉。这样，一些邪恶的鬼都非常害怕。除了真正的恶鬼外，其时也有不少巫师、巫婆经常装神弄鬼，传播恶鬼要来伤人和制造灾祸等蛊惑人心的谣言，弄得人心惶惶，无心参加生产劳动。黄帝为了安定人心，就教给人们驱除恶鬼的办法：每逢初一、十五及重要节日，立一个用桃木刻成的大人在门前，在门户上绘画神荼、郁垒和老虎的形象，并在门户的上端悬挂芦苇绳索，用来束缚恶鬼。家家户户都用这种方法来驱鬼，那些巫师、巫婆再也无法用恶鬼的谣言兴风作浪，敲诈财物。百姓有了这些驱鬼的桃木人、门神的形象和缚鬼的苇索，也可以放心地工作和生活了。从此以后的数千年中，每逢节日，用这些形象、物品来驱鬼的习俗，一直流传下来，经久不衰。从这个习俗中，也反映出黄帝当年扶正驱邪，教育人民，维护天下的安定，可真不容易！

巫师祭祀用的玉人

出土于安徽含山县凌家滩遗址，属新石器时代晚期群落，墓主人生前是一位富有的巫师。遗址出土的玉器精美，不同于良渚文化和红山文化，这件玉人造型夸张，不合比例，神情似在企求什么，是巫师专用于祭祀的器物。

〉历史文化百科〈

〔原始人的缝纫工具〕

山顶洞遗址已经出土骨针，在四川资阳黄鳝溪出土有骨锥。我们可以断定，我们的祖先大约在旧石器时代中期已摆脱了赤身露体的状态。到了新石器时代，骨针、骨锥大量使用，纺轮也很流行，在河姆渡遗址还发现原始织机的部件。

〉历史文化百科〈

〔原始人的服饰〕

原始人服饰的衣料主要是麻、葛、兽皮和其他各种植物加工成品。原始人的服饰分头衣、体衣和足衣。衣服按上、下身分别穿戴是比较晚的，但是背心、袖子和套裤出现得比较早。当人们将套袖和背心，套裤和遮羞布合起来，就出现了上衣和下衣。

前13000年

中国大事记

前 1 3 0 0 0 年 ▷ 今河南安阳市小南海附近一个石灰岩洞里有人类活动，那里发现人工打制的石器、动物化石和灰烬。

○—八

前10000—1046

原始社会

古蜀国的两位能人

四川古称蜀国，由于蜀道难于行走，上古时代蜀地与中原很少往来。当时蜀地人民稀少，社会生产和人民生活都比中原落后。大约在黄帝时代，蜀中出了一名叫"杜宇"的男子，据说是从天上掉下来的；又有一名女子叫"利"，据说是从地井中出来的，做了杜宇的妻子。杜宇自立为蜀王，号称"望帝"，立国在汶山下的郫邑。他教民务农，很受人拥戴，附近的人民都来归附。蜀国在杜宇的治理下逐渐扩大，人民也众多起来。于是，杜宇又建立城郭，开辟园苑和畜牧场，生产搞得红红火火，呈现出一派欣欣向荣的景象。

中原地区的早期人类：安阳小南海旧石器时代洞穴遗址
这是一处旧石器时代晚期的猿人遗址，出土的石核、尖状器、刮削器等石器的特征显示，它与北京周口店猿人有某种文化上的联系。旧石器时代区域文化上的共性，表明早期人类已经出现了文化与族群的分野。

过了若干年，蜀地东面的荆地，即今湖北的荆山地区有一死者，叫"鳖灵"。他的尸体忽然失踪，荆人十分惊奇。时隔不久，鳖灵的尸体竟在蜀国复活，来见蜀王杜宇。杜宇见他身材高大，能说会道，对事

杜宇开三峡

古代四川蜀国，有个首领带领人民凿巫山，开三峡，使滚滚洪水从三峡东流，拯救了蜀地的灾难。

情很有主见，便立他为蜀相。鳖灵在蜀娶了妻室，为杜宇出谋划策，国家治理得更加井井有条。蜀地的生产迅速发展，人民的生活大为改善。

治理洪水中的奇闻轶事

后来蜀地东面的巫山上发生了龙斗，恶龙兴风作浪，造成江水壅塞不能畅流，以致大地洪水泛滥，农田庄稼、人民财产常常遭到淹没，溺死人的事也时有发生。为拯救蜀地的灾难，杜宇乃令鳖灵治理洪水。鳖灵带领人民，勘测地形，凿巫山，开三峡，江水从三峡中滚滚东流，蜀地的洪水遂告平息。

出人意料的是，望帝杜宇在鳖灵来回奔波治理洪水期间，不但不参与其事，使劲出力，竟生出了邪念，与鳖灵之妻发生淫乱。鳖灵治水载誉归来，望帝自惭德薄，就把王位禅让给了鳖灵。鳖灵即位后，号称"开明"。杜宇便悄悄出走，到西山隐居修道。据说后来杜宇化成了杜鹃鸟，也叫子规鸟，每到春天，便在树上啼鸣。闻者知是望帝杜宇所化，心情凄恻。

蜀国自开明之后过了五世，始立祖先宗庙，作为纪念。蜀地人民永远不会忘记先君杜宇和开明凿巫山、开三峡，治理洪水、为人民造福之功。所以每逢节日，都要到庙中祭祀，表示怀念。

> ▷历史文化百科◁

〔我国最早的人殉墓葬〕

江苏新沂市在近年发掘清理的40座墓葬中，有5座大墓，墓坑长5米、宽3米。墓主人皆为男性，在其脚后或身侧都殉葬男女少年各一至二人。

经专家鉴定，这是距今5000年前的人殉墓葬，属良渚文化时期，也是我国最早的人殉墓葬。由此可以窥见历史上的人殉现象，由开始、兴盛到衰亡的轨迹。

〇一九

少皞鸟官

少□部族用"鸟"来称呼官名，黄帝族用"云"来称呼官名，炎帝族用"火"来称呼官名。各族族都认定一个自然物或现象作为吉祥物、保护神。

东夷族的能工巧匠

蚩尤死后，东夷族首领有少皞，又叫"少昊"。他居住的地域称"穷桑"，就是现在山东曲阜一带，故少皞又称"穷桑帝"。传说少皞有四个弟弟，都是能工巧匠：大弟名"重"，因为他特别擅长于制作木质器具，故少皞命他做"木正"，即木工的长官，当地人称为"句芒"；二弟名"该"，因为他特别擅长于制作金属制品，故少皞命他做"金正"，即金工的长官，当地人称为"蓐收"；三弟名"修"，四弟名"熙"，因为他们特别擅长于治理水害，故少皞命他们做"水正"，即治水人员的长官，当地人称为"玄冥"。由于少皞的四个弟弟做官认真负责，使穷桑之地繁荣发展起来。少皞的部族后来衰落了，曲阜一带还被称为"少皞之虚(墟)"，西周初年周公之子伯禽就封在那里建立鲁国。少皞的后代西周时被封在郯，即在今山东郯城县北。春秋时的郯国国君，还奉少皞为先祖。

用特殊物来称呼官名

少皞部族有一个最显著的特点，就是他的官都是以鸟的名字来称呼。称管理历法的官"历正"为"凤鸟氏"，

称报告春分、秋分的官"司分"为"玄鸟氏"，称报告夏至、冬至的官"司至"为"伯赵氏"，这是夏至鸣、冬至藏的一种鸟，称报告立春、立夏的官"司启"为"青鸟氏"，称报告立秋、立冬的官"司闭"为"丹鸟氏"。他们又称管理民众的司徒官为祝鸠氏，称管理军事的司马官为鸤鸠氏，称管理工程的司空官为鸤鸠氏，称负责抓捕盗贼的司寇官为爽鸠氏，称负责农事的司事官为鹘鸠氏。上述五种官都以"鸠"来命名，是因为这些官都要"鸠民"，即聚集民众。他们又用"五雉"，即五种野鸡的名字，来称呼五种"工正"的官；用"九扈"，即九种扈鸟的名

领导"鸟官"的少昊

少昊姓金天氏，是黄帝之子，为了与太昊相区别而称此名，是上古东夷各族的首领。该地区以鸟为图腾，少昊治下的百官也就用鸟来命名。山东曲阜有少昊陵。

> 历史文化百科 ＜

〔图腾崇拜〕

"图腾"(totem)是印第安语的译音，意为"他的亲族"。原始人最早的宗教信仰，相信每个氏族都与某种动物、植物或自然物有着特殊的亲属关系，此物(多为动物，如龙、凤、熊、燕等)即成为该氏族的图腾，全族对它禁杀禁食，且树立标志，举行崇拜仪式。

图腾崇拜曾普遍存在于我国古代和世界各地，在近代某些部落和民族中仍可找到它的踪影。

原始社会

《左传·昭公十七年》

尊贤　灵感

少皞

人物　关键词　故事来源

字来称呼九个"农正"的官。这是因为工正官都要"雄民"，即便利民众；农正官都要"扈民"，即教育民众。少皞族为什么用鸟名来称官呢？他是有很深的用意的。

　　原来，当时各部族都用一种特殊物来称呼他们的官。黄帝族用"云"来称呼，春官叫青云氏，夏官叫缙云氏，秋官叫白云氏，冬官叫黑云氏，中官叫黄云氏。据说这是因为黄帝登位时有五彩云出现，因此他们把云作为吉祥物。炎帝族用"火"来称呼，春官叫大火氏，夏官叫鹑火氏，秋官叫西火氏，冬官叫北火氏，中官叫中火氏。因为炎帝登位时有火在各处燃烧，因此他们把

人类智慧的折射：新石器时代裴李岗文化双耳三足红陶壶
这是一件造型很精美的器物，它的形象来源可能是葫芦。因为人类最初可能使用剖开的葫芦来盛水或食物，后来的陶器也就依此形状制作，而最早的带足器物多为三足，这证明当时人类已经明白三足可以构成最稳定的面的道理。

锯子的前身：新石器时代裴李岗文化齿刃石镰
这种石镰刃部呈锯齿状，使我们联想到后来鲁班发明的锯子。看来用齿状锯物的方法早在八千多年前就出现了。

火作为吉祥物。共工氏族用"水"来称呼，因为共工当首领时雨水特别多，因此他们把水作为吉祥物。大皞是比少皞年龄大、时间早的东夷族首领，他们部族用"龙"来称呼百官，春官叫青龙氏，夏官叫赤龙氏，秋官叫白龙氏，冬官叫黑龙氏，中官叫黄龙氏。这是因为大皞当首领时，似乎有龙出现，因此他们把龙作为吉祥物。少皞族据说少皞立为首领时，有凤鸟出现，部族便以鸟作为吉祥物。官自然也就以鸟来命名了。

氏族部落的保护神

　　原始社会的各氏族部落用一种特殊物作为他们的标记，用来称呼百官，对它特别崇拜。这种特殊物可以是动物、植物，也可以自然界的风、云、水、火，他们认为这种特殊物与他们的氏族部落有特殊的关系，是他们的保护神。这种现象叫做"图腾崇拜"。"图腾"是一个外来语的译音。原始社会的人们缺乏科学知识，产生这种崇拜是那个时代的特有现象。

> 历史文化百科 <

〔东夷民族的部落联盟〕
　　山东莒县以中部屋楼崮山为中心，近年发现新石器时代遗址二十多处，有陵阳河遗址、大朱村遗址、杭头遗址等。其堆积层厚，出土的遗物丰富，形制新颖别致。
　　据专家分析，这一地区在新石器时代晚期可能居住着一个十分发达的民族部落联盟，对促进东夷民族的发展和我国远古文明的建设都起过重要作用，是商周时期莒国文化的渊源。

话说中国

○二○

万物昌盛、百姓祥和的时代

在黄帝、少嗥之后，有高阳氏担任部落联盟首领，号称"帝颛顼"，传说他是昌意的儿子，黄帝的孙子。颛顼居于帝丘，就是现在的河南濮阳县。春秋时卫国曾迁徙到这里，故有人称卫国在"颛顼之虚"。颛顼生性沉静而有智谋，通达事理。他努力发展农业、畜牧业生产，积蓄财物；又虔诚地祭祀天地鬼神，以保佑万物的生长；并治理四时五行之气，以教化万民。因而在颛顼的统治下，动静之物，大小之神，日月所照，无不和顺归服。

颛顼有八个品德高尚又有才能的后代，他们的名字是：苍舒、隤敳、梼戭、大临、龙降、庭坚、仲

共工怒触天柱

部落联盟争夺首领的斗争日趋激烈。传说共工因争不到帝位而折断天柱，于是地势倾斜，西北高而东南低。

容和叔达。他们有八种高尚的品德，即：齐、圣、广、渊、明、允、笃、诚，八种品德的具体涵义是：心齐由道、圣通博达、气宇宽广、思虑渊深、神明知微、允信不愆、笃厚志良、秉性诚实。天下之民称这八人为"八恺"，即八个心志和乐的人。"八恺"的美名在颛顼时已传扬开了，受到人民的尊敬，后来又被舜推举为官，做出很大的功绩。"八恺"的出现，更增加了当时的祥和气氛。

八千年前的刻符：新石器时代裴李岗文化刻符龟甲
这件龟甲距今已有八千多年，它的上部有类似甲骨文"目"字的刻纹。当然我们不能据此证明八千年前出现了文字，但我们可以肯定的是，中国人用符号表达思想的方式在八千年前已经有了雏形。

前3万年 前 3 万 年

世界大事记　澳大利亚已有人类居住。

《国语·楚语下》
《淮南子·天文训》
颛顼　德政
共工　恶行
人物　关键词　故事来源

"绝地天通"的颛顼

五帝之一的颛顼帝姓高阳氏，是黄帝之孙，昌意的儿子，炎黄联盟的重要首领之一。据说他设定日月星辰的位置，还让重和黎二人专门负责"天"和"地"的事务，结束了"民神杂糅"的历史，反映了权力开始被垄断的新变化。

祭祀天神成为贵族特权

据说在少暤氏势力衰落时，百姓中的道德开始混乱起来，他们到处祭祀鬼神，民神混杂，无法分别。人人供物作祭祀之用，家家都有巫师主接天神，使祭神变得十分粗俗。人民因祭祀弄得疲乏困顿，还不知能否获得神的赐福。祭祀的供物也没有规定，随便乱凑，亵渎了神，使神失去威严。神对这种做法十分反感，因此不降恩赐反而使庄稼不好好生长，这样一来，百姓更无物用来祭祀。灾祸也就严重地出现了，社会上到处是一片哀声叹气，人人心情都不舒展。颛顼当了部落联盟的首领后，针对这种情况，便命令一个名叫重的"南正"官专门主管祭祀天，以会合群神，使降嘉福；又命令一个名字叫黎的"北正"官专门主管地上的事，以监督人民，不得乱行祭祀。于是，祭天之事由专人掌管，变得神圣、隆重，一般平民不能侵犯、亵渎。颛顼称这项命令的作用是"绝地天通"，也就是断绝地民与天神相通。从此，祭祀天神成了贵族的特权，老百姓不许参与其事，这预示着原始社会中出现了贵贱的分化。

共工与颛顼争夺帝位

颛顼对部落联盟的统治日趋巩固，引来了共工的妒忌。共工也是当时一个较大的氏族部落的首领。这个部族在伏羲、神农时代就有了，它的首领一直沿袭共工这个名字。共工部族开化得比较迟，物质文明没有黄帝族那样先进。据说共工有人的脸、蛇的身体和红色的头发，生吃五谷、禽兽，生性贪婪残暴，愚顽恶狠。共工不服从颛顼的领导，并争着要当部落联盟的首领，当然要受到颛顼的斥责甚至攻伐。共工族的武器装备和军队数量都及不上颛顼，但是他们恶狠残暴的性格，促使他们会做出伤天害理的事来。据传说，共工在颛顼的强大势力下，因争不到帝位而发怒，便去猛触不周之山。这不周山是天柱，由于共工的猛触而折断了，于是天地晃动起来。天的倾斜使西北方高起来，因而日月星辰都向西北方移动；地的倾斜使东南方陷下去，因而河水都向东南方流去。

共工因与颛顼争帝失败而怒触不周山，使天柱折断的故事当然是一个神话，是原始社会人们的想象和传说。但由此也可看到，当时部落间夺取领导权的斗争已十分激烈。

> **历史文化百科**

〔图腾：氏族的象征和徽号〕

图腾信仰认为人与某种动植物或无生物有一种特殊的关系，每个氏族都起源于某种图腾，该种图腾是该氏族的源头、保护神，也是该氏族的象征和徽号，并且以各种形式表露出来。如此才能解释母系氏族成员"只知其母不知其父"的生命来源。

话说中国

中国大事记

马家浜新石器文化在今浙江嘉兴市一带繁衍。

〇二一

吞日生子

帝喾有四个妃子，生儿子时都有异样感觉。有个妃子因做梦吞了太阳以致怀孕生子。这是当时缺乏科学常识的缘故。

帝喾治理天下的才能

在颛顼之后担任部落联盟首领的还有高辛氏，号称“帝喾”。帝喾是黄帝的曾孙。据说帝喾一生下来就自称其名叫“俊”，异于常人。他十五岁就辅佐颛顼，因功而封为诸侯，封地在高辛，因称高辛氏。他三十岁正式登帝位，建都在亳，即今河南商丘一带。帝喾能博施济众，不贪财物。他耳目聪明，知远察微，顺应天时，知道民之所急。他开发土地的资源而又能节省使用，耐心地教育人民要勤于生计。他规划好一年中的各个节气，明于鬼神之事而恭敬地进行祭祀。他的一举一动都符合天时，平时他穿得普普通通，一点也不讲究豪华富贵。帝喾以他办事的公正合理，取得了天下人民的信任。

四个妃子及其后代的传说

帝喾有一件最值得引以自豪的事，就是他娶的四个妃子所生的四个儿子，据占卜显示将来都能统治天下。他的元妃是有邰氏的女儿，叫“姜原”，生子名弃，是后来周朝国君的祖先；他的次妃是有娀氏的女儿，叫“简狄”，生子名契，是后来商朝国君的祖先；他的三妃是陈丰氏的女儿，叫“庆都”，生子名放勋，就是大名鼎鼎的帝尧；他的四妃是娵訾氏的女儿，叫“常仪”，生子名挚，也一度接登帝位。传说帝喾还有八个品德高尚、才能出众的后代，他们的名字叫：伯奋、仲堪、叔献、季仲、伯虎、仲熊、叔豹、季狸；他们具有忠、肃、恭、懿、宣、慈、惠、和八种品德，具体说就是忠心奉上、严肃谨慎、临事恭敬、懿美淳厚、宣传德教、慈爱遍民、恩惠百姓、和蔼可亲。天下之民称这八人为“八元”，即八个善良的模范。他们的美名到处传扬，后来都被舜推举为官。

不过帝喾也有两个寻衅闹事的不争气的儿子，大的叫“阏伯”，小的叫“实沈”。他们两个居住在旷野，不能和睦相处，经常互相征讨。后来他们的哥哥帝尧即位，认为长此下去，一定会闹出乱子来，就把他们互相迁移开。把阏伯迁到商丘，与那里的商族人在一起；又把实沈迁到大夏，就是现在的山西翼城县一带，与那里的唐族人在一起。商丘和大夏相去较远，二人再不能打斗了。

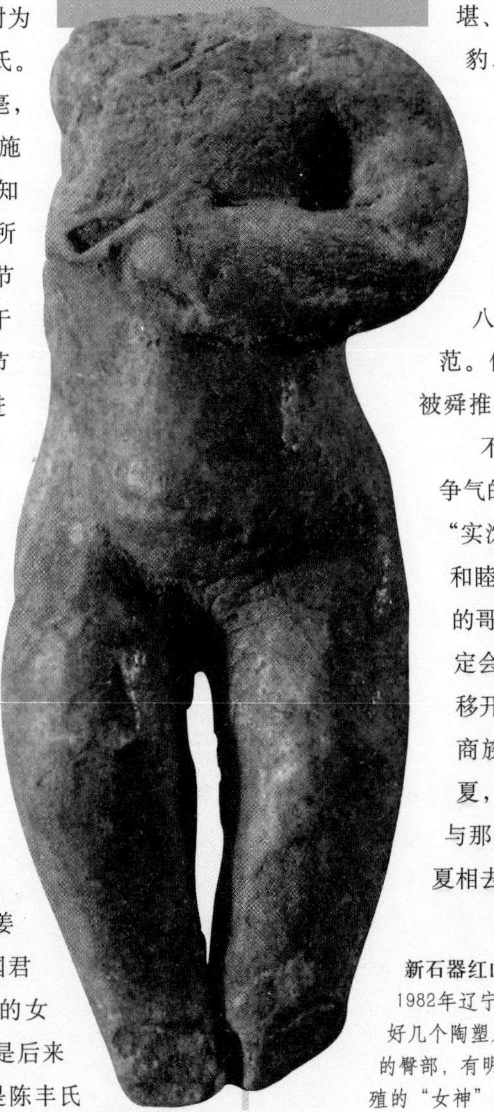

新石器红山文化陶塑孕妇像：祈求生育的女神

1982年辽宁红山文化遗址的圆形祭台上出土的好几个陶塑人像，均突出表现隆起的腹部和肥大的臀部，有明显的孕妇特征，这是祈求生育、繁殖的“女神”崇拜物。

帝喾　姜原　简狄　常仪

《广博物志》卷十一引《异苑》《拾遗记》卷十引

姜原　德政　灵感

人物　关键词　故事来源

怀孕时的异样感觉

十分有趣的是，帝喾四个妃子，生儿子的时候都有异样的感觉。据说元妃姜原生子弃，是由于她踩了巨人的足迹，因身体受到震动而怀孕；次妃简狄生子契，是由于她误吞了玄鸟即燕子的卵而怀孕。四妃常仪在生子时的感觉更是特别：因为晚上做梦吞了太阳，以致怀孕。

除了上面所说的四个妃子外，帝喾还有一个妃子是邹屠氏的女儿。原来黄帝擒杀蚩尤后，把蚩尤族余民中的善者迁到邹屠之地，把恶者迁到有北之乡。邹屠氏的这些女人生性活跃，据说她们行不踩地，走起路来像一阵风，常常游于伊水、洛水之间。帝喾了解此情后，就娶了邹屠氏的一个女儿做妃子。这个妃子也常常做梦"吞日"，每做一梦就怀孕生子。一共做了八个梦，吞了八个太阳，也就生了八个孩子。

做梦"吞日"而怀孕生子的传说，一方面说明当时对妇女如何会怀孕生子的科学常识懂得少，一方面说明当时夫妻间的婚姻关系尚不固定，当一个女子与其他非丈夫的男子发生关系而怀孕后，就说是做梦"吞日"而怀孕的，以此来掩饰事实，大家也都信以为真。

＞历史文化百科＜

〔西藏高原古人类的活动足迹〕

在海拔4150米的西藏吉隆县，近年发现两处旧石器时代遗址，共采集到石制品八十多件。这是继20世纪60年代以来的又一次重大发现，它一再证实万年前就已有人类活动于西藏高原。

同时，在拉萨市北郊的曲贡遗址，也发现有4000年前的打制新石器上万件。这说明藏族先民于史前时期早就在此一带从事农、牧、狩猎等活动。

＞历史文化百科＜

〔原始时代的艺术珍品——陶塑鱼鹰〕

鱼鹰，是捕鱼的好帮手。黑龙江齐齐哈尔地区近年在昂昂溪遗址出土一只陶罐，上连一头鱼鹰。鱼鹰长8厘米、宽18厘米，两翅各长7.5厘米，捏塑成展翅飞翔的状态，手法简练古朴，形象生动逼真。

这次发现充分展示了距今七千多年前我国东北地区新石器时代早期先民的生活方式和艺术情趣。

仰韶文化彩陶缸：中国画技法的雏形

河南仰韶文化遗址曾出土了一具作为丧葬用品的陶缸。缸腹有一幅由鹳、鱼、石斧组成的画，鹳的全身被涂抹成白色，以表现鹳的轻柔羽毛，石斧和鱼则以简练、流畅的粗线条勾勒，整幅画体现了后来中国画的"没骨"、"填色"的技法，被有些学者认为是中国画的雏形。

话说中国

善解人意的奇怪公马

传说在很古的时候，有一家人家，只有父亲和女儿相依为命。家里还养着一匹牡马就是公马。有一次，父亲有事出外远行，很长时间没有回家。女儿思念父亲，心中忧闷，便对马开玩笑地说："你若能为我把父亲迎接回来，我就嫁给你。"女儿本来是一句戏言，那马却听得当真起来。它忽然用尽全身力气，挣脱缰绳，跑出屋外，径自朝着其父所在的方向奔驰而去。

父亲在远方见到自己家的马奔跑而来，惊喜万状，立刻勒住马头，骑了上去。那马因为有心事在身，被主人骑上后就立地不动，然后转过身来朝着它所来的方向，昂起了头，鸣叫不止，其声十分悲哀。父亲心中奇怪："此马来得突然，而且举动异常，是我

蚕　女

用桑树叶养蚕，用蚕丝织成漂亮的衣服，人们是怎么知道这样去做的？请看这曲折离奇的蚕女故事。

的家中出了事故吗？"想到这里，父亲决定回家一看，就急着策马返归家中。父女团聚，女儿诉说思念之苦，父亲尽力给予安慰，自然十分欣喜。

戏言不执行引来大祸

为了这匹马有如此非凡的举动和深厚的感情，父亲大加犒赏，给予丰厚的饲料食品，以表示慰劳。但是那马却一点也不肯吃，呆呆地蹲在棚里，好像心事重重。每当看见女儿出入，立刻又喜又怒，尥起蹄子大踢大跳。这样经过了好几回，父亲非常奇怪，便悄悄地询问女儿。女儿告诉了父亲事情的全部经过，特别是她所讲的那句许诺嫁给公马的戏言。她猜想，那马不吃不喝，一会儿垂头丧气，一会儿狂奔乱跳，一定是为了这件事的缘故。父亲听后，勃然大怒，制止道："不要说了！天底下还有这等事，真要把我们家的脸也丢尽了！现在你把门关上，不要进出，我来处置它。"

于是，父亲用埋伏下的弓箭将马射死，剥下马皮曝晒于庭院中。安排

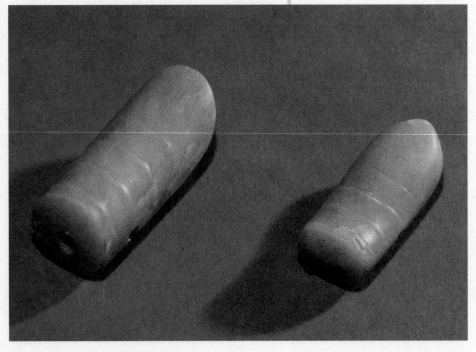

玉蚕：
丝织业出现的证明
三千多年前的商代，养蚕技术已完全成熟，不仅甲骨文中有蚕、桑、丝、帛的记载，并且还有玉蚕出土，同时出土的商代铜片上，就留有丝织品的痕迹。

原始社会

20000010—1040

前15000年

前 1 5 0 0 0 年

世界大事记

法国发现马格德林文化时期洞窟壁画。
■西班牙发现马格德林文化时期洞窟壁画。

《搜神记》卷十四

蚕女　怨愤
父亲　残忍

人物　关键词　故事来源

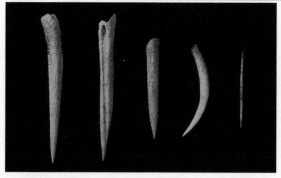

日用品骨针和骨锥
卡若遗址位于西藏昌都，是澜沧江上游新石器时代遗址，表明这里的居民经营农业为主的经济，其发现对研究西藏高原原始文化意义重大。此处出土的骨针、骨锥是当时居民日常生活所用。

好家事，父亲便与女儿告别，又继续外出工作。女儿在家无聊，便与邻家女子踩着马皮调笑说："你是畜生，想要娶人做媳妇吗？招来屠宰剥皮之祸，岂不自找苦吃？"不料话还没有说完，马皮突然翻起，卷着女儿飞出户外。邻家女子吓得目瞪口呆，不敢相救，只得赶忙去告诉其父。待其父归来，到处求索，找不到踪影。

种桑养蚕、丝织衣服的来历

此后经过数日，在一棵大树枝间发现了女儿与马皮的残迹。女儿已经化为蚕，吐丝作茧在树上。这

> 历史文化百科 <

〔原始社会的自卫武器——鹿角匕首〕
江苏江阴市近年出土一把鹿角制的匕首，通长30.5厘米、宽1.6厘米至5.5厘米不等。匕首与柄之间有刻印的6环弦纹，匕锋略呈扁平三角形，较锋利。与匕首同时出土的还有梅花鹿残骨，以及已经炭化的古生植物等。

经测定，这些遗物距今已有5000年的历史，属良渚文化遗存。匕首是原始时代人们用作生产的工具或自卫的武器。

> 历史文化百科 <

〔产翁制：男子坐月子的奇特社会现象〕
原始社会中，有由男子坐月子，而产妇则到田间劳动的事，人们称这种制度为产翁制，或男子坐褥。刚刚建立的单偶婚和父权制并不牢固，父权制采取许多压抑母系制复辟的措施来维护自己的权利，男子装产，他要使人相信，他是生孩子的人。

个蚕茧又厚实又大，与平常的蚕茧大不一样。邻家妇女从树上取下茧来，并摘采此树的叶子来喂养这种蚕，其收成竟比过去增加了数倍。

天下百姓闻讯此事，大家竞相栽培这种树，采摘其树叶来养蚕。蚕茧收成越来越好，用它的丝织成的衣服，漂亮而又耐穿，给人民生活带来了巨大的福利。为纪念这位变成了蚕的死去的女儿，众人称这种树叫"桑"。原来，"桑"是"丧"字的谐音。女儿"丧"失了生命使百姓懂得了"桑"叶能养蚕的道理。

用以祭祀天神的玉璧
良渚遗址群位于浙江杭州，其中反山墓葬是目前良渚文化中随葬品最丰富、等级、规格、地位最高的"王陵"，这件玉璧即出土于反山墓地。古人以璧礼天，说明最早玉璧用于祭祀。

话说中国

我国古代，周边地区居住着许多少数民族。他们的工农业生产和人民生活都落后于中原的华夏族，又时常对中原华夏族进行侵扰。为了区分四周的少数民族，当时把他们分为蛮、夷、戎、狄四类。在东边的称"东夷"，在南边的称"南蛮"，在西边的称"西戎"，在北边的称"北狄"。其中，古代南方少数民族的形成，历史上流传着这样一个奇异的故事。

南蛮之祖

帝喾的女儿嫁给了一条义犬，他们走入南山，生儿育女，成为南方蛮夷的祖先。这究竟是怎么一回事？

形似蹲鸟的酒器
浙江余姚市河姆渡遗址第二层文化出土，距今 5500 — 6000 年，器为泥质红陶，腹体硕大，形似蹲鸟，是酒器的一种。

> 历史文化百科 <

〔我国西南地区发现的元谋猿人〕
1965 年 5 月，云南元谋县上那蚌村附近的小丘上发现猿人的上中门齿两颗，其基本形态与北京猿人相似而又有一定差异。同时又发现一些石器和大量炭屑，说明猿人已能制造工具和使用火。经科学方法测定，其年代为距今 170 万年左右。

元谋猿人化石及其遗物的发现对探索我国早期猿人提供了宝贵材料，同时也说明我国西南地区是人类起源地之一。

名犬盘瓠做出惊人义举

传说在帝喾高辛氏时代，西边经常有犬戎部落来进行侵扰，国家不得安宁，人民的财产常被劫夺，生命也受到严重威胁。帝喾虽组织力量进行抵抗还击，但仍然不能征服，消除祸患。帝喾在忧虑之余，乃下令国中，有能得犬戎之帅吴将军之头者，赏黄金千镒，邑万家，并以少女许配给他为妻子。

当时帝喾养有一只狗，其毛五彩，名叫"盘瓠"，经常随帝出入。这一天，此狗忽然失踪。过了三天也不见回来，不知所在，帝喾十分奇怪。原来盘瓠在听了帝喾的命令后，就走投犬戎吴将军门下。吴将军见盘瓠来奔，大为高兴，对左右说："高辛氏快要灭亡了！犬犹弃主投我，我必兴也！"于是，吴将军便大张宴席，为盘瓠"投诚"欢庆作乐。这一天晚上，吴将军酒醉而卧，盘瓠悄悄进入吴将军的卧室，把将军咬死，然后衔着他的头回到帝喾的宫中。群臣十分惊异，仔细分辨，认定确是犬戎吴将军的首级。

帝喾知道此事后，心中大喜，想此盘瓠果然是我家养的名狗，不负所望。但帝喾又思考着，既不可以把少女嫁给盘瓠作妻子，也不能给他封官晋爵，如何奖赏盘瓠的功劳才好呢？帝喾向群臣询问，群臣都说："盘瓠是畜生，虽有功，没有什么可奖赏的，最多给他一些好的食物罢了。"

帝喾女儿重诚信明智抉择

这件事被帝喾的女儿知道了，她深明大义，对父王说："你既然已经许下诺言，不可违信。盘瓠衔吴将军的首级而来，为国除害，此乃天意，狗的智力岂

世界大事记

埃及旧石器文化晚期。原始居民由从事
采集生活向渔猎——采集生活过渡。考
古发掘中出现投枪、骨制工具和椭圆形
坟墓。

《后汉书·南蛮传》
《搜神记》卷十四

帝喾　　谎
女儿　　骗
盘瓠　　忠言

人物　关键词　故事来源

能如此哉！王者重言，霸者重信，不可以女子微躯，
而负明约于天下。否则，国家将会有大祸临头！"帝
喾的女儿愿以身献国，嫁给盘瓠，以保天下的太平，
百姓的安康。帝喾心疼女儿，但为了消灾弭祸，只得
同意了女儿的抉择。

　　盘瓠得到帝喾的女儿后，就背负着她走入南山。
那里草木茂盛，无行人之迹。于是帝女解去衣裳，打
成一个像仆人所带的包裹那样，随着盘瓠继续在山
谷中攀登，最终来到一间石室中。

　　帝喾自女儿被盘瓠带走后，日夜思念，悲痛欲
绝。他几次派遣人员到南山中寻觅，终因山高路陡，
又遇上风雨，不得前进，一无所获而归。

新石器屈家岭文化的陶鸟陶鸡陶狗

湖北屈家岭文化时期的居民以种植水稻为主，也兼营渔猎、
采集，并饲养猪、狗、鸡等动物，这时候的人类不再孤独，有
了不少动物朋友。

子孙繁殖成为南方少数民族

　　盘瓠和帝女在山中生活了若干年，生育子女十二
人，六个男孩，六个女孩。盘瓠死后，这些子女互相结
为夫妻。他们切削、编织木皮，用杂草染上各种颜色，
制成美丽的衣服穿在身上，这些衣服的后面都有尾形。

　　后来他们的母亲即帝喾之女回到宫廷，把事情的
经过告诉帝喾。帝喾喜出望外，赶忙遣使到山中迎接
诸男女。只见这些男女衣服斑斓，语言乖离，饮食时

前 1 1 0 0 0 年

日本南部居民已能制造有简单文饰的圆锥形陶罐，作为炊器。

蹲在地上，好入山谷，不乐平旷之地。帝喾顺从他们的意思，把一大片名山广泽赐给他们。

盘瓠的子孙繁殖，人口逐渐多起来，被人称为"蛮夷"。这些蛮夷，外表看上去木讷痴呆，内心则聪慧明白。他们安于故土，热爱家乡。因为他们的先父有功于华夏族，而先母为帝喾之女，故他们务农、贩货，朝廷免去他们的租赋和关税。到汉朝时，南蛮的乡邑都有君长。他们喜欢用水獭的皮做成帽子，因它能自由游食于水中。南蛮确认盘瓠是他们的祖先。每到节日，他们都用米饭碎粒包着鱼肉作为供物，同时打击一种木制乐器而呼号，以此祭祀盘瓠。

>历史文化百科<

〔蓝田猿人：陕西地区发现的古人类〕

1963年至1964年，陕西蓝田县城东的公王岭和城西北的陈家窝村发现猿人的头骨、上下颌骨和牙齿十余枚。其头骨骨壁极厚，额骨很宽，明显向后倾斜，眉棱粗壮，脑容量很小。经古地磁法测定，其年代为距今60万年至80万年。

蓝田猿人是陕西地区发现的最早的人类，它为研究人类的起源、进化提供了极丰富生动的材料。

中国现代考古的摇篮：渑池仰韶村

这是一个距黄河不远的河南西部的小村庄，1921年瑞典人安特生在这里进行发掘，发现了距今5000年至7000年绘有彩色纹饰的陶器，后来带有这种特征的新石器时代文化被命名为仰韶文化。安特生的这次发掘同时开启了中国现代考古的先河。

话说中国

〇二四

汤谷和扶桑

这是一个有关太阳和月亮如何产生、如何运行的美丽奇特的神话。

原始人们突发奇想

上古时代的人们，天文知识十分贫乏。他们只见太阳、月亮从东边升起，然后又往西边落下。但是，太阳、月亮是从东方什么地方冒出来的？又落到西边什么地方去？太阳、月亮在大自然中一共有几个？太阳、月亮是如何生成的？对于这些，他们完全无知。有人站在海滩上，眼看着太阳从遥远的东方冉冉升起，突发奇想，形成了汤谷和扶桑的神话故事。

美丽境界令人神往

据说在东面海外有一个极遥远的地方，叫"汤谷"，太阳每天从那里升起。在汤谷中心有一个大的水池，叫"咸池"，是太阳每天洗澡的地方。在咸池旁边，有一棵大树，叫"扶桑"。扶桑树高八十丈，上有巨大的桑叶，叶长一丈，宽六七尺。树上还结出桑椹，即桑树的果穗，呈黑紫色，味甜美，可以吃。每个桑椹都特别巨大，有三尺五寸长。树上还有一种大蚕，吃了桑叶在树

中国最早的城：郑州西山仰韶文化城址

这是距今约5300至4800年间，位于郑州市北郊23公里，邻近黄河的一处仰韶文化时期的古城。残存的西边城墙长约64米，北部城墙长约210米，城的形状呈不很整齐的圆形。城墙系用方块板筑法建造，保存最好的一段现存高约3米。这是我国目前发现时代最早的古城，它的发现对研究中国古代城市起源，中国古代文明的出现具有重要意义。

原始社会

世界大事记

高加索人种分布在欧洲、北非和中东。■黑种人分布在非洲撒哈拉沙漠（那时水源较现在充足）及其以南地区。■澳大利亚种人分布于印度、东南亚和澳大利亚。■印地安人分布于美洲大部分地区。■伊拉克的帕勒高拉洞穴内已有家养狗。

《山海经·海外东经》
《山海经·海荒东经》

羲和　善思
常羲　灵感

人物　关键词　故事来源

上作茧，每个茧长三尺。缫这种大茧一个，可得丝一斤。这棵桑树长得如此高大，实有仙人扶持，故名"扶桑"。仙人爱食桑树上的椹，食时桑树发出金光。

扶桑旁的太阳实有十个，九个在汤谷的咸池中沐浴，一个升上扶桑的枝头，慢慢地再升上天空，所以我们只能看见十个太阳中的一个。在东南海之外，甘水之间，有一个"羲和之国"，国内有一女子名叫"羲和"，她是帝俊的妻子。这十个太阳，就是羲和所生育的。羲和每天要到甘渊为

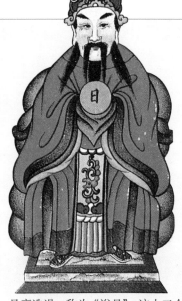

旧石器时代晚期的骨针

山顶洞人留下的骨针是中国已发现时代较早的骨针之一，它由尖状器刮挖而成，可以用来缝制兽皮制衣御寒。《圣经》里亚当夏娃在吃了智慧果之后才知道以树叶遮羞，山顶洞人又是因为什么自觉开始了这一具有划时代意义的行为？

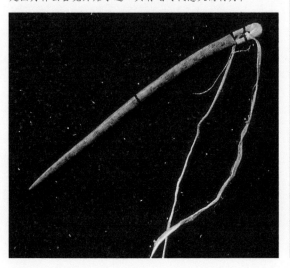

烟火相的日月神

日神和月神颇具人情味，看上去根本就是尘世凡俗中一对生活富裕儿孙满堂的老夫老妻，笑容可掬，慈蔼可亲。

这十个太阳洗澡，称为"浴日"。帝俊的另一个妻子名"常羲"，生育了十二个月亮，因此她每天要给这十二个月亮洗澡，称为"浴月"。这十二个月亮也只有一个升上天空，其余十一个都在水中沐浴。

东方岛国称为"扶桑"

"汤谷"和"扶桑"，羲和生日及常羲生月，是原始社会的人们对太阳和月亮的运行之地及其生成所想象出来的故事。它想象丰富，构思奇特，读来如入神话世界。"扶桑"后来成了东海之外一个极美丽的神奇变幻的地方，至今有人称东方岛国日本为"扶桑"，它的来源就是这个传说。

>历史文化百科<

〔观音洞文化：贵州发现的大量旧石器制品〕

1964年至1973年，考古工作者在贵州黔西县观音洞一条长约90米的主洞内，经过四次发掘，共获得石制品3000多件。这些石器，类型多样，加工细致，材料十分丰富。据专家考定，其年代可能略早于北京猿人，距今已有70万年左右。

观音洞是目前长江以南最大的一处旧石器时代初期的遗址，它对研究南方地区的原始文化具有极高的价值。

话说中国

中国大事记

半坡村人在今陕西西安市一带使用新石器工具生活。黄河流域中下游地区普遍开始农业种植，家畜饲养业也有一定发展。陕西华县老官台一带有先民活动。那里发现陶器、石器、房屋遗迹等。

牛郎与织女

天文知识贫乏的原始先民，编造了一个牛郎与织女在天河限期相会的缠绵动人的爱情故事。

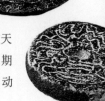

凝望星空编成爱情故事

原始社会的人们，虽然天文知识贫乏，但却富于想象，好编故事。他们晚上凝望着天空，看见天上有一条星云密集、十分明亮的像河一样的光带，古代的人们把它称为“天河”或“云汉”，现代天文学称为“银河”。在天河的两边又有好多颗明亮的星体。他们把河西那颗比较明亮的星体称为“牵牛星”，或叫“牛郎星”，把河东那颗比较明亮的星体称为“织女星”。于是，编造了一则在天上的牛郎与织女限期在天河相会的缠绵动人的爱情故事。

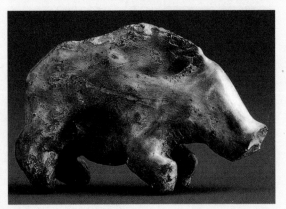

具有一定规模的家畜饲养业

河姆渡氏族除了从事稻作生产，饲养家畜也有一定规模，以猪、狗、水牛为主要家畜。这些日常生活也反映在当地出土的这件陶器上，栩栩如生的陶猪不仅反映了当时的生活状态，也许亦是对“艺术源于生活”最好的注解。

> **历史文化百科**
>
> 〔10万年前活动于山西的丁村人〕
>
> 1954年在山西襄汾丁村附近，发掘到同属一个少年的门齿二枚，臼齿一枚。齿的结构具有原始特征，而齿冠和齿根较北京猿人细小，与现代黄种人已较接近。同时出土有大量石器和伴生动物化石。
>
> 科学家把丁村人和广东发现的马坝人、湖北发现的长阳人都称作早期智人，属旧石器时代中期，距今约10万年左右。

姑娘的心思如愿以偿

传说织女在天河之东，原是天帝的孙女，故又名“天孙”。因为她惹怒了天帝，故罚她在那里常年织布。纤嫩的素手，拨弄着来回穿梭的机杼。终日织布的劳累，使她美丽的身影变得憔悴了。由于被天帝关在这里，她心情不好，思念着外界的自由生活，经常涕泣如雨。她用尽心思和劳力织成的“云锦天衣”，织工精细，色泽美观，光亮明洁，天帝见后十分高兴。但是，织女哀声叹气、渴望自由，想趁年轻时嫁一个好儿郎的心声也不时传到天帝耳边。

天帝可怜她常年的劳累，一人独处织布的寂寞，便允许她嫁给天河之西的牵牛郎。织女原来在河东织布时，就听说河西的牵牛郎干活如何勤劳，人品如何善良，现在能获得自由，嫁与牛郎，正是如愿以偿。因此，织女的心情特别高兴。自从织女嫁到河西，与牛郎相聚，自然男欢女爱，生活十分幸福。

欢乐中的不慎落得无限惆怅

时间过得真快，转眼间已过了数月，织女与牛郎还沉浸在新婚的欢乐之中。织女每天给牛郎洗衣、送饭，却把编织“云锦”送给天帝的事忘得一干二净。天帝看

新石器时期的纺织技术——陶制纺锤车（上图）

原始先民从很早的时期就懂得以兽皮与树叶取暖。河姆渡陶制纺锤车的出土说明，新石器时期的人们已经懂得了纺织技术。以农耕为主的定居方式使人们提高生活质量的动力更加巨大了。

原始社会

到织女与牛郎沉湎爱河,废弃织纴,勃然大怒,便下令遣返织女要她仍归河东,继续终日织造锦缎。织女与牛郎名为夫妻,一年只能相会一次。织女接到遣归的命令,痛苦万状,但也无可奈何。她离别牛郎,依依不舍。牛郎看着织女远去的身影,心中也无限惆怅。牛郎织女常常隔着天河相望,含情脉脉,却又无法接近,他们的哀怨和忧思令人感叹不止。

后来,民间每当七月七日的夜晚,家家户户洒扫庭除,供上酒脯、时果,说今夜二星神当相会。有人看见天河中有五色光耀,便说牛郎与织女相会了。见者便拜,口中

古老的农具骨耜

河姆渡文化遗址主要文化内涵为多种多样的石、骨(角)、木质生产工具。其中骨耜最具特色,骨耜是古代的一种农具,形状像现在的锹,这只骨耜有绳缠绕的柄,刃部参差,制作十分合理。

大家族与小家庭的反映:邓州八里岗仰韶文化长排房残址
这是一处由约二十间房屋组成的排房,许多屋内分有套间,有灶,有的门为推拉式。类似这种排房在淅川下王岗仰韶文化遗址中也有发现。这种自立灶塘,内有分间的房屋表明当时人类社会已经出现了一夫一妻制的小家庭,而二十多间有规划的长排房应是父系家族的聚集地。

还念念有词,有求富贵、求长寿的,有求生子、求聪明能干的,求者都说星神灵验。至今,如果夫妻二人分居两地,不得团聚,就说他们像牛郎织女一样。

> 历史文化百科 <

〔长江以南灿烂的原始文化——河姆渡文化〕
1973 年至 1978 年在浙江余姚河姆渡村发掘出石、骨、木、陶质各种生产工具数千件。同时又发现大量稻谷遗迹,说明农业已是当时的主要经济部门。发现的木构建筑遗迹,技术已相当成熟。出土的原始艺术品也丰富多彩。经科学测定,河姆渡文化的年代约为公元前 4800 年左右。

河姆渡遗址的发现,证明我们的祖先不仅在北方黄河流域,同时在长江以南也创造了灿烂的原始文化。

精卫填海

黄帝炎帝的后代，有许多顽强不屈、征服自然、改造自然的故事。精卫填海就是其中最精彩动人的一个。

黄帝族和炎帝族是中国古代华夏族的主干，这两个族历史悠久，人口众多，经济和文化都比较进步。因此，在这两个族中，流传着许多关于黄帝和炎帝的子孙如何精明能干，化为神仙，移山填海，征服自然和改造自然的故事。这些故事表达了这两族人民强烈的愿望、坚定的决心和不屈不挠的奋斗精神。

黄帝后代的神奇威力

传说黄帝的后代中有两个人，一个叫禺号，也有人把他叫作"禺虎"；一个叫禺强，也有人把他叫作"禺京"。他们都是人面鸟身的神，头上套着两条青蛇，脚下踩着两条黄蛇。禺强处在北海，禺号处在东

海，他们代表天帝管理着大海。

在渤海之东十分遥远的地方有一个大壑，是无底之谷，名叫"归墟"，地上四面八方和天上银河中的水都流注到这里，因而水面辽阔，奔腾不息。在归墟这个大壑中，有五座山，它们的名称叫：岱舆、员峤、方壶、瀛洲、蓬莱。这些山的高下周围有三万里，其顶平处有九千里，各山之间相隔有七万里。这些山上金玉珠宝之树丛生，树上结的果实味美可口，食后都能长生不老。山上所住的人都是仙人和圣人，他们在五山之间飞翔往来，十分灵

中国最早的牙雕艺术

1977年河姆渡遗址出土了一件鸟形象牙圆雕，这是中国最早的牙雕艺术品之一。牙雕本身光洁圆润，能充分体现鸟的灵巧，而雕刻者随意赋形的妙想，则使后人叹为观止。

《山海经·北山经》

禹强　禹号　精卫

坚强　壮志

精卫填海

人物　典故　关键词　故事来源

仰韶文化的酒具

陕西华县出土，属仰韶文化庙底沟类型晚期墓葬，距今约5000年，为泥质黑陶，呈一只鹰形，尊的腿做成动物腿，鹰头部被格外突出，造型浑厚，是形体较大的酒器。

便。但这五座山的根没有连着海底，常常随着潮波上下浮动，没有一刻得以安稳。仙圣十分恼怒，便去告诉天帝。天帝恐这五山流散于四方，群仙圣会失去居住之处，便命禹强、禹号使十五只巨鳌举起头顶着五座山。这十五只巨鳌分为三组，五鳌为一组，每鳌顶一山，三组分三班轮流更替，每六万年替换一次，使巨鳌也得以休息。从此，这五座山便峙立而不动了。可见黄帝后代中禹强、禹号作为海神的威力。

炎帝女儿的雄心壮志

炎帝有个小女儿叫"女娃"，因为在东海中捕捉海产食物而被海潮吞没，溺水身亡。女娃淹死后，化

> **历史文化百科**

〔原始人的音乐舞蹈〕

原始人能歌善舞，他们跳生产舞、恋爱舞、巫舞、战争舞等，史前时代的陶器就有舞蹈盘，上面绘有热烈的集体舞的场面。原始人的歌声不再，但留下了许多乐器，比如龙山文化的石磬、马家窑文化的陶鼓、大汶口文化的陶角号、河姆渡文化的骨哨等。

> **历史文化百科**

〔发现于浙江嘉兴的马家浜文化〕

1959年以来，在江苏南部和浙江北部发现许多新石器时代遗址，因其最早发现于浙江嘉兴马家浜，故统称为马家浜文化。其时也以农业为主，种植籼稻、粳稻，并饲养猪、狗等家畜，渔猎经济也很发达。苏州草鞋山还出土三块炭化纺织物残片，是我国发现年代最早的纺织品实物。

马家浜文化经科学测定，其年代约为公元前4750年至前3700年，是继承河姆渡文化发展而来的。

彩陶上的秩序：新石器时代仰韶文化三角纹彩陶钵

陶钵上的三角纹一般被认为是从鱼纹演变而来，这种三角纹饰的二方连续的设计证明绘画者寻求某种秩序。这种对绘画秩序感的追求是当时社会由无序的低级形态向有序的更高形态过渡的反映。

为一只鸟，经常停留在北边发鸠山的主峰柘树山上。它的形状像一只乌鸦，头上有彩色的花纹，嘴是白色的，足是红色的。人们从它的鸣叫声中判断出它的名字叫"精卫"。女娃因为被海水淹死，她非常痛恨潮水吞噬人的生命，所以她死后变成一只精卫鸟，经常衔着西山上的木石，去填塞东海。她幻想能在东海上筑起一条大堤，把海水阻挡住，这样，人们再也不会有被海水卷走的危险。精卫鸟每天不停地衔石填海，她以顽强的毅力不停地与大海搏斗着。

话说中国

〇二七

愚公移山

和智叟相比，愚公不算聪明。但他在移山过程中所表现出来的坚韧不拔的毅力，到今天仍有极大的教育作用。

一个雄伟出奇的计划

古时候在冀州之南、河阳之北，即今山西南部、河南北部的黄河以北地区，有两座大山，一座叫"太行山"，一座叫"王屋山"。这两座大山，周围有七百里，高万丈，十分雄伟。山的北面住着一位老人，名"愚公"，年纪将近九十岁了。他觉得两座大山在家门口挡道，出入要绕很大的圈子，十分不便，就召集全家人商议道："我与你们全力以赴来铲平家门前的这两座大山，使我们家出去有平坦的大道可直通豫州南部，到达汉水之滨。你们认为这个计划可行吗？"全家人七嘴八舌地议论，都同意愚公铲平大山的主张。

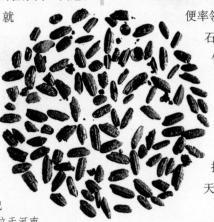

稻谷：反映了公元前 6000 年的农业状况
贾湖遗址属新石器时代裴李岗文化，位于河南舞阳，遗址出土了大量文物，其中在房基、灰坑中出土的大量炭化稻米对研究淮河流域北部地区公元前 6000 年的农业状况提供了新资料。

> **历史文化百科**

〔揭示黄河以南氏族公社发展的裴李岗文化〕

1977 年至 1979 年在河南新郑县裴李岗发掘出约 2 万平方米的原始文化遗址，遗址分居址和墓地两部分。房子大都是半地穴式建筑，房内有灶和成套陶器。墓地清理出墓葬 114 座，头都朝南，反映群体内部有共同的信仰。随葬品组合不同，表明当时社会已存在劳动分工。

裴李岗的年代约为公元前 6000 年左右，它为研究黄河以南地区氏族公社的发展揭示新的一页。

这时愚公的妻子提出疑问，说："以你愚公的力量，还不能毁损像魁父之丘这样的小山，如何能铲平太行、王屋这两座大山呢？还有，即使你能铲平它，这么多土石又住哪里放呢？"全家人再一次七嘴八舌地出主意说："把它投放到东面渤海的边上，或者放到东北隐土的北面。"

经过讨论和商议，大家都同意这一计划后，愚公便率领他的子孙们大干起来。他们挖出石头，刨开土壤，由三个人挑担，用竹笼、畚箕把土石运到渤海之尾。邻居有个寡妇，是京城氏的孀妻。她的男孩才七八岁，也蹦蹦跳跳前来帮助搬石装土。因为放置土石的地方路途遥远，这三个人挑担运土，半年才能走一个来回。冬天挑担而去，夏天才能回来。

面对嘲笑的坚定回答

在河曲地方有个叫"智叟"的老人，听说愚公全家挖山运土的事，便笑着前来制止愚公道："啊呀，你的这种做法太不聪明啦！以你的残年余力，还不能毁损山上的一毛；面对这么高的两座山，这么多的土石量，你又能把它怎么样呢？"北山愚公听完智叟的嘲笑和诘难，长长地叹了一口气，回答说："听你说的话，就知道你这人头脑顽固不化，真是没有办法使你开通，还

桌子的前身：
新石器时代仰韶文化彩陶器座
这是新石器时代人类用来放置碗、钵之类食具的器物。当时人类席地而坐吃饭，为了进食方便，于是用这样的器物将食具抬高。

公元前9000年－前8000年

前9000年
前8000年

世界大事记

西亚地区人类采集野生谷物大麦和小麦，作为生存资料。

〈列子·汤问篇〉

愚公　勤奋
智叟　坚强
愚公移山

人物　典故　关键词　故事来源

话说中国

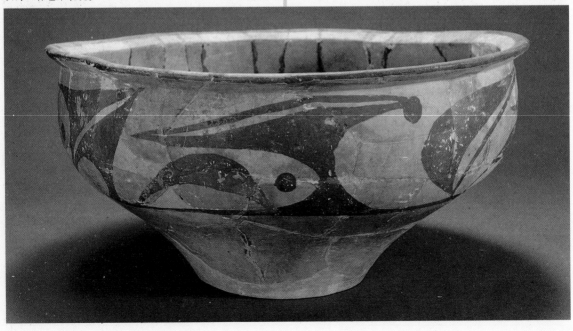

中国大事记

松泽新石器文化在今上海青浦一带繁衍。

不如人家孀妻弱子！你知道吗，虽然我已年近九十，但我死了以后，还有我的儿子可继续干。儿子又生孙子，孙子又生儿子；儿子又有儿子，儿子又有孙子：子子孙孙，是没有穷尽的。而这两座山，再不会增高，为何不能铲平呢？”智叟听了这一番道理，无言以对。

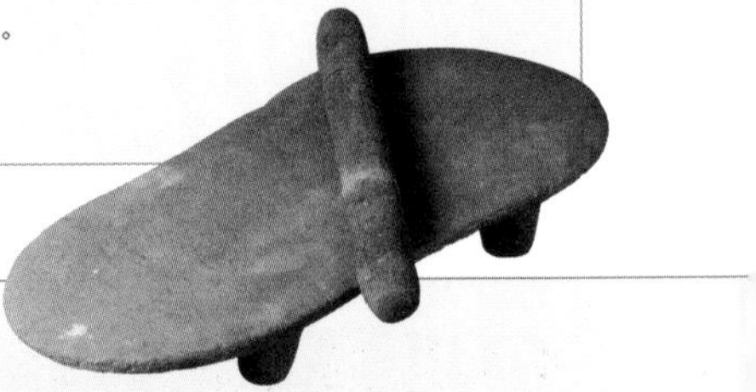

顽强精神感动上帝

愚公要挖平这两座大山的消息被当地的神仙知道了，神仙恐怕他果真挖山不止，就向天帝报告。天帝为愚公的顽强精神所感动，便命巨人族夸娥氏的两个儿子背走二山。一座向北搬到朔东，一座向西搬到雍南。从此，冀州之南一直到汉水之滨，再也没有大山阻挡通路了。

生活与自然的再现：新石器时代仰韶文化彩陶钵

仰韶文化是距今5000至7000千年间在中华大地影响最深远的文化。仰韶文化的彩陶纹样种类很多，主要有鱼纹、动物纹、植物纹、天象纹、网纹、水波纹等，是人类对自然的认识的一种艺术表现。

最早的“脱粒机”

石磨盘、石棒是裴李岗文化出土的用于加工谷物的工具。使用时把带壳粟放在石磨盘上，双手持石磨棒的两端压在带壳粟上，来回搓动，使粟壳脱落，成为可供煮食的粟米，这可以说是最早的脱粒工具。

愚公移山是原始社会神话传说时代的寓言故事，它反映我们的先民在与自然斗争中的坚韧毅力，是十分感人的。

历史文化百科

〔河北南部发现的原始文化——磁山遗址〕

1976年至1977年在河北武安市西南的磁山，发掘出8万平方米的原始文化遗址。遗址中的房屋几座一组集中在一起，这是当时已有社会组织的反映。发现的灰坑多达数百个，多半是贮存粮食的窖穴，有的残存粮食多达10余万斤。

磁山遗址经测定，年代在公元前5800年左右。它为探索黄河流域早期农业文化提供了丰富材料。

夸父追日

一个炎帝后代中的英雄，他气吞山河、追赶太阳的雄心壮志，永远受到人们的崇敬。

夸父是炎帝的后代，他们一个家族都是身材高大的巨人。"愚公移山"时，天帝曾命"夸娥氏"的两个儿子去搬山，这两个儿子自然也是巨人。夸父就是夸娥氏家族的一员，夸父的先辈曾经参加过对黄帝的战争，战争失败后就回到他们的老家，即今陕西渭河一带。夸父也从此就在那里定居下来。

巨人奔跑追赶太阳

夸父身体健壮，浑身有使不完的劲。有一次，他突发奇想，要去追赶太阳。太阳每天向西边下落，究竟落到什么地方呢？他要去看个明白。夸父飞快地向西边奔跑，跑了好长一段路，毕竟还是追不过太阳。太阳终于下山了，落到一个叫"禹谷"的地方，渐渐地失去踪影。夸父奔跑得太累了，出了很多汗，

距今170万年的古人类：元谋人
1965年云南元谋县出土了距今170万年的旧石器时代古人类的上、中两枚门齿，考古学家据此命名这一早期人类为元谋人。元谋人生活在温暖湿润的气候环境中，使用石制工具，可能懂得使用火，并可直立行走。

>历史文化百科<

〔山东泰安一带发现的大汶口文化〕

1959年在山东泰安县大汶口镇附近的一遗址中发掘出133座墓葬，把一种新石器时代的文化面貌比较全面地显现出来。此后在鲁南和苏北的许多地方都发掘得同类性质的墓葬，学术界遂把这些遗存，统称为大汶口文化。

据测定，大汶口文化的年代约从公元前4300年至前2400年。它的早、中期为母系氏族社会，晚期已进入父系氏族社会。

这时突然感到口渴难忍，需要喝水，便到就近的黄河、渭河中去喝水。但是夸父的胃口太大，把黄河、渭河中的水差不多喝完了，还觉得口渴。他想起北方有一个大泽，那里水草茂盛，水质清洁，水面辽阔，便想到那里去再喝个痛快。夸父心中盘算着，又急速向北方跑去。

口渴而死化为桃林

由于过度的劳累，口中又极其干渴，没有喝到足够的水，夸父的身材支持不住，竟在去大泽的路上摔倒，再也爬不起来了。原来在夸父口渴难忍，到黄河、渭河饮水的时候，黄帝部下一个名叫应龙的水神在那里作怪，是他把河中的水故意放小，使夸父喝不到水，夸父实在是被应龙陷害死的。

夸父临死前，丢掉了他的手杖。由于他尸体的膏肉浸润大地，这手杖变成树木，化为邓林。邓林草木茂盛，

用以祭祀地神的玉琮
良渚墓葬群中的瑶山是祭坛和墓地的复合遗址，其中的祭坛是良渚文化中最宏大的祭坛遗址，出土的玉器占随葬品的90%，古人以琮礼地，玉琮是重要的礼器，用于祭祀。

精美而又实用的背壶
大汶口文化出土了一件彩陶背壶，壶的腹壁一面扁平，两侧各有一环耳，另一面有一竖鼻，三个附耳系绳，便于背带。壶的材质为细泥红陶，壶体绘有多种彩色花纹作为装饰。

人类的共享意识：新石器时代仰韶文化花瓣纹彩陶钵（左页图）
这种花瓣纹是仰韶文化庙底沟类型彩陶装饰的特征。这一时期的人们开始用更加精致的纹饰装饰他们的器物，图上的花瓣可以与多个花蕊共享，这或许就是庙底沟人协作精神的体现。

地域宽广，有好几百里。它就是后来生长在渭河下游一带的桃林。据说周武王伐纣归来，曾经"放马华阳，散牛桃林"，以示天下不再用兵。周武王放牛处的桃林，就是夸父手杖所化的。

纪念英雄浩气长存

夸父是炎帝后代中的英雄，他高大的身躯、强壮的体魄，以及要追赶太阳运行的雄心，永远为炎帝族的人们所纪念。在桃林的南边，夸父的家乡有一座山，后人称为"夸父山"，山上生长着许多楠木和竹箭，还有许多牛、羊和鸟类聚居在那里。山的阳面多美玉，阴面又多铁矿石。

夸父的足迹遍及中国的南方。在台州，即现在浙江省的宁波、象山、黄岩一带；在辰州，即今湖南省沅陵以南的沅江流域，以及湘江流域的永州市一带，都有夸父巨人追日足迹的记载。

祭神舞蹈图
广西花山崖画中人物双手上举、弓步排列的动作，与存留下来的青蛙舞非常相近，该是古人祭祀祖先的舞蹈。

> **历史文化百科**

〔**中国最早的原始人类巫山猿人**〕
1985年在重庆市巫山县庙宇镇龙骨坡发掘出古人类的一个门齿和一段下颌骨的化石，同时出土的还有石器和许多脊椎动物化石。经科学方法测定，其时代距今约200万年。1997年该地又发现大量经过人加工的旧石器，进一步证明200万年前长江三峡一带就有古人类活动。

巫山猿人的发现，证明中国长江流域是人类的起源地之一。

伟人的出生和继承帝位

尧是帝喾的三妃陈丰氏女"庆都"所生的儿子，名叫"放勋"。据说在尧出生的时候，常有黄云覆盖在天上。尧母庆都外出观看黄河，忽遇一条赤龙从天而降发出一阵阴风。这阵阴风吹到庆都身上，心中因受到感动而怀孕。庆都怀孕十四

尧眉八彩

原始社会时期继黄帝之后又一个杰出的领导人物，他的政绩、功德和形象在百姓中传颂。

个月，才在丹陵生下尧来。尧初生时，他的母亲在三阿之南，寄居于伊长孺的家中，因此尧从小也随母所居人家的姓，姓伊氏。

尧长到十五岁便去辅佐他的哥哥帝挚治政，并受封于唐为诸侯。帝挚是帝喾的四妃"常仪"所生的儿子，常仪在帝喾的妃子中排位最下，而她的儿子在兄弟中却年龄最大，是长兄，因而挚能继承帝位。帝挚在位九年，政治上没有起色，而唐侯放勋道德隆盛，名声远扬，诸侯都归服于他。帝挚自知能力薄弱，又佩服其弟的道德和才能，便率领群臣至唐，心甘情愿把帝位禅让给他的弟弟。唐侯认为这是天命，便接受兄的禅让，登帝位，号为"帝尧"，而把他的哥哥挚封在高辛老家。

外貌特征与治天下的才能

传说尧身高十尺，约有二米多。他的脸上部窄下部宽，形状好像葫芦。由于长期劳累，他的身体比较消瘦，但精力充沛。尧的一个最明显的特征，就是他的眉毛呈八

生活简朴的帝尧
相传尧时都邑内市场货物已相当丰富，而尧仍穿粗布衣、吃糙米饭，过简朴生活。

财富和地位的象征

山东泰安出土，属大汶口文化的夹砂红陶器，前为造型生动的猪首，背部提梁连接两端，后有筒形口，是一件实用而生动的酒器。猪是大汶口文化的主要家畜，仿照猪的形态制造器物，是当时人们拥有财富和地位的象征。

字形，带有好多种彩色，故人称"尧眉八彩"。他登帝位时只有二十岁。建都于平阳，就在现今的山西临汾西南。

尧登帝位后，即物色品德高尚、才能出众的人担任各种官职。当时，他命契任司徒之官，负责教育民众；命禹为司空之官，负责土木工程；命稷为田畴之官，负责农业生产；命夔为乐正之官，负责乐歌制作；命倕为工师，负责管理百工；命伯夷为秩宗，负责祭祀天神；命皋陶为大理，负责民事诉讼；命益作虞官，负责山泽开发和畜养鸟兽。由于尧任用了许多能人，负责各项事务，因此把天下治理得井井有条。

政绩辉煌受到百姓拥戴

尧在位时，做出了不少政绩：他命羲、和制定历法，派鲧、禹治理洪水，为民消除灾害，征伐蛮夷部落，流放恶人凶顽。在尧的治理下，天下百姓安居乐业，渠搜氏、焦侥氏等周围的氏族部落都来朝贡。帝尧成为原始社会时期继伏羲、神农、黄帝之后又一个杰出的领导人物，也成了传说中的古代圣人。据说尧逝世时，天下百姓"如丧考妣"，就像死了亲生父母一样伤心，三年里面，四海绝静八音，没有人弹奏乐曲。民众怀念这位伟人，他的形象、功德永远活在百姓心中。

衰退的彩陶：新石器时代仰韶文化X纹陶罐

仰韶文化后期，彩陶开始衰退，人们用很简单的线条在陶器上绘制，"X"与"S"纹是这一时期常见的纹饰。这种纹饰或许就是鱼纹和花瓣纹极简化的表现。

＞历史文化百科＜

〔中国人种的来源〕

尹达、裴文中、李亚农等学者依据大量的考古材料，批驳了某些外国人认为中国人种是外部移植的错误理论，证明中华民族原来就是亚洲东部的居民。

近年来更有人指出：从体质特征上看，没有发现西方高加索人种和尼格罗人种在构成我国古代居民成分中起过多少作用。中华民族是单元而非多元的族类，是土生土长的。

一○四○一—原始社会—二○○○○○

羲和制历法

一年有多少天，什么时候该播种，什么时候该收割，大家都糊里糊涂。羲氏、和氏受尧之命，经过精心观测，制定了最早的历法。

生产工作混乱源于历法不清

尧担任部落联盟的首领后，决心改变过去的混乱局面，把天下治理好。他所遇到的第一个问题就是历法含糊不清：人民不知道什么时候是夏至，白天最长；什么时候是冬至，白天最短；什么时候是春分和秋分，白天和黑夜时间一样；什么时候是一年的开始，什么时候应该置闰月，甚至不知道一年四季有多少天。大家糊里糊涂地过日子，农业生产受到损害，各方工作拖拉无序。尧看到这种情况，便命令羲氏、和氏观察天象的变化、日月星辰的运行位置，制定一年四季的历法，以教导人民按时令节气从事农业生产和各项工作。羲氏、和氏是颛顼时代执行"绝地通天"命令的重、黎的后代。"重"后代中的一支成为羲氏，"黎"后代中的一支成为和氏。他们世代掌天地之官，负责祭祀天地之神、观测天地变化的工作。羲氏、和氏接到帝尧的命令，便认真地遵照去办。

专业人员实地测量获得数据

在观测天象变化的过程中，尧命羲仲住在东方海滨一个叫"旸谷"的地方，每天恭敬地等待着日出，观测太阳逐渐移动的位置，以训导人们农田耕作之事。他以白天和黑夜时间相等的那天为春分，并以鸟星见于南方正中之时作为考定的依据。这时，人民分散在田野里劳作，鸟兽也顺时生育繁殖。尧又命令羲叔住在南边一个叫"明都"的地方，他也在那里每天恭敬地观察日出，注意太阳移动的位置。他以白昼最长的那天为夏至，并以火星见于南方正中之时作为考定的依据。这时，人民依附着出来劳作，鸟兽的毛也因天热而逐渐稀疏。尧又命和仲居住在西边一个叫"昧谷"的地方。他在那里每天恭敬地观察太阳的入山及其移动的位置。他以由热转冷、白昼和黑夜相等的那天作为秋分，并以虚星见于南方正中之时作为考定的依据。这时，人民在田野里奔忙，鸟兽的毛逐渐更生。尧又命和叔居住在北方一个叫"幽都"的地方，观察太阳由北向南运行的情况。他把白昼最短的那天定为冬至，并以昴星见于南方正中之时作为考定的依据。这时，人民都进入室内取暖，鸟兽为了御寒也都长出细软的长毛。

四季节气有序使天下生机盎然

经过羲氏、和氏几个兄弟这样紧张细致的工作，

祖先智慧与心血的结晶

商代药材标本 中国医药学是远古时代的先民同大自然艰苦搏斗以求生存的产物，是祖先智慧与心血的结晶。1973年河北藁城台西村商代第14号作坊遗址出土药材标本中，计有桃仁，郁李仁等。

> 历史文化百科 <

〔人类起源的摇篮〕

过去人们注意到，在非洲有许多古人类化石及文化遗存的发现。其中在东非发现的能人，年代在200万年以上，因而推测人类的起源地很可能在非洲。

近年在中国云南元谋和长江中游的巫山等地，也发现了距今一百七八十万年和200万年的古人类化石，因而有学者提出，中国是人类起源的摇篮之一。

公元前8000年－前4000年

前8000年
前4000年

世界大事记　伊朗西部丘陵地带人口增加了50倍。

尧義氏和氏　勤奋方技　《尚书·尧典》

人物　关键词　故事来源

话说中国

一部尧时的历法终于制订出来了。他们确定一年为三百六十六天，以月亮圆缺的一个周期作为一月，一年十二个月如不足上述天数，则每隔一二年置闰月一次。他们还测定各种节气的日子，以指导农业生产。虽然这部历法是极粗浅的，测定一年的时间也不准确，但他们毕竟有了历法的规定。这部历法制定后，人民都明确了四季的时间，生产和工作有了遵循的法度，

感性的时代生活

沧源岩画是我国已发现的最古老的崖画之一。崖画一般绘制在垂直的石灰岩崖面上，可辨认的图像包括人物、动物、房屋、道路、山洞、树木、太阳、舟船、手印等，多为狩猎和采集场面，也有舞蹈、战争等内容。岩画给我们认识新石器时代的生活提供了感性基础。

天下阴阳调和，风雨节制，万物有序。百官都按照历法来办事，各方呈现出欣欣向荣的景象。

洪水泛滥　征询治理能人

在尧担任部落联盟的首领时，中原地区一个最大的灾难是洪水泛滥。当时中原天气炎热，树木茂盛，一到夏天雨水多的季节，每下一场大雨，山上的积水滚滚而下，河流排水不畅，就形成洪水在大地上横流。咆哮的洪水淹没了庄稼，冲走了房屋。牲畜被溺死，人们只好跑上高台、山陵去躲避。洪水给人民的生命财产带来了不可估量的损失，这使尧十分忧虑。

在一次部落联盟会议上，尧向四方部落的酋长，当时称为"四岳"，提出了治理洪水的问题。尧说："唉！四方的诸侯之长啊！现在滔滔的洪水在大地上肆虐，奔腾呼啸，包围了大山，冲上了高冈。水势浩浩荡荡，简直要遮蔽天日。在下的臣民都愁苦叹息，询问着有谁能治理洪水，使人们得以安定地生活呢？"四岳都回答道："哦，还是让鲧来担任这项工作吧！"尧知道鲧这个人平时作风不正，便摇头说："唉！这个人常常违法乱纪，不遵守命令，危害同族的人。"四岳再一次向尧推荐道："我们听到的情况和你说的不一样，还是让他试一试吧。如果实在不行，再免去他的

鲧之死

因为治理洪水没有经验，毫无成效，又因领导层内部的矛盾斗争，鲧被含冤处死。

这项职务好了。"在四岳的再三坚持下，尧只得听从大家的意见，让鲧组织人力，担负起治理洪水的重任。在鲧出发治水的那天，尧还一再叮嘱："勉力地去干吧！鲧，要恭敬地对待你的工作，不要辜负大家的期望啊！"

没有经验　奔波九年无成

鲧也是黄帝族的后代，其祖先由渭水流域东迁到伊水、洛水流域，在那里定居下来。当时鲧为夏氏族部落的酋长，尧封他于崇，为崇伯，其地在今河南嵩县附近。因此，人们又称他为"崇伯鲧"。鲧和其他部落酋长的关系比较好，因此四岳推荐他去治理洪水。

在接受尧的任命后，鲧并没有总结过去治理洪水的经验，没有设计治理洪水的总体方案，只是按照过去共工治水的老方法，铲高填低，即把高地的泥土填到低洼的地方，筑成堤坝，堵截洪水。但是，单靠筑堤围堵的方法是不能解决问题的，洪水没有出路，

原始的农业生产
山西稷山马村出土的金代大舜耕田砖雕画。反映了在尧、舜时期的原始农业生产中已开始使用大象助人耕田。

公元前 7500 年

世界大事记

土耳其的恰约尼地区已能用铜矿石打制锥和别针，这是迄今所知最早的铜器。

《韩非子·外储说右上》
《史记·夏本纪》

尧　鲧　舜

嫉妒　怨愤

人物　关键词　故事来源

大堤只能越筑越高。一旦堤坝决口，洪水的泛滥更甚于以前。鲧由于治水没有好的方法，他修筑的又高又长的大坝经常决口，闹得人民无法安定地生活。他辛辛苦苦地奔波了九年，一无所成。部落联盟的官员和各地的部落酋长都对鲧的治水发出怨言，表示不满。

祸从口出　借故定以死罪

当时尧物色了一位名叫舜的接班人，想把天下传给他。尧在传位之前，先征求各方对此事的意见。由于舜出身贫寒，过去也没有当过酋长和官吏，鲧很看不起他。就在尧的面前进谏道："这是一个不祥之兆啊！怎能将天下传给一个平平常常、没有势力的'匹夫'呢？"尧没有听从鲧的劝告，仍然执意要把帝位传给舜，并让舜先代理行政。

舜知道鲧在背后说他的坏话，便利用巡视工作的机会，以鲧"治水无状"为罪名，把他流放到羽山，其地在今山东郯城县的东北，后来又把他杀死，举鲧的儿子禹继续治理洪水。鲧被杀死后，传说神灵化为黄熊，潜入羽渊，即羽山流水会合处的深渊。

鲧治水虽然没有成功，但他为后人的成功积累了丰富的经验；鲧的被杀也有几分冤枉，他好心为天下辛勤劳作，治水虽然没有成功也是不该被杀

仁君典范帝尧

帝尧，因曾受封于陶、唐等地而号陶唐氏，通称唐尧。尧历来被视为仁君典范，勤劳、俭朴、处事公正，招集德才兼备的贤者来辅助自己，使百姓安居乐业，天下太平。晚年禅位于才德过人的舜。《易》中有"垂衣裳而天下治"之说，尧时的服饰制度已逐步确立，像中尧冠服赤，服色上玄下黄。

的。鲧之死含有当时领导层内部斗争的原因，故传说他死不瞑目而化为黄熊。在鲧的儿子夏禹登上帝位后，鲧即被作为郊祭的祖先神。为纪念他的治水之功，到商代、周代，鲧还一直作为群神之一，受到人们的供奉和祭祀。

＞历史文化百科＜

〔原始社会已出现城市〕

一般说法认为：城堡是阶级社会的产物，它起源于夏代初期，河南登封王城岗城址是最早的城市遗址。

近年许多学者提出：黄淮流域先后发现的城子崖、边线王城等六座龙山文化古城，它们的兴建年代与黄帝、炎帝、蚩尤大战的时间基本一致。这说明当时社会已经发生阶级分化，原始社会晚期具备了建立城市的条件。

话说中国

〇三二

灾害横行　怪兽肆虐

羿射十日

原始社会时期一个为民除害的射箭英雄，人民编了许多离奇的故事来传颂他。射落十日就是其中之一。

传说在尧的时代，出现了各种各样的灾难。几天几夜，大雨滂沱，造成山洪暴发，河水猛涨。汹涌的洪水冲毁了房屋，卷走了庄稼，淹死了人民和牲畜。除了水灾之外，当时还有另一种灾难，就是旱灾。传说在尧执政的有一段时期内，天上出现了十个太阳。这十个太阳像十团火一样在天上燃烧，放射出巨大的热量和耀眼的光芒，昼夜不息，烤灼着大地，把天下的庄稼都烧焦了，把天下的草木都晒死了。人民在炎热的太阳下煎熬，吃不到什么食物，奄奄一息，束手待毙。当时还有各种各样的怪兽、怪物在兴妖作乱，虐害人民。怪兽、怪物中

有一种叫猰貐，头像龙，身像狸，走得飞快而好食人；还有一种叫凿齿，牙齿长三尺，像一把凿子，下巴上还长出像戈矛那样的利器，常凿人致死再行吞食；还有不少妖怪，如：九婴，能兴水发火；大风，也称风伯，常发作猛刮狂风毁人房屋；封豨，是一头野猪，体大力猛，常出来伤害人；修蛇，即长蛇，颈粗体长，也能吃人。据说当时的巴蛇，还能吞食大象，吞进象的身体，三年才把象骨吐出来。

最早的毛笔画：新石器时代仰韶文化彩陶钵
根据研究发现，仰韶彩陶上的纹饰笔法流畅，有些部位还有毛或纤维类的划痕。这说明仰韶彩陶上的纹饰很可能是用毛笔类的工具绘制的。

乌"。羿连发九箭，把太阳中的三足乌都射死了，三足乌的羽毛纷纷从天上落下。九个太阳中的三足乌被射死后，九个太阳的本体也无法再在天上运转，一个个落入东海之中，成为"沃焦"。沃焦就是东海中的巨石或高山，方圆有三四万里，它们都是被羿射落的太阳变成的。这些沃焦，遇到海水的冲击，就呈现出烧焦的痕迹，被海水慢慢地侵蚀。

玉宇澄清　妖魔尽除

射落了天上的九个太阳，羿为天下人民做了第一件大好事。接着，尧又命令羿去收拾地上的各种怪兽和害虫。首先，羿与凿齿这头怪兽战于畴华之野，"畴华"是南方的一个泽名，结果羿用箭射杀了凿齿。其次，羿又杀九婴这个妖怪于凶水之上，"凶水"在北狄之地。再次，羿用缴这种青丝绳系在箭上射杀大风于青丘之泽，"青丘"是东方的一个大泽名。此后，羿又杀死猰貐这条恶兽，斩断修蛇于洞庭湖，捕到封豨在桑山之林。

尧命羿射落了天上的九个太阳，扫除了地上的恶兽妖魔，于是世界变得风和日丽，气候宜人，天下趋于太平，万民安居乐业。百姓感谢羿这位为民除害的射箭英雄，更拥戴尧这位全心全意治理天下的首领。

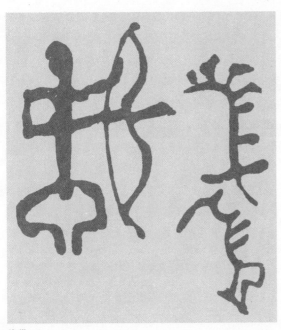

狩猎
内蒙古乌兰察布岩画

绝技英雄　仰天而射

在灾害横行、怪兽肆虐的日子里，出现了一位英雄名叫"羿"。传说他是天帝派到地上来为人民解除艰难痛苦的。羿有一手绝好的射技。他射的箭不但迅猛异常，而且命中率高。天神帝俊曾赐给羿一把"彤弓"即红色的弓，和许多"素矰"即有白色羽毛装在后面的利箭。帝俊命羿带着这些箭去"扶下国"，即帮助天下的人民战胜灾害。羿来到尧的部落联盟，尧命他为射官，其任务是教民射箭，并用他的射技来为民除害。

羿担任射官后，去做的第一件大事就是射日。天上十日并出，热量太大，草木枯焦，庄稼烧死，人民不堪忍受如此酷热。羿接受命令后，便挽起彤弓，朝天上的太阳射去，一连射出九箭，连中九个太阳。太阳中据说有一种神鸟，是三条腿的乌鸦，称"三足

〉历史文化百科〈

〔原始人的埋葬方向〕

发掘原始社会的墓葬，你会发现一个奇怪的现象，即一个墓地大多数墓葬的头都向着同一个方向，称为主向墓；但有少数墓葬的头向相差90度甚至完全相反，称为逆向墓。为什么会产生这种现象？近年有学者对此作出解释。

墓葬是灵魂不死的产物，墓向所指是人们向往的"灵界"或祖居之地。逆向墓主是非正常死亡者，为其灵魂指路的头向当然会不同。

嫦娥奔月

嫦娥是射箭英雄羿的妻子，因为偷吃了西王母奖给羿的不死药而腾空升天，飞向月球。这是一个极富想象力的神话传说。

原始社会的人们缺乏科学知识，但富于想象力，好编故事。羿射九日是关于太阳的传说。至于月亮，在月圆的时候，人们会看到上面有许多阴影，似乎有一棵树。月亮上会不会有人？那人是谁？人们为了回答这一问题，又编出了嫦娥奔月的神话故事。

西王母奖励不死药

据说英雄羿在射落天上的九日和杀灭地上的猛兽妖怪之后，便朝西北昆仑山的方向行进，去寻求不死之药。羿不知爬过了多少山冈，涉过了多少大河，经过了多少时日，终于来到一个叫"昆仑之虚"的地方。这里是天帝在下界设的都城，称为"下都"。昆仑之虚周围有八百里，高万丈。上面有一株木质的禾，高四丈，茎特粗，要有五个人拉起手臂才能围住。同时还有九口井，井边都有玉做的栏杆。在这个高台上还有九道门，门前有"开明兽"在那里守着，有许多神仙住在里面。

大气而舒畅的宽把黑陶壶
上海青浦出土，属良渚文化出品。陶壶器壁薄而匀致，并有不同纹饰，主要特征是宽把阔流，是一大气而舒畅的酒具。

羿在昆仑之丘，遇到了神仙西王母。西王母的脸像人，身体像虎且经常叫啸。她披头散发，戴着很多玉饰，还有一条豹的尾巴，住在一个洞穴里。西王母是主管天下的灾害、瘟疫以及五刑残杀之事的。在她的南面有三只青鸟，专为西王母取食。西王母接见了羿。她知道羿是射日的英雄，在天下为民除害，建立了无数的功勋，如今羿想长留人间，请求给他不死之药。西王母经过再三考虑，决定奖励这位功勋卓著的英雄，便拿出了她珍藏的不死之药，赠送给了羿。

好奇心惹出大灾祸

拿着西王母奖励给他的不死药，羿高高兴兴地回到自己的家中。羿娶有一妻，名嫦娥，也叫姮娥。羿与嫦娥十分恩爱，无话不说。他把去西方取来不死药之事也告诉了妻子。嫦娥对此将信将疑：难道此药真有这么灵验，能使人长生不老？于是，她乘羿在外工作的机会，就偷偷地把丈夫珍藏起来舍不得吃的不死药拿出来服用，看看这不死药的效力究竟怎么样。

不料，当嫦娥把不死药一吃下肚，肚子里突然骚动起来，人也变得飘飘欲仙，身体腾空升起，钻出窗

> 历史文化百科 <

〔分布于黄河中上游的仰韶文化〕
分布于黄河中上游河南、陕西一带的原始社会新石器时代的文化，因其最早在1921年首次发现于河南渑池仰韶村，故学术界把以后在此附近发掘得到的同类型遗存统称为仰韶文化。当时的生产工具有石器、骨器、陶器，经济生活已经以农业为主，渔猎为辅，并饲养家畜。
经测定，仰韶文化的年代约为公元前5000年至前3000年，系母系氏族公社的繁荣时期。

公元前6500年-前4500年

世界大事记　西亚人能冶铜制造各种容器、工具和武器。

羿　嫦娥　西王母

嫦娥奔月

逆境　猜疑

《淮南子·览冥训》《酉阳杂俎·天咫》

人物　典故　关键词　故事来源

外，一直朝着月球的方向飞奔而去。嫦娥无法控制自己，终于飞到了月亮上，化为月精，从此就一直守在那里。嫦娥正是因为偷吃了不死药，被神惩罚去守月宫，长期过着寂寞的生活。

月亮上还有吴刚在伐桂

关于月亮的神话，除了"嫦娥奔月"以外，还有"吴刚伐桂"的故事。据说月球中有一棵桂树，高五百丈。有一个西河人姓吴名刚，因为学神仙有过错，得罪了天神，于是被惩罚来到月球上砍桂树。一定要将桂树砍倒，才能下地回家。但桂树那么粗，一斧砍下去留下一道裂痕，不一会裂痕又马上弥合，因此吴刚永远砍不倒桂树。吴刚的命运和嫦娥一样，他只能永远留在月亮里不停地砍树。

古朴的船形彩陶

陕西宝鸡市北首岭仰韶文化遗址出土了一件陶壶，壶身两侧均画有鱼网纹。从同时出土的文物看，仰韶人已开始把渔猎作为获取食物的一种手段。而从审美的角度看，其古朴的造型又难免不使人发思古之幽情。

> 历史文化百科 <

〔原始群：人类最初结成的集体〕

人类社会的最初阶段，生产力极其低下，人们必须结成一定的群体，进行互助或自卫，方能抵御自然界各种力量的侵袭，求得生存和发展。这种群体经常转徙各地，主要以采集天然食物和渔猎来维持生活，两性关系很少受限制。

学术界把人类最初自然结成的群体称为"原始群"。它产生于人类社会的开始，结束于氏族公社制度形成之时。

〇三四

射箭能手　层出不穷

古代兵器中没有枪炮，要想远距离杀伤敌人，惟有用弓箭互相射击，因而自原始社会以来出现了很多善于射箭的能手，上射九日、下射各种猛兽怪物的羿，便是传说中最著名的一个。此外，上古时代的善射者还有甘蝇、逢

纪昌和飞卫

有着非凡射箭本领的师徒三人，经过一番惊心动魄的较量，终于互相结拜，拥抱在一起。

门、飞卫等。据说，逢门是甘蝇的学生，他射箭是向甘蝇学习的，但逢门后来射艺日精，名声益大，《汉书·艺文志》还著录有上古流传下来的《逢门射法》二篇。甘蝇是一个射艺高强的人，传说只要他张弓，兽便都伏下来，鸟便都落下来，真是箭无虚发。飞卫也是甘蝇的弟子，后来技巧的进步更超过他的老师，真是"青出于蓝而胜于蓝"。

功夫不负有心人

后来，飞卫也当了射箭的老师。有个学生纪昌来向飞卫请教，学习射箭的技术。飞卫告诉他："你先要学会'不瞬'，即不眨眼睛，然后才可以谈射箭的事。"纪昌回去，伏在他妻子的土制织布机上，两眼盯着机杼来回地穿梭，眼睛一眨不眨。两年之后，纪昌的眼力越练越好，即使有锥子的尖刺逼到他的眼角，他的眼睛也依然瞪得大大的，一点也不闪动。纪昌把练成的不眨眼睛的功夫报告了飞卫，请求飞卫立即教给他射箭的技巧和本领。飞卫却再一次搭架子、卖关子，说："还不行呐！一定要再学习'视'，然后才可以学习射箭。'视'的功夫要达到：看见小的东西就像看见大的东西一样，看见微细的东西就像看见显著的巨物一样。练好这种功夫，你再来找我。"

于是，纪昌用一根长线悬挂着一只虱子在窗

猎北山羊
内蒙古乌兰察布岩画

> 历史文化百科 <

〔父系氏族公社时期的龙山文化〕

分布于黄河中下游山东、河南一带属新石器时代晚期的一种文化，因其最早在1928年发现于山东章丘龙山镇的城子崖，故学术界把以后在此附近发掘得到的同类型遗存统称为龙山文化。当时石器已很精致，出现了石镰、蚌镰，陶器开始用轮制，畜牧业相当发达。

龙山文化经测定其年代约为公元前2800年至前2300年，属父系氏族公社制时期。

户上，从南面远处望过去。这样每天练习"视"的功夫，过了十多日，这虱子逐渐变大；三年之后，虱子望上去就像车轮那么大了。再看其他的物品，一个个都像丘陵、高山那样巨大。练就了这样的功夫，纪昌认为可以开始练习射箭了。他便用上等材料精心制作的燕角之弓和朔蓬之箭进行试射。结果，在数十步之外射去，箭头穿过虱子的心而长线不断。纪昌用这样的成绩向飞卫报告，飞卫高兴得跳起来，拍着纪昌的胸脯说："你已经学得射箭的本领了！"

惊心动魄比武艺 相互拥抱泪盈眶

纪昌既然已经学得飞卫的射箭技术，他盘算天下能够比得上自己的射箭本领的，只有飞卫一人了。于是，他要谋杀飞卫，使自己的技能成为世界上独一无二的。一次，纪昌和飞卫二人在野外相遇，纪昌突然拔出弓箭向飞卫射来，飞卫见情况不妙，也拔出弓箭对射过去。二人发射的两支箭在中路因箭头相撞而坠在地上，两支箭的力量互相抵消，轻轻落地竟尘土不扬。这样，两人互相对射了很多箭，都得到同样的结果。飞卫的箭先用完。纪昌还剩下一箭，便射向飞卫，飞卫情急之

新石器时代红山文化玉猪龙：等级和权力的象征
辽宁建平县龙山文化遗址出土的玉器多种多样，有一玉猪龙，身体前部雕琢得肥首大耳，圆目怒睁，吻部前突，口微张，獠牙外露，有猪的特征，背部卷曲，以龙为原形，是猪首龙身相集合的形态，集艺术和宗教为一体，应是代表某种等级和权力的祭祀礼器。

下用极细的棘刺之端对准箭头，不偏不倚地把箭拨落在地。经过这样一番惊心动魄的较量，二人觉得都无法胜过对方，便投弓于地，互相结拜为父子，拥抱在一起而流下激动的热泪。他们并在臂上刻字，永结为亲，立下誓言，不得将射箭技术再教给其他任何人。

> 历史文化百科 <

〔射猎工具〕
原始人的射猎工具主要有弹弓、吹枪、弓、弩、弋射等。弋射一般也是以弓发矢，但在矢上系一根长丝绳，是一种线索箭矢的射术。弩来源于弓，比弓进步，比如射程远，杀伤力大，张弓时间长，以机械代手臂，一人可用几弩等等。

为观赏的艺术：新石器时代仰韶文化彩陶钵
这件彩陶钵上采用白底黑彩另有红彩点缀的形式，这在仰韶彩陶中较具特色，是郑州大河村出土彩陶的特有形式。仰韶彩陶绘画部位多在器物的腹上部或肩部，这是人们席地而坐观赏花纹的最佳部位。

话说中国

公元前 3500 - 前 2600 年

前3500年
前2600年

中国大事记 中国进入铜石并用时代。当时铜器还很稀少，有小件铜器制作，而石器加工精细，种类很多。陶器生产用快轮制坯代替手制，用拍印纹饰代替画彩，工艺显著进步。

〇三五

许由辞帝位

原始社会因为物质条件差，传说尧数让帝位而无人肯接受。这是不是真有其事？

生活清苦的联盟首领

尧担任部落联盟的首领，名义上称"帝"，但是生活却非常清苦，工作又十分繁忙。当时尧住的是茅草房，上面的茅草零乱摊放，没有经过整理和剪削；房屋的椽子是从山里采来的树木，弯曲不平，没有经过砍削和刨光。尧吃的主食是粗米和小米，副食是野菜和豆叶烧成的羹。冬天他披着一张幼鹿的皮，夏天穿一件粗布衣服。尧整天为部落联盟中的事跑东奔西，却没有一点物质上的享受，因此他常常想把帝位让给别人。

隐居沼泽 拒绝当官

在尧都附近的阳城槐里，有一个人叫"许由"。据说此人道德高尚，安于清贫，邪席不坐，邪食不吃，后来隐居在沼泽之中。尧听说许由德高义重，不同凡俗，便来到许由的隐居之地，登门拜访。尧对许由说："太阳出来了普照大地，而火炬还在那里燃烧，这火炬想要与太阳比光亮，不是很难吗？大雨普降，万物滋润，而有人还在那里舀水灌田，这与大雨比起来，不是又徒劳

贤帝尧（上图）
传说帝尧体长而瘦削，眉如八字，父系氏族社会后期的部落联盟首领，爱民如子，鞠躬尽瘁。他制订历法，设置掌管时令的官员，任人惟贤。在其晚年，经过长期的考察和广泛的咨询，把帝位禅让给了贤能的舜。

了吗？先生应该立于高位，天下必能大治，而我还在那里主持工作。我自以为缺点很多，愿把天下让给先生。"许由一听此话，赶忙推辞道："君治天下，天下现在已经治理得很好，而我还要来代替君，我为的是名声好听吗？鹪鹩在深林中筑巢而居，只要一个枝头；鼹鼠饮水在河中，只要饱腹。归去吧，君，我要天下没有什么用处。"许由坚持不接受尧让给他的帝位而逃往野外。

这时，许由正遇上他的一个朋友，叫"啮缺"。啮缺见许由如此慌张而逃，便问道："你将去哪里？"许由答："将逃尧。"啮缺莫名其妙，便再问："你的话什么意思？"许由说："尧只知贤人对天下有利，而不知

北京人的头盖骨

从1927年至1966年，北京市周口店地区陆续出土了旧石器时代早期直立人化石，如：头盖骨，下颌骨，牙齿等，这些化石共代表40多个个体，同时发现的还有石器和用火的遗迹。北京人制作石器，从事采集、狩猎活动，用火烧烤兽肉，过着十分原始的生活。

＞历史文化百科＜

〔猿人·古人·新人·智人〕

猿人是最早阶段的人类，生存于约300万至约20万年前，某些体态尚接近猿类。

古人是较猿人进步的人类，生存于20万至10万年前，脑容量增大，但眉棱发达，前额较倾斜，仍保留一些猿的特征。

新人是古人以后的人类，生存于10万至1万年前，额部垂直，眉棱微弱，身材高大，已与现代人接近。

古人和新人同属智人：科学界称古人为早期智人，新人为晚期智人。

原始社会 2000000—1040

公元前6000年 - 前5000年

前6000年
前5000年

世界大事记 埃及出现弓矢。在开罗以南发现凹口的箭头。■泰国仙人洞居民已使用陶器，那里发现手制绳纹陶片。

尧　许由　巢父
谦虚　浅薄
《高士传》卷上

人物　关键词　故事来源

展现龙山文化特征的黑陶罐

新石器时代晚期（前2500年—前2000年）在黄河下游地区的晋陕、山东一带出现的龙山文化中，以精湛的黑色陶器制作工艺，体现出了丰富的时代特性。根据黑陶在当时的数量及工艺，一般将龙山文化分为三大时期：即为：早期黑陶所占比例较少，代表作有大口深腹罐形扁凿足鼎；中期则黑陶增多，代表作有蛋壳黑陶高柄杯；晚期黑陶已占绝对优势，有各式精巧的陶盆、匙等器。晚期器表多有彩绘，大多饰有龙纹、变体动物纹、圆点纹、涡纹等。

道他还有伤害天下的一面。"此话的意思是：贤人如果制订出严厉的法令，如果发明出杀伤性强的武器，就会伤害天下。许由主意已定，便逃到中岳嵩山，在颍水之北、箕山之下耕田务农，再一次隐居起来。

> **历史文化百科**

〔氏族公社：原始社会以血缘结成的团体〕

在原始群杂交时期稍后，人们以血缘关系结成社会的基本单位称氏族公社。当时氏族内部禁婚，生产资料公有，集体生产，平均分配，公共事务由选出的氏族长管理，重大问题由氏族会议决定。氏族公社产生于旧石器时代晚期，初为母权制，约在新石器时代晚期转变为父权制。

随着生产力的提高，私有制的确立，氏族公社逐渐解体而形成按地域原则结成的农村公社。

洗耳朵遭讥讽

尧让帝位给许由遭到拒绝后，他更加认为许由是一个贤者，一定要让他出来做官。听说许由逃到了箕山，他又传令召许由为"九州长"。许由不愿听到这个传令，就在颍水边上洗他的耳朵。当时他的朋友巢父正牵着牛犊要在河中饮水，见许由洗耳，便问其故。许由对他说："尧欲召我为九州长，我厌恶听到这个声音，所以洗耳。"巢父讥讽道："你如果处在高台深谷，人迹罕至的地方，谁能见到你？你故意在外浮游，欲人知道，求其名声。你现在洗耳，把我牛犊的口也沾污了。"于是，巢父牵着牛犊到上流去饮水。

许由终身没有出来做官，他死后葬在箕山之巅。尧听到许由逝世的消息，十分悲痛，亲自到许由的墓上为之培土，给许由的墓命名为"箕山"，也叫"许由山"。

借口有病不做天子

许由不愿接受帝位，尧又曾经想把帝位禅让给另一位贤人，叫"子州支父"。子州支父回答说："你想要我做天子，还是可以的。不过，我现在恰有隐忧之病，要去医治，没有空闲去察理天下。"子州支父说他自己有"隐忧之病"，不过是一种借口罢了。其实，是因为治理天下工作辛苦而又没有什么特殊的物质享受。原始社会的物质条件，造成尧数让帝位而无人肯接受的怪现象。

屈家岭文化的黑陶高足杯

河南淅川县出土，属屈家岭文化，平底敞口，杯小柄粗，柄身浅刻纹饰及圆镂孔，陶体光洁黑亮。

舜数难不死

在不幸的家庭中逆来顺受

舜从小失去母亲，昏庸的父亲、狡诈的继母和同父异母的弟弟，多次想要谋害他。但舜每次都逢凶化吉，如有神在保护。

在尧之后担任部落联盟首领的是舜。舜的名字叫"重华"，据说是因为他的眼睛有双重的瞳孔，故取此名。重华的父亲叫"瞽叟"。"瞽"的意思是眼睛瞎，"叟"的意思是老头。舜的父亲不但眼睛失明，而且思想上也不能分别好恶。"瞽叟"是时人对舜父带有鄙视的称呼。瞽叟的父亲叫桥牛，桥牛的父亲叫句望，句望的父亲叫敬康，敬康的父亲叫穷蝉，穷蝉的父亲就是帝颛顼。可见舜也是黄帝、颛顼的后代。但自穷蝉至瞽叟共五代人，一直做平民百姓，没有担任官职。

瞽叟的前妻叫"握登"。她因为看见天上出现美丽的彩虹，心中激动而怀孕，不久就在姚墟生下了舜。舜的相貌，龙颜大口，浑身黑色。大约在舜六七岁的时候，舜的母亲因病不治身亡。瞽叟随即娶了后妻而又生下一子，取名为"象"。瞽叟十分喜爱后妻，他听信后妻的挑唆，常想把前妻所生的儿子重华杀

女神头像
牛梁河遗址位于辽宁朝阳市，属红山文化，其中用于供奉的女神庙出土的女神塑像残件分属于六个个体，其中有真人大小的头像，此图即是。

世界大事记

村落构成西亚地区的人类组织，出现远距离贸易，开始爆发战争。

《史记·五帝本纪》

瞽叟 舜 象

残忍 宽容

人物 关键词 故事来源

死。说来奇怪，舜幼年和少年时期，如有天神保护。每当瞽叟及后妻设法要害死舜时，舜总能顺利地躲过灾难，逢凶化吉，平安无事。舜的父亲顽固不化；继母狡黠奸诈；同父异母的弟弟也借着父母的威势，傲慢异常；他们都想加害于舜。舜只好逆来顺受，勤劳地做家务，对弟弟更加恭敬，服侍长辈更加周到体贴，不敢有丝毫怠慢。

修仓廪飞出火海

有一次，因为放粮食的仓廪渗漏，瞽叟便叫舜上仓廪之顶去修补。正当舜在廪顶涂泥加草、用心修补时，瞽叟在下面把梯子拿掉了，使舜无法下来。然后再在仓廪下面放一把火，企图把舜烧死。仓廪的架子、顶棚都是竹木、稻草做的，极易燃烧。瞽叟纵火后，火势沿着周围的架子直往上窜。当时还刮着东南风，使火势更加猛烈，把在廪顶上补漏的舜包围在火海之中。瞽叟暗自高兴，以为这一次一定能把舜烧死。不料舜在危难之时急中生智，他拿着两根扎有稻草的竹竿，伸出双臂，像鸟儿张开翅膀一样轻松落地，逃出火海，一点没有受到损伤。

挖污泥井底逃生

瞽叟的阴谋失败了。但他一计不成，又生一计。一次，瞽叟因水井下有污泥堵塞，要舜下井去疏通，把污泥挖出来。舜不知是计，便遵命爬下井去，准备

新石器时期石镞

良渚文化钱山漾出土的石镞，是专门配在箭头上的。它形制规整，磨制锋利，中脊起棱，有翼带梃，是所见史前制作最精良的石镞之一。原始人还往往在箭头上抹毒药以增加箭的杀伤力。

挖泥。不料当舜下到井的深处，瞽叟与象一起在上面往下投土，把井填塞。他们以为这一次一定能把舜堵在井底，活活埋死。象高兴得拿着舜的琴弹奏起来。

舜在井底挖泥，见上面有大量的泥土投下，知道是父亲和弟弟又要坑害他了。但在井底，无路可逃，怎么办呢？正在一筹莫展、认为自己要葬身井底之时，他忽然看见旁边的井壁上有一个口子，人正好能从口子里爬进去。舜顺着洞穴往前爬，发现有一出口，原来他已爬到另一口井下。舜从另一口井中慢慢地爬出来，他又一次脱险了。舜向着自己的住处走去，心中庆幸自己大难不死。象正在舜房中得意地弹琴，见舜回来，惊愕不已，便假惺惺地说："我正想着你，心中好思念啊！"舜答道："是的，你真够兄弟的情分啊！"此后，舜仍然一如既往地服侍瞽叟，对弟弟更加爱护。

烹煮食物的器物

鬲是古代烹煮食物的器物。巴黎杰罗斯基美术馆藏。

> 历史文化百科 <

〔甘肃、青海一带发现的齐家文化〕

分布于黄河上游甘肃、青海一带属铜石并用时代的一种文化，因其最早在1924年发现于甘肃和政齐家坪，故把以后在此附近发掘得到的同类型遗存统称为齐家文化。当时生产工具除石器外，又出现红铜器。陶器更加精致，绘有各种纹饰。最引人注目的是墓葬出现夫妻合葬墓。

经测定，齐家文化的年代约为公元前2000年左右，其时原始氏族公社制正在逐渐解体。

德化的奇迹

道德高尚的人能使周围群众得到感化。舜青少年时期的故事给人以深刻的启迪和教育。

舜早早失去亲娘，长期遭受父亲、继母和弟弟的虐待，使他养成艰苦奋斗、坚韧不拔的毅力和同情弱者、乐于助人的好品德。

谦逊忍让引来人丁兴旺

坎坷的命运使舜不得不在未成年时就出外劳动，谋求生存。起初，舜在历山下开了一块荒地耕种，其地在今山东济南市东南，或说在今山西南部的黄河边。当时在历山脚下，已有很多人在那里垦荒。由于大家都想要距离近、地面平、地力肥、便于灌溉的土地，就免不了要发生争吵。舜总是谦逊忍让：别人要家门附近的土地，他就到远处去开垦；别人要地面平的，他就去开垦地面凹凸坑洼的；别人要地力肥沃的，他就去开垦贫瘠硗薄的土地；别人要便于灌溉的，他就去开垦山坡上的、难于浇上水的土地。而且，每当邻近的人家由于生病等原因，庄稼来不及除草、耕种或收割的时候，舜总是帮着别人去干。由于舜的勤劳踏实、聪明能干，他的土地质量虽然比别人的差，但是他的庄稼总比别人长得好，收成自然年年丰足。原来历山下的土地参差不齐，大家互相争

实用性和艺术性兼有的黑陶贯耳壶（上图）
江苏吴江出土，属良渚文化，高颈直口，腹体扁圆，器口边有两个小贯耳，便于使用，外壁漆黑光亮。

夺，吵闹之声不断。自从舜来垦种一年之后，土地变得平平整整，大家互相谦让，互相帮助，于是，来此垦种的越来越多，呈现出一片人丁兴旺、庄稼茂盛、欢歌笑语、互帮互学的生动景象。

辛勤教诲导致收成大增

后来，舜又在雷泽捕鱼。雷泽是个大湖，水中鱼产资源丰富。捕鱼者原来在近处争夺水域位置，吵闹之声不绝于耳。舜则勤于奔波，把近处的优越位置让给别人，自己则去寻找新的捕鱼佳区。由于舜不辞辛劳，肯动脑筋，他捕的鱼往往比别人的多。休息之余，他还帮助别人修补鱼网，教别人捕鱼的经验。舜来雷泽一年之后，捕鱼者也都互相谦让，互帮互学，捕鱼的收成越来越好。去雷泽捕鱼，又成为当时人们向往的事。

指点技术促使质量提高

有一个时期，舜还在黄河之滨制作陶器。当时的人们普遍反映，在集贸市场上交换来的陶器，质量太差，容易碎裂，一碰就坏。舜制作陶器时，看见有人制作粗枝大叶，偷工减料，马虎从事，就上前规劝；看见有人不懂制陶的方法，就一一指点，帮助改进技术。一年之后，河滨制作陶器的人越来越多。人们高兴地称赞："自从'重华'来此制陶以后，陶器的质量大大提高。现在到集市上去交换陶器可以放心了！"

能移风易俗的正人君子

舜在历山耕田，在雷泽捕鱼，在河滨制陶，都做出了巨大的成绩，改变了那里的风气，使人们受到实惠。人们慕名而来，争睹舜的风采，都想亲自领受舜的教诲。这正是道德的力量，把心地不正的人们感化，

前5700年

公元前5700年

世界大事记

秘鲁出现圆形草房村庄。现存56间草房遗迹，为美洲现知最古老的村庄。

《韩非子·难一》

善行　仁爱

舜

人物　关键词　故事来源

把蒙昧无知的人们开导。人们都喜欢和舜在一起劳动，因为他胸中有一团烈火，温暖着人们的心。有人记述当时人们都愿意跟从舜的盛况说："舜在那里居住一年，那里就成为一个村落；舜在那里居住两年，那里就成为一个县邑；舜在那里居住三年，那里就成为

一个都市。"这充分说明人们对舜的信赖和向往。孔子谈到舜的事迹时曾感叹说："耕田、捕鱼和制陶，不是舜的官职，而舜到那里去干，能够移风易俗，舜真是一个正人君子！他亲自勤劳刻苦而人民都愿意跟从他，所以说：圣人感化的力量真伟大啊！"

中国原始社会农业区域图

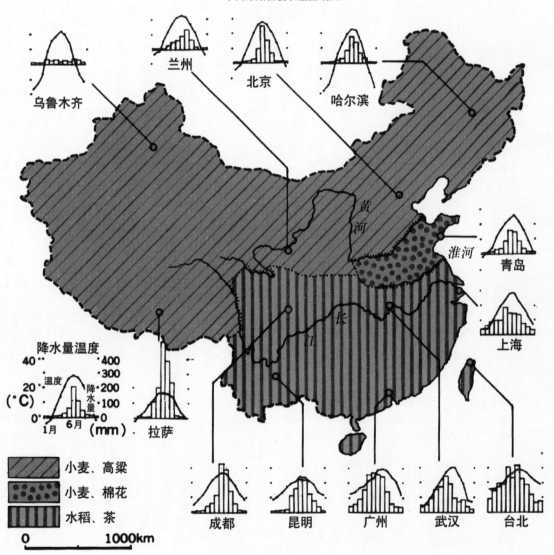

降水量温度
40　　　·400
　温度　　·300
20　　　·200
（℃）　降水量·100
0　　　　0
1月　6月　（mm）
拉萨

小麦、高粱
小麦、棉花
水稻、茶

乌鲁木齐　兰州　北京　哈尔滨　黄河　淮河　青岛　上海　成都　昆明　广州　武汉　台北

长江

0　　　1000km

尧自中年以后，一直在考虑帝位应由谁来继承的问题。他曾经想把帝位让给许由，许由逃避而不接受；又曾经问过贤人善卷，也没有得到满意的答复。如今，年纪已老，更感到力不从心，必须把接班人的问题提到议事日程上来了。在一次部落联盟的议事会上，尧郑重地向大家征询意见。四岳都向尧推荐："有个处境困苦的人在民间，叫虞舜。"尧说："是啊，我也听说过这个人，他的德行究竟怎样？"四岳答道："他是个盲人的儿子，父亲顽固、继母狡黠、弟弟傲慢，他都能和睦相处，孝顺以待，而不流于奸邪。"尧听后说："好，让我来试试他吧！"

德才兼备的舜

舜姓姚，他以德行才能被尧定为帝位继承人，后来，他年老了，又把帝位传给了治水有功的大禹。他还是一个著名的孝子。关于他的传说流传极广。

考　验

尧选择舜作为他的接班人后，采取种种方法对舜进行考验。请看其不寻常的过程。

看待人接物　观狂风暴雨

于是，尧把两个女儿嫁给舜，想看看舜如何对待这二女。舜把尧的两个女儿安置在妫水之滨，使她们在家乡行妇女之礼。尧又让九个儿子与舜一起相处，由于受到舜品德的感染，这九个儿子更加淳厚恭谨。对此，尧感到很满意。接着，尧要求舜负责推行教化，舜便以父义、母慈、兄友、弟恭、子孝五种美德教导人民，人民都能听从而不违背。然后，尧又让舜总理百官，百官也都能服从命令，使百事有序不紊。尧再让舜负责接待四方前来朝见的诸侯、宾客，舜把在四方大门迎接宾客的礼仪进行得隆重热烈，诸侯和宾客无不肃穆恭敬。最后，尧让舜进入山麓的森林、川泽之中，经受风雨的考验。当时狂风大作，电闪雷鸣，大雨倾盆，舜在烈风雷雨中也镇定自若，不迷失方向。尧经过一系列考验，认为舜能够当好接班人，就召唤舜说："来吧，舜啊！你谋事周到，提的意见也都符合实用。经过三年的考察，你的确不负众望。现在，你可以登上帝位了。"舜以为自己的德行尚有欠缺，推让不愿就位。

代理行政做出优异成绩

帝尧因为年事已高，不能再胜任工作，便命舜代理行政。于是，在正月初一这天，尧在庙堂举行隆重的禅位典礼。舜拿着玉制的天文仪器，表示要努力管

禅授光明心学切要九官公忠万世大孝　帝舜

> 历史文化百科 <

〔沪鱼：一种捕鱼方法〕

上海简称"沪"，原是一种捕鱼的器具的名字。沪鱼，又称堤堰法、鱼床、扎箱、鱼壳子等等。方法就是以木为柱，扎上横楞，贴以箔。后来沪鱼扩大到海域，是一种极其广泛的捕鱼方法，据说每沪可得数百斤鱼虾。

原始社会

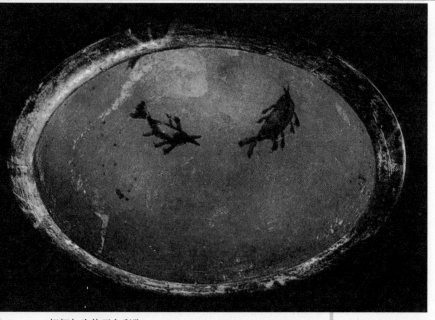

栩栩如生的五鱼彩陶

五鱼纹彩陶盆藏于陕西西安市半坡博物馆，1975年在陕西西安姜寨出土，是仰韶文化时期的产品。盆中彩绘的五条游鱼，栩栩如生，仿佛在水底嬉戏。

好七种政事。接着，就向上帝祭祀，报告舜将代尧行政。同时又祭祀天地四方的"六宗"之神、山川之神以及所有的群神，祈祷他们给予福佑。随后，收集四方诸侯所执的"五瑞"玉器，择定一个吉日，召见四方诸侯君长，再将信瑞颁发给他们。

这一年二月，舜到东方视察。到了泰山，举行祭祀泰山的典礼。同时对其余的山川，根据其大小给予不同的祭祀。然后召见东方的诸侯君长，使当地的月、日记载，与自然运行的实际情况相符，统一律、度、量、衡等计器标准，还修订各种朝见的礼仪。对于诸侯君长朝见时贡献的赘礼，在朝见典礼结束后便还给当地诸侯。

五月，舜在南方巡行视察。到了衡山，像对泰山一样举行了祭祀典礼。八月，舜在西方巡行视察。到了华山，照例进行祭祀。十一月，舜在北方巡行视察。到了恒山，也像往常一样举行祭祀典礼。回朝之后，又到尧

的太庙，用特牲一头牛作了祭祀。

舜规定，每五年要进行一次全面的巡行视察。四方诸侯分别在四岳朝见天子，报告自己的政绩；天子也认真考察诸侯国的政治状况，把车马、衣服奖给有功的诸侯。

舜开始划定十二州的疆界，在十二座大山上堆土为坛，作祭祀之用。与此同时，还疏通了河道。

舜对当时的刑罚制度也予以充分的注意。他下令：在显要处画上五种刑罚的形状，使人民有所儆戒；用流放的办法代替死刑和各种肉刑，以表示宽大；做官的人犯了法，要处以鞭刑；掌管教化的人犯了法，则处以扑刑，即打板子；犯了过错，可以出铜来赎罪；如果所犯的罪是由于偶然的过失，可以赦免；如果一贯犯罪，故意作恶，则要给予严厉的惩罚。

八年之后正式登位

舜在摄政期间为治理国家做了大量的工作，取得了四方诸侯、人民的拥戴和支持。据史书记载，在舜摄政八年之后，尧去世了，舜便正式登上帝位。

> 历史文化百科 <

〔原始人的雕刻〕

我国从旧石器时代晚期已有装饰性雕刻，到了新石器时代雕刻品就更多了。按材料分，有木雕、陶雕、骨雕、石雕、玉雕、蚌雕、牙雕、煤精雕等，各个遗址都有出土。比如，良渚文化的玉礼器数量惊人，有玉琮、玉璧、玉璜、玉钺、玉端饰等，玉作水平很高。

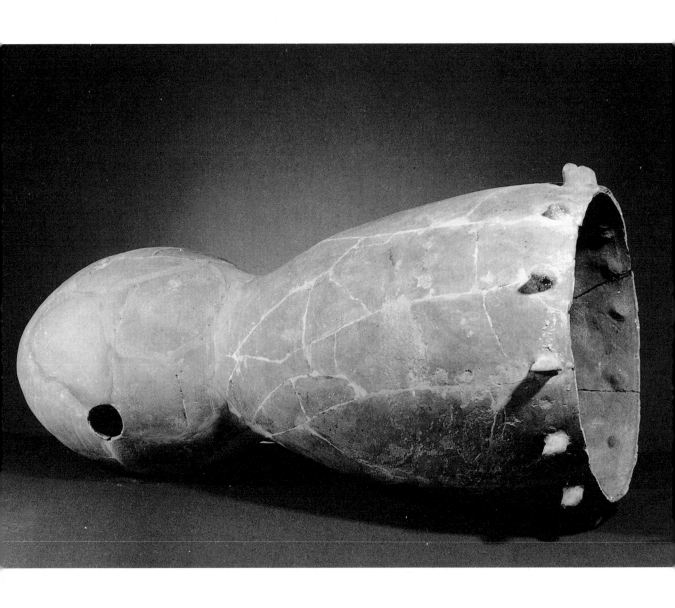

<table>
<tr><td>公元前4500年</td><td>世界大事记</td><td>埃及铜石并用时代。居民经营农业、畜牧和渔猎；处于母权制氏族社会阶段。
■印度开始栽培水稻。</td><td>舜 禹 伯夷 夔</td><td>识才 尊贤</td><td>《史记·五帝本纪》</td></tr>
</table>
前4500年

人物　关键词　故事来源

○三九

各显其能

如何选拔人才，安排官职，舜自有一套办法。他使当时的官吏各显其能，把国家治理得平安康乐。

舜正式接任帝位后，第一件大事就是设官分职：选拔有才能的人担任各种官吏，使天下的各项工作都有人去领导、组织。在尧去世、守丧三年之后的正月初一那天，舜来到了祭祀先人、商议大事的祖庙，征询四方诸侯之长。他开启明堂的四门，表示要观察四方的政务，倾听四方的意见。舜首先对十二州的君长训导说："只有衣食才是人民的根本啊！要使生产发展，衣食丰足，重要的是颁布历法，使人民知道时令节气。要安抚远方的臣民，爱护近处的臣民，顺从他们的意志去处理政务。只有道德淳厚，推行德政，疏远那些花言巧语的人，才能使四周的蛮夷部落，都来归顺服从。"

主持政务的总理官

接着，舜就开始征询、安排任官之事。他说："唉，四方的诸侯之长啊！有谁能奋发努力，发扬光大先帝的事业，主持政务率领百官，辅佐我把各项事情做好呢？"大家都说："伯禹担任司空之职，工作做得很出色。"舜便说："好吧！禹啊，你治理水土很有功劳，希望你再努力把率领百官这项责任承担起来！"禹行礼拜谢，谦逊地要把这项职务推让给稷、契和皋陶。舜说："不必谦让了，这项职务还是由你来担任吧！"

农业、教育和司法官

安排好总理政务的辅佐官后，舜便任命其他各项官职。他对弃说："弃啊！现在人民苦于饥饿，没

原始灵魂的寓所：新石器时代仰韶文化红陶瓮棺（左页图）
这是一种葬具。以陶制瓮棺埋葬尸体的葬俗流行于仰韶文化时期。瓮棺的一头往往留有小孔，这种小孔也许是人们为了使死者的灵魂自由出入而设。

有饭吃，你担任后稷这项职务，要教导人民按时播种百谷，取得好收成。"接着，对契说："契啊！现在百姓不亲，君臣、父子、夫妇、长幼、朋友之间不能恭顺相待。你担任司徒这项官职，要勤谨地对百姓进行五种道德的教育，同时，对他们之中表现差者，要本着宽厚的原则去处理。"最后，对皋陶说："皋陶啊！四周的蛮夷部落经常来侵扰我们华夏族，同时又有盗贼、奸究在那里抢劫杀人，为非作歹。你担任起法官这个职务，要根据犯人罪过的大小使用五种刑罚，分别在朝、野、市三个地方执行。流放也要根据罪行大小分为五等，把犯人发配到一定的地方；这些发配的地方因其路途的

石斧：刀耕火种时期的主要农具
石斧是古人类刀耕火种阶段的主要农具。当时，人们用石斧把灌木丛砍倒，用火焚烧以清理场地，然后用尖头木棒刺土下种，石斧除开垦耕地外，还用于砍伐木材，营造房屋，图为江苏淮安青墩遗址出土的新石器时代带柄穿孔陶斧和江苏常州寺墩出土的新石器时代的穿孔玉石斧。

> 历史文化百科 <

〔火神祝融〕

传说中古代部落首领，是古帝颛顼的后裔。颛顼原居在帝丘，即今河南濮阳；祝融居地在郑，即河南新郑。相传祝融原名重黎，在帝喾高辛氏那里当火正，即管火的官。他当官期间，能光融天下，甚有功，帝喾就命他为"祝融"，后世尊他为火神。

祝融后裔有八姓，分布范围逐渐扩大。至商、周时期，祝融后裔南迁，成为楚国王室的祖先。

最早的农具

中国是世界上农业起源最早的国家之一,至迟在7000—8000年以前,黄河流域已经开始种植粟和黍。这件石镰就是装李岗文化的收割农具,它主要用来收粟,为了增加石镰的切割能力,它的刃部被特意加工成细密的锯齿状。现在农人使用的镰刀也许就起源于这种古老的石镰。

远近也要分成三等。审理案件时,只有明察实情,判决公允,人民才会信服。"

工业、山林和礼仪官

对弃、契、皋陶吩咐完毕,舜征询说:"谁来担任工正这项职务?"大家都说:"垂最合适了!"舜便说:"好吧!垂啊,由你管理百工。"垂行礼拜谢,表示愿把这个职务让给殳和伯与来担任。舜说:"不要推辞了,让他们和你一起去做好这项工作吧!"接着,舜又征询说:"谁能替我掌管山林川泽中的草木鸟兽?"大家都推举益。舜便说:"好吧!益啊,你做我的虞官。"益叩头拜谢,谦逊地表示要把这项职务让给朱虎和熊罴。舜说:"好啊,就让他们二人协助你去做吧!"然后,舜再一次向四岳征询:"有谁能替我主持三礼?"大家都推举伯夷。舜就说:"好啊,伯夷,你来作'秩宗'这个礼官。在祭祀天神时,一早一晚都要恭敬地去做;祭祀的陈词要正直,供物要清洁。"伯夷叩头拜谢,谦逊地要把此职务让与夔和龙。舜说:"唉,还是由你去担任吧,可要恭敬从事啊!"

乐官、近臣和州长

落实了工官、虞官、礼官三个人选,舜又吩咐说:"夔,我命你主管音乐,去感化那些年轻人,要使他们的性格变得正直而温和,宽容而谨慎,刚强而不暴虐,简便而不傲慢。诗是用来表达思想感情的,歌是用语言来咏唱这种感情的,音律是用来调和声音的高低的。八类乐器的声音要配合和谐,不要弄乱,这样神

人听了都会感到悦耳舒畅。"夔听了心动地说:"好啊!让我们敲击石磬,奏起音乐,使百兽都跟着跳起舞来!"舜转过去又对龙说:"龙啊,我最讨厌那些背地说人坏话和阳奉阴违的人,因为这种人常使我们的民众感到震惊。我现在命你做纳言的官,经常为我发布命令或向我汇报臣民的意见,必须忠诚老实。"

最后,舜对着上述已命官的人选以及诸州的君长和四岳,一共二十二人,发出忠告说:"你们二十二人,都要恭敬地对待自己的职务,时刻想着自己是在接受上天的命令,帮助上天治理臣民。每隔三年就要考核一次,经过考核,有功者就晋级奖励,有过者就罢免惩罚。"

发挥才能　功勋卓著

经过这一番对各部官职的选拔、整顿和训导,远近各项事业都兴盛起来了。特别是这二十二人都各显其能,建立了卓著的功勋:皋陶当法官,公平处理各种案件,作恶多端的歹徒都伏法受惩;伯夷主持礼仪,使上下都恭敬谦让;垂担任工师,使百工都积极制作,产品精良;益担任虞官,山泽开辟,木材、水产资源得到充分利用;弃担任稷官,使庄稼长势良好,每年获得丰收;契担任司徒,勤于教育,百姓亲和;龙主持接待宾客,使远方使者都来朝贡;十二州的君长都恪尽职守,使百姓不敢违法乱纪。其中以禹治水之功最大。他劈山开道,疏通河流,使洪水平息,通往大海。当此之时,天下方五千里,都热烈拥戴帝舜之功。

> 历史文化百科 <

〔原始人的饮料〕

原始人最早是泡某些野生植物茎叶为饮料,比如甘蔗汁。羊和牛的乳液也是很古老的饮料,而且是最富营养的饮料。酒也是原始人喜欢的饮料,考古发现大量的酒器。根据传说,酒是由黄帝女仪狄发明的,可能为果酒。用粮食酿酒出现较晚,是杜康发明的。

公元前4000年

世界大事记

非洲南部形成布什曼文化。布什曼族所作的岩石壁画，画面生动、写实。■埃及和两河流域出现镶在金子上的陨铁珠子。■马达加斯岛的塔纳拉人开始种植水稻。■乌克兰草原开始养马，南美印地安人驯化了骆驼。

〇四〇

《尚书·皋陶谟》

皋陶
禹

谋略
德政

皋陶

人物　关键词　故事来源

在辅佐帝舜治理天下的诸多人才中，制服洪水的大禹当然功劳最大，而法官皋陶也是其中特别杰出的一位。皋陶出生在曲阜偃地，就是现今的山东费县一带。帝尧与皋陶氏族有过良好的关系，曾经给皋陶氏族赐以"偃"姓。帝尧禅位给舜，舜就命皋陶做"士"，就是法官。

法官皋陶

皋陶是中国历史上最早的大法官，他制订刑法，判案公正、准确。请看他是如何立法、司法的。

制订刑法 公正判案

皋陶在做士期间，有两大功绩：一是制订刑法，二是判案公正、准确。据史书记载，舜曾命皋陶"作刑"，就是订立刑法制度。现在流传下来的还有皋陶制订的一条刑法，原文是："昏、墨、贼、杀。"所谓"昏"是自己邪恶却要掠取别人的美名；所谓"墨"是当官贪赃枉法，败坏风纪；所谓"贼"是任意杀人，毫无顾忌。皋陶制订的刑法规定：凡是有上述三种行为的，都要"杀"，即判处死刑。这一条刑法，是我国历史上出现的最早的成文法规。皋陶所订的刑法

淳朴的怀念

少昊，一作少皞，号金天氏，传说是黄帝的儿子。在四种不同版本的"五帝"传说中，三种有少昊。少昊陵，现位于曲阜城东4公里处的高阜上，与比邻的孔子同享着人们的凭吊。

肯定不止这一条，这些刑法对社会上一些敢于行凶作恶的歹徒，起了震慑作用。

在制订刑法的同时，皋陶还主持案件的审判工作。据说皋陶的嘴像马，因而最诚实可信，能够识透人情世故，判决罪案明白公正。他的嗓音虽然沙哑，但他的宣判天下人都信服，没有一个罪犯逃脱惩罚或无辜者受到冤枉。皋陶判案还有帮手，就是一只独角怪兽，其形状很像一只羊。这只怪兽，天性就知道哪个人有罪。皋陶办理案子，遇到案情复杂时，就令案犯在大厅中站立，然后使独角羊来辨认。独角羊见有罪者就触，盯住不放；对无罪者则不去碰他。独角羊帮助皋陶甄别了很多大案、要案。

治理天下，道德为先

皋陶不但刑法订得好、判案看得准，而且还有一套治理天下的思想。他经常和禹、伯夷等大臣在帝舜面前发表意见，谈论主张。有一次，皋陶议论说："相

新石器马家窑文化铜刀：中国最早的青铜器（上图）
甘肃的马家窑文化遗址发现了迄今为止中国最早的一件青铜器，其为单范铸成。新石器时代青铜器的发明，为商周时期青铜文化的繁荣与发展准备好了条件，中国古代文明社会即将到来。

> 历史文化百科 <

〔爬虫、昆虫——原始人的小点心〕
　　原始人很会享口福，爬虫、昆虫都是远古肉食的重要内容。蛇、鼠、蚕、野蜂、蚂蚁、蜻蜓、蝗虫等都是原始人的捕食对象。烹制方法，以蚂蚁卵为例，一种是搀在米饭中煮吃或炒吃；一种是煮汤时放进去；还有一种把蜂房切成若干块，烤熟吃。

话说中国

信并按照先王的道德去处理政务，这样就能使谋略明白，大臣团结，同心同德。"禹接着说："对啊！如何才能这样呢？"皋陶解释说："首先应当严格要求自己，提高品德修养，以宽厚的态度对待同族人，使他们贤明起来，辅佐你治理国家。由近及远，先从自身做起。"禹非常佩服这种高明见解，赞叹说："对啊！"皋陶又说："重要的在于知人善任，安定民众。"禹接着说："哎呀，完全做到这些，连帝尧都感到困难啊！知人善任是有智慧的哲人才能办到的事，安定民众则是要给他们以恩惠，民众就会感恩戴德。能哲而惠，还有什么事做不到呢？"

皋陶接着申述说："大凡人有九德。说某人有美好的德行，必须以事实为依据。"禹问："什么叫九德？"皋陶说："人的九种美德是：宽厚待人而又恭敬谨慎，性

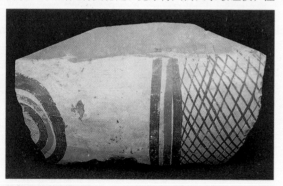

仰韶文化的彩陶片
河南安阳小屯出土，属新石器时代文化。红胎质，白衣彩绘。

情温和而又有主见，行为谦逊而又严肃认真，精于治理而又细致耐心，善听意见又能刚毅果断，性格正直而态度和气，勤于检查而廉洁奉公，意志坚强而考虑全面，精力充沛而一身正气。人有这九种德行，就能把事情办好啊！每天能表现出三种德行，从早到晚努力去做，就能把家庭治好；每天能严格恭敬地表现六种德行，那就可以把一个地方的事情处理好；如果普施教育，九德都行，俊杰任官职，百官严肃恭谨，就能把天下治理好。

质朴刚性的艺术
龙山文化是以薄如蛋壳般的精致黑色陶器而著称于世的。这件同样来源于龙山文化的玉刀质朴无华，线条明快，形成了与黑陶柔美风格截然相反的具有强烈阳刚特征的艺术风格。

不要对百姓教以淫邪奇谋。官吏任用不称职的人，这叫做'乱天事'。上天为了惩罚有罪的人，便制定了五种刑罚，分别用来惩治五种罪人。这些，都应当认真执行啊！你说，我的话可以实行吗？"禹说："是啊！你的话一定可以实行，并能获致功绩。"皋陶说："我也没有把握，只是整天想着如何协助君王治理好天下啊！"

英年早逝的遗憾

皋陶的忠诚和才干，受到舜和禹的赏识。在舜把帝位禅让给禹之后，禹认为在大臣中皋陶最贤，想立皋陶为接班人而荐之于天，有禅位给皋陶之意。后因皋陶比禹早去世而没有实现。禹把皋陶的后代封在"六"当诸侯，皋陶的遗体也安葬在六，即今安徽省六安市。现在那里还保存着皋陶的墓，每年都有不少人怀着崇敬的心情来瞻仰这位先哲。

彩陶中的天文：新石器时代仰韶文化彩陶片（右页图）
人类对天文的认识是从开始农业生产之后逐步深化的。因为农作物的生长与季节变化有着密切关系，而观察天象又是掌握季节变化的重要手段。这些陶片的太阳纹、星象纹等表现了原始人类对自然的崇拜，同时也证明了仰韶文化时期人们通过天象掌握农时。

> **历史文化百科**
>
> 〔原始人的蔬菜：油菜、葫芦、甜瓜〕
> 原始人大量采集蔬菜吃，采集的品种繁多，都是现代蔬菜的祖先。从考古发现看，我国史前时代已有的人工种植的蔬菜基本有三种：半坡遗址的油菜、河姆渡遗址的葫芦、良渚文化遗址的甜瓜。

前2070—前1046　原始社会

○四一

流放"四凶"

舜举用十六族贤人担任各种官职，放逐四个恶人到边远地区，因而使天下太平，人民拥戴。

举用善人

舜在帝位时，天下安定，欣欣向荣，成为又一个太平盛世。他之所以能如此功劳卓著，惠泽后代，其中一个重要原因，就是他敢于举用善人、惩治恶人。传说帝颛顼高阳氏有才子八人，胸襟宽广，道德高尚，天下人民称他们为"八恺"；帝喾高辛氏有才子八人，心地纯正，品质优秀，天下人民称他们为"八元"。这十六族人到帝舜时，累善积德，仍然美名远扬。舜举用"八恺"，担任地官，管理百事，于是地上的水土都顺当妥帖，万物都按照时间顺序，成其功绩。舜又举用"八元"，担任教官，向四方民众宣传教育，于是"父义、母慈、兄友、弟恭、子孝"五种美德在百姓中传扬，使家庭和睦，万事兴旺。

惩治邪恶

在举用十六族善人的同时，舜又对各种邪恶的人进行惩治。传说帝鸿氏即黄帝有个不肖子孙，他掩蔽仁义，包庇奸贼，行凶杀人，与恶物、丑类、顽固、不友爱的人勾结在一起，天下的人都称他为"浑敦"。少

皞氏也有个不肖子孙，他毁弃忠信，文饰恶言，对善良的人恶毒攻击，对有道德的人大肆诬蔑，天下的人都称他为"穷奇"。帝颛顼也有个不肖子孙，他不可教训，不知善言，劝告他则顽固不化，与他在一起则奸诈不义，傲慢地对待道德，扰乱天地的常规，天下的人都称他为"梼杌"。炎帝的后代缙云氏也有个不肖子孙，他贪于饮食，索求财货，建造宫室铺张奢侈没有满足，搜刮粮食实物没有限度，不可怜孤儿寡母，不顾恤穷困匮乏者，天下的人都称他为"饕餮"（音滔铁）。上述四族人，世代凶顽，恶名远扬，天下的人把他们合称为"四凶"。舜在为尧摄政之时，就采取果断措施，把"四凶"放逐到边远荒凉的地方，去抵御"魑魅魍魉"之类妖魔鬼怪。

据说"四凶"后来也成了害人的怪物：首凶"浑敦"变成昆仑山西的一头怪兽，其状如犬，长毛四足，似熊而无爪，有目而不见。遇到有德行的人就撒野，遇到凶恶的人就依靠，这是他的天性使然。二凶"穷奇"在西北，也变成一头恶兽。其状如虎，有翅膀能飞，知人言语。他见人相斗，立刻吃掉那个正直者；见人忠信，立刻咬去他的鼻子；见人凶恶，立刻去杀其他野兽来送给他。这也表现了他的天性。三凶"梼杌"在西方，其状如虎而大，毛长二尺，人面猪牙，尾长一丈八尺。他在荒野中逞凶作恶，人又给他起名

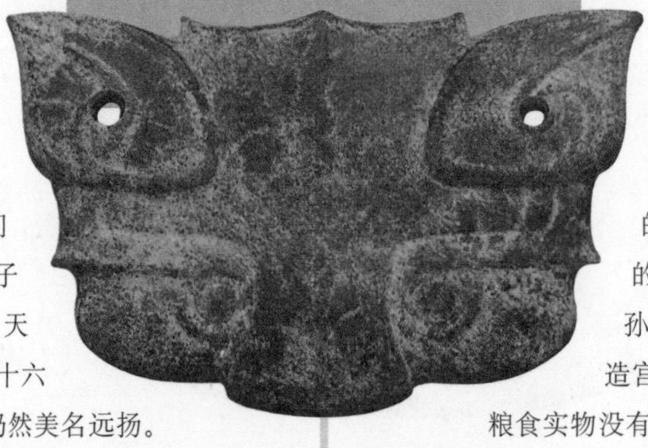

新石器时代的玉饰物玉面兽（上图）
湖北出土。新石器时代玉饰物的眼、鼻、耳雕琢明显，似虎非虎，是向商周青铜器上饕餮纹过渡中的形式。

公元前3600年

世界大事记 埃及涅伽达文化Ⅰ，"南城"遗址。处于阶级社会和国家产生的前夕，为野蛮时代向文明时代过渡的阶段。

舜
梼杌　邪恶
杌敦
饕穷　果断
餮奇

《左传·文公十八年》
《尚书·舜典》

人物　关键词　故事来源

为"傲狼"，又名"难训"。四凶"饕餮"在西北或西南方，同样是可恶的怪物。据说他头像人，身体像牛，眼睛在腋下，有老虎般的牙齿和爪，贪如恶狼，经常强夺老弱者的财物，还要吃人。在商周时代的铜器上经常饰有"饕餮纹"，其用意据专家研究，一是为了惩戒贪虐者，二是为了镇恶辟邪。

> 历史文化百科 <

〔原始人的调味品：咸、甜、酸、辣、油〕

原始人的调味品包括五类：咸、甜、酸、辣、油，史前时代的调味品多采自于自然，很少人工栽培。咸味——海盐、井盐、池盐、岩盐。甜味——甘蔗、蜂蜜。酸味——酸梅。辣味——葱、蒜、姜、韭菜。油——动物油、植物油。

流放凶顽

除了流放"四凶"外，舜还把共工流放到北方的幽州，把驩兜流放到南边的崇山。因为共工经常在部落联盟内部挑拨离间，兴风作浪，同时他没有认真地治理洪水，反而乱填乱挖，加大了洪水的危害。驩兜本是南方的一个氏族部落，其首领曾在尧的部落联盟中任职。因为驩兜为人恶狼，同时部落内嬖臣狐攻专权，政治腐败，因此舜流放驩兜，迁走他的部落。

舜敢于和邪恶的凶顽进行斗争，受到天下人民的拥护和爱戴。

新石器崧泽文化黑陶壶：素朴的黑陶制品

公元前3900—前3300年的崧泽文化发源于太湖地区，今上海青浦崧泽出土了这一时期遗物。因年代久远，其色泽斑驳，但陶体形状已较为复杂，说明当时的制陶工艺有了一定提高。

中国大事记

涂山大会后，禹把各方诸侯进献的"金"（青铜）铸成九个大鼎。

仗老子地位纵情声色

帝尧有个儿子名"朱"，仗着自己老子是部落联盟的首领，骄傲自大，目空一切，成天只知道怠惰游玩，行为放纵轻浮。他还要人推着他乘的船让他玩乐，更在家里邀

丹朱叛乱

尧的儿子丹朱不甘心帝位被舜夺去，乃与三苗族联合进行叛乱。这是原始社会末期一场争夺领导权的斗争。

集了一帮青年男女，纵情声色，奢靡腐化。帝尧因为忙于天下大事没有教育好自己的儿子，经常为此感到后悔和恼怒。

一次，尧在部落联盟的会议上讨论任官人选。司天授时、主管历法的官职暂时无人担任，尧问："谁能顺应四时变化，校正历法，教给百姓按时令节气从事农业生产呢？"尧的臣下有一个叫"放齐"的，一贯逢迎拍马，听了尧的话便奉承说："君的嗣子朱，聪明能干，可以担任这项职务。"尧一听马上摇头，鄙夷地说："唉！像他那样愚顽鲁莽而不守信义的人，可以任此职务吗？"尧接着又问："谁能根据我的意见来办理政务，做我的助理呢？"臣下有一个叫"欢兜"的提议："哦！让共工来担任吧！他在安抚人民方面取得了相当大的功效。"这驩兜与共工拉帮结派，互相吹捧，背地里阴谋扩大自己的势力。尧一听驩兜的推荐，摇头说："啊！这个人阳奉阴

瓷器的雏形白陶鬶

1959年山东泰安大汶口出土。新石器时代水器酒器。一般三足，还有做成狗形、猪形或兽形的。白陶鬶是指器胎表里都呈白色的一种陶器，采用含铁量比陶土低的瓷土或高岭土制作。它的强度、耐火度等较陶器有了质的飞跃。

世界大事记

两河流域，现在的伊拉克南部，出现耕种土地的原始农业。■苏美尔乌鲁克文化。出现大批铜器和轮制陶器，农业已用犁耕；还出现巨大石造塔庙和1500多个象形文字符号。苏美尔人能用石块、泥土建造小屋，制造陶器，用芦苇编织成小船。苏美尔人记事刻写在泥板上，烘干保存，称为楔形文字。■埃及涅伽达文化Ⅱ。生产技术有重大进步，出现冶金术。为阶级社会和国家产生阶段。■泰国已学会栽种水稻。

尧
丹朱
舜

贪吝
怨愤

《尚书·皋陶谟》
《竹书纪年》

人物　关键词　故事来源

工艺水平高超的玉面人

湖北天门石象河出土新石器时代玉器。玉面人的五官明显，雕工精致，表明了高超的工艺水平。

违，貌似恭敬，而实际上尽做坏事。"尧对自己的儿子和驩兜、共工等人看得十分清楚，他们心地不正，成事不足，败事有余，不能让他们担任重要官职。

遭流放心中不平

自从尧立舜代理行政之后，朱心中产生怨气，常常口出不逊之言。尧心里明白，自己的儿子不成器，如果把天下交给他来治理，必然会带来灾难，因此不顾儿子的怨恨最终把帝位禅让给了舜。尧死后，舜作出高姿态，为避让朱而从都城出走，到了南河之南。但是，诸侯仍然都去舜那里朝觐；有诉讼要求的也去向舜告状，讴歌功德的都不讴歌朱而讴歌舜。舜见民心如此，就说尧把帝位禅让给他是"天意"，然后回到蒲坂，即今山西永济市西的蒲州，建立都城，正式登上帝位。

朱见登帝位没有了希望，心中更是悻悻不平。他

历史文化百科

〔拔牙：成年的标志〕

原始人拔牙是一个人成年的标志，"以别处子"，同时也是开始过婚姻生活的开始，所以拔牙也是招引异性的手段。在大汶口文化以及南方某些遗址都发现一些拔牙尸骨，一般是拔掉一对上颌侧门齿为主，年龄十四五岁。

历史文化百科

〔胃煮法：用鹿胃烧煮食物的方法〕

这是以胃煮肉的方法。有些原始人狩猎到鹿时，往往把鹿胃留下，翻个儿，用水洗净。如果想吃煮肉，则在鹿胃内盛水，放切好的肉块，并利用三脚架把鹿胃吊在火上方。经过一小时烤烧，胃里的水沸腾了，兽肉也烤煮熟了，这时鹿胃也烤得焦黄，可以食用了。

纠集一些人，到处说舜的坏话，闹得满城风雨。大臣后稷看不惯这种情况，在舜的授意和其他大臣的支持下，把朱流放到了丹水，其地在今河南省西南角的丹江一带，靠近三苗族人聚居的地区。朱因为被流放到丹水，因而得名"丹朱"。

反叛失败投水身亡

南方的三苗族人本来就不服从中原华夏族的统治，双方经常发生小规模的冲突。今见帝尧的儿子被流放到这里，心中充满怨恨，便想与丹朱联合起来，一起反对中原部落联盟。势孤力薄的丹朱，正是求之不得。两股势力一拍即合，一个反叛的集团就形成了。

丹朱集团和三苗族人密谋策划，公开举起叛乱的旗帜，气焰甚嚣尘上。帝舜在不得已的情况下，便派出军队，与三苗族人和丹朱集团大战于丹水之滨。结果三苗人战败了，帝舜对三苗族中策动叛乱的首恶分子，给以惩罚，放逐到"三危"，就是现在的甘肃敦煌一带。丹朱在叛乱失败后，无面目再见帝舜，便投水自尽身亡。

丹朱的叛乱是一次深刻的教训。当一个人的品质越来越坏，个人的私欲恶性膨胀，到达一定的时机就会走上与自己的国家和人民为敌的道路。舜常常告诫大臣们："不要像丹朱那样傲慢自大，只想游玩享乐，淫荡腐化，以致毁灭了自己。"

音乐创作的传奇人物

在辅佐帝舜治理天下的大臣中，乐官夔是特别有趣的一位。据说帝舜欲以音乐传教于天下，便令大臣们荐举有音乐才华的人。主管天文、历法的大臣重黎荐举了一位名叫夔的民间音乐家入宫，舜任命他为"乐正"，主管音乐工作。夔于是校正音乐中的六律，调和宫、商、角、徵、羽五声，创作出优美动听的音乐。舜见夔很有音乐才能，就命他创作《九招》《六列》《六英》等乐曲，以歌颂舜的功德和天下的兴旺景象。夔出色地完成了各种乐曲的创作任务，他的乐曲在许多集会上演奏，使帝舜的名声远扬，天下大服。夔还有特别的本领，就是他演奏音乐，能使鸟兽起舞。这种本领更使夔成为音乐上的传奇人

夔一足

夔是舜的乐官，他经常创作和演奏乐曲，帮助舜平服天下。当时流传"夔一足"，是什么意思？

物。重黎见舜特别喜欢音乐，还想推荐其他的人入宫。舜说："音乐是天地的精华，得失的调节者。所以只有圣人能够调和各方关系，而'和'是音乐的根本啊！夔能调和音乐，通过乐曲而平服天下。像夔这样精通音乐的人，一个就足够了。"舜当时说"夔一足矣"，后来有人就以为夔是一条腿，其实是误解了舜的意思。

集会助兴场面热烈

夔自担任乐正后，不但创作乐曲，还经常在集会上奏乐助兴，使会议开

兴隆洼遗址的石斧
兴隆洼遗址位于内蒙古赤峰市，是前6200—前5400年的新石器时期遗址，遗址出土有陶器、玉器及石器，其中石器有打制锄形器、磨制石斧以及磨盘、磨棒等。此石斧即是遗址的出土物。

广西左江岩画
庆功献俘祈求战争胜利图

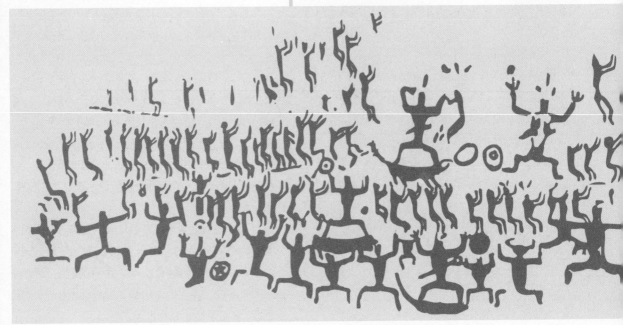

公元前3200年

前3200年

世界大事记

美索不达米亚已变成文明社会,那里居民中已有武士——通知者、行政官员和祭司。

舜 夔
皋陶

夔一足

欢乐
激动

《吕氏春秋·察传》
《淮南子·泰族训》

人物 典故 关键词 故事来源

刀耕火种生活的还原

中国已发现的新石器时代的崖画多为狩猎和采集场面,崖画的颜料多用铁矿粉末及黏性物质混合而成。这些崖画生动展现了我们的祖先在刀耕火种时代的狩猎和集体采集生活。

> 历史文化百科 <

〔原始人的坐具:史前出现的家具〕

自从原始人相对定居以后,特别是有了食案之类家具以后,由于食具、酒具水平位置相对升高,人们的坐位也需要相对提高,于是出现了筵席,多以芦苇、竹篾编制,这种家具在史前时代就出现了,并一直沿袭下来。

得生动活泼。一次,会议结束后,夔大声招呼说:"演奏起鸣球、皮鼓、琴瑟来作为歌咏的配乐吧!"这时,先王的灵魂来到了,贵宾们就位了,诸侯国君都谦让地入席。堂下吹起竹制乐器,敲起大鼓、小鼓,笙和大钟更换着演奏,鸟兽都轻盈地跳起舞来。箫吹出的优美乐曲演奏了九段,凤凰也都成对地翩翩飞来。

由于场面的热烈,百官的和睦团结,舜也感动得唱起歌来。舜在歌中唱道:"努力地按照上天的命令行事,时时事事都要小心谨慎。"接着,他又唱道:"大臣们从内心里乐意办好政务啊,元首的事业就蒸蒸日上啦,百官也就振奋精神啦!"这时,皋陶叩头行礼,高声喊道:"应该把元首的教导记在心里啊!元首处处作为臣民的表率,百事就振兴起来。谨慎地对待你自己立下的法度,可要恭敬啊!不断地反省自己的作为,事业就会获得成功,一定要谨慎啊!"接着,皋陶又歌唱道:"元首英明啊,大臣贤良啊,万事安康啊!"随后,又歌唱道:"元首忙于琐务啊,大臣就会怠惰啊,万事就要受挫啊!"帝舜行礼答谢说:"对啊!望你们恭敬地往前推进我们的事业吧!"

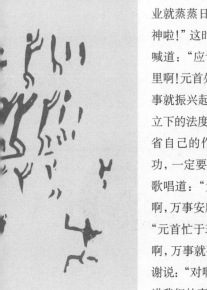

生活放荡被革职查办

夔用音乐激发起大家歌唱的热情,君臣勉励,上下同心,和衷共济。音乐令人兴奋,音乐令人陶醉,夔在舜平服天下的事业中立下不小的功劳。但是没有想到到了后来,夔却沉湎于靡靡之音,过起放荡的享乐生活,以致被舜革职查办,落得一个不好的下场。

> 历史文化百科 <

〔羊皮筏子〕

古代的皮船有两种:一种是由整个羊皮制成的,杀羊时,不破皮、骨,肉从脖子掏出,然后翻皮熟制,最后将脖子、四肢、生殖器等处扎紧,以一脚处充气,形成羊皮囊;另一种是较大的皮船,它是以树木为船架,外包以牛羊皮,这就是"缝革为船"。

约公元前2070-前2030年

前2070年
前2030年

○四四

中国大事记

茅山大会后，有个诸侯防风氏迟到，禹把他斩首示众。

原始社会到尧、舜时期，实行帝位的禅让制。部落联盟的首领不是由各方部落的酋长推荐，大家选举，而是由元首自己选定一个接班人，这个接班人不是自己的子孙，而是在道德品质、治理才能方面出色的人，然后把帝位禅让给他。尧最终确定了舜为自己的接班人。现在，舜年事已高，同样遇到了选择接班人的问题。

舜选接班人

尧选接班人时，曾经有过很多曲折的经历。舜也选择过很多接班人，都不甚满意。舜杀死过禹的父亲，但最终还是选择了禹。

帝位禅让遭冷遇

舜曾经几次想把帝位禅让给他认为的贤人。有一次，舜想把帝位禅让给善卷，善卷却说："我立在宇宙之中，冬天穿皮毛，夏天穿葛绤。春天在农田中耕种，身体足以应付繁重的劳动，秋天收割庄稼之后，有足够的时间可以休息。我日出而作，日入而息，逍遥于天地之间，心意自得，何以要为天下而劳苦呢?唉，你不知道我的心思啊!"善卷不接受禅让，离开舜进入深山，消失得无影无踪。

又有一次，舜想把帝位禅让给好友"石户之农"。石户之农回答说："你够勤劳辛苦的了，这正体现了

你的为人!可我是个'葆力之士'，想要爱护自己的一点精力，没有空闲去治天下了!"他认为舜还没有达到道德的尽善尽美。于是，他与妻子带着儿子和随身物品，朝着大海的方向走去，终身不返。

还有一次，舜想把帝位让给另一位朋友北人无择，北人无择一口回绝，讥讽地说道："奇怪啊，你的为人!居住在农村田亩之中，而去游帝尧之门!现在又要来玷污我，我感到心中害臊!"说罢，他为了洁净自己的身体而自投清冷之渊。

喜欢的人缺少修养

当时有一个人，舜非常喜欢，名叫"大费"，是后来秦国国君的祖先。他与禹一起治理洪水，特别出力。当禹治水成功，舜赐给禹"玄圭"，就是一种贵重的玉器，奖励禹，禹报告说："治水不是我一个

形状罕见的彩陶壶
甘肃出土，属仰韶文化。左边的壶有两个颈和一对圆形把手，器形颇为珍罕。

舜　大费　禹　皋陶

识才　谨慎

《吕氏春秋·离俗览》
《史记·夏本纪》

人物　关键词　故事来源

话说中国

热爱生活的仰韶人

河南仰韶文化出土的一套釜、灶炊饮用具，其材质为夹砂陶，具有耐火、不易破裂和传热快的特点，其使用原理与今日农村炉灶相似。

人所能做成的，其中也有大费辅助的功劳。"舜就对大费说："好啊，你帮助禹成大功，我赐给你'皂旒'，就是旌旗上的飘带，你的后代将大有出息。"舜因为喜欢大费，又赐给他一位漂亮女子为妻，是舜本族

>历史文化百科<

〔最早的鹤嘴锄〕

鹤嘴锄是一种类似鹤嘴似的锄头，它来源于树杈或鹿角叉，一头为刃，一头为柄。它的最初形态应该是木制的，在河姆渡文化中有不少木制鹤嘴柄就是见证，在大汶口文化、龙山文化则发现不少鹿角鹤嘴锄。

前3000年　公元前3000年

世界大事记
希腊为新石器文化，发展至金石并用时期，青铜与黄金已被用于兵器与装饰品。氏族社会已进入解体阶段。■两河流域、多瑙河流域出现青铜器，印度河流域普遍使用青铜器。■埃及人培育出亚麻作为麻布原料，人类开始利用植物纤维织布。■苏美尔人能观察和记录天体的运动，积累了大量天文资料。

姓姚的。大费拜受玉女后，又辅佐舜调驯鸟兽，鸟兽无不驯服。舜在高兴之余，又给大费赐姓"赢氏"。但舜觉得，大费虽然聪明能干，但治理国家，尚缺少修养。

有杀父之仇者能当接班人吗？

在辅佐舜治天下的大臣中，禹和皋陶是最合适的人选。但禹的父亲是被舜杀死的，因而禹对舜有杀父之仇。选他为接班人，是否会对己不利呢？皋陶又是禹最亲密的朋友，选他又会怎样呢？正当犹豫不决时，一次谈话对他的抉择起了决定性的作用。

在一次会议上，舜请大臣们都谈谈自己的经历、意见和志向。舜对禹说："你也讲一讲你的高见吧。"禹拜谢说："我说些什么呢？我只是考虑着怎样孜孜不倦地工作罢了。"皋陶问禹："如何孜孜不倦呢？"禹便畅谈起来："洪水滔天，包围大山，冲上高冈，下民都被洪水吞没。我陆行乘车，水行乘船，泥行乘橇，山行乘檋，随着勘察的山路，插上木桩作为标记，并且和益一起把食品分发给众民。我疏通了九条大河，使水都流入大海；又疏通了田间小沟，使水都流入大河，又和稷一起教民播种百谷，给人民提供粮食和肉食；又发展贸易互通有无，人民才得以安居乐业，万邦诸侯才得以稳定治理。"皋陶赞叹地说："好啊，真要学习你的美德！"

禹对舜说："帝啊，你也要谨慎地对待你的职位啊！"舜点头称是。禹说："做你应该做的事，思考着怎样会有危险，怎样才能安康。要使大臣公平正直，

纺织的佐证：新石器时代仰韶文化彩陶尖底缸（左页图）
这件陶缸的附加堆纹上有纺织品的印迹，是当时人们纺织的物证。根据考古资料，新石器时代人们已经学会了使用苎麻及蚕丝等纺织，在浙江湖州钱山漾遗址中不仅发现有苎麻织物残片，而且还有丝织品出土，山西夏县西阴村曾发现半个人工割制过的蚕茧外壳。

骨制的锄头
新石器时代的河姆渡文化曾大量使用骨耜来翻地，骨耜用大型哺乳动物的肩胛骨加工而成，用它翻地，可改变土壤结构，增加地力，延长土地可供种植水稻的年限。它的形状给我们几千年不变的农用工具——锄头的产生提供了依据。

要使每一项行动天下都来响应。这样才能以清醒的头脑接受上帝的命令，上天自然就会下令使你前程美好。"舜听后高兴地说："臣啊，臣啊，我要帮助引导我的人民，你就来辅佐我吧。我打算全力治理好政务，你来成就我吧。我要观察古人的图像，看他们怎样用日月星辰来做服饰；我要听到各种不同声调不同乐器的音乐演奏，并听取各方群众的意见，你来负责这件工作吧。我即使发布了法令，你也可以纠正我的错误。你不要当面顺从，背后再散布一些不满的话。做我最亲近最得力的助手吧，把左右大臣都紧紧地团结起来！"禹说："好啊！如果你不举用贤人，而是好人坏人同时使用，这样就无法建功立业治理好国家了。"

经过这一次谈话，舜看出了禹的才能、勤劳和功绩，皋陶也敬服禹。不久，舜就把立禹为接班人的事禀告上天。舜的帝位禅让给禹，遂成定局。

＞历史文化百科＜

〔刀耕火种〕
刀耕火种包括砍伐树木、焚烧树木、播种、看护和收割等主要过程。树木砍倒、晒干后，即点火焚烧，火烧后的土地松软、肥沃，不耕不翻乃是火耕的一大特点。火耕地虽然肥沃，但灰肥皆浮在地表，在雨水冲击下极易流失，因而火耕地只能种两三年就丢荒了，需另垦新地。

中国大事记 禹先举皋陶为继承人，因皋陶早死，又举伯益，但在暗地里千方百计为自己儿子启继承帝位创造条件。

〇四五

野死苍梧

舜一生忙碌奔波，勤于政事。晚年他到南方巡视，竟病死于今湖南南部的苍梧，葬于附近的九疑山上。

晚年巡视发病仙逝

帝舜一生，勤于政事，忙于奔波，得不到休息，因而传说他面目黝黑，大概是因为经常在野外，曝晒于太阳下的缘故。舜时还规定了"五载一巡守"的制度，即每隔五年，帝王要到天下四方诸侯驻守的地方去巡视，以观察四方诸侯的政治、经济、军事状况，了解那里人民的生产、生活以及对君王的意见。巡守，又叫"巡狩"，"狩"是打猎。在田野里打猎，也是古代的一种军事演习。因此，帝王巡狩时，一方面巡视工作，一方面进行打猎，检阅各地的武装防御情况。传说舜晚年，因巡守来到南方，也有人说是为了征伐三苗而来的，由于年事已高和路途劳累，突然病死在苍梧之野的道路上，其地在今湖南宁远县南。

舜的葬地风光无限

舜南巡病死后，人们把他安葬在附近的九疑山上。九疑山横跨苍梧之野，连绵数百里，山有九峰，峰下各有一水，其地势相似。游者至此，无法分辨，产生疑问，故名"九疑山"。九疑山也叫"九嶷山"，意为有九个高峰的山。当时的帝王没有像后世那样大的权力，故舜死苍梧后，集市贸易照常进行，没有受到什么影响。后来人们在舜的葬地建立了寺庙，郡守上任，都要到这里来致敬祭祀，于是庙中常有弦歌之声。舜在青少年时期，常常受到其弟"象"的虐待，人们为此愤愤不平，因而传说埋葬舜的苍梧之野，往往有象在那里耕地，以表示对舜的道歉。舜的儿子"均"原封在"商"，即今河南商丘市东南的虞城，故称"商均"。商均死后据说也移葬于九疑山，与父亲安葬在一起。

有关舜子女的传说

由于舜的一生有德泽于民，故对他的后代也有一些传闻。据说舜有一个儿子叫"无淫"，来到"载民之国"。这个国家物产资源丰富，人民不用纺纱织布，自然有衣服穿；不用耕种收割，自然有粮食吃。同时，那里有歌舞之鸟：鸾鸟自动歌唱，凤鸟自动跳舞。还有各种野兽，相互群处而不伤害；各种谷物，汇聚在一起自然生长。

舜还有一个妃子叫"登北氏"，生育了两个女儿，叫"宵明"和"烛光"。据说二女的神灵后来处在河边

> 历史文化百科 <

〔原始人的宗教信仰〕

原始人的宗教信仰非常庞杂，有自然神崇拜、图腾崇拜、灵魂崇拜、祖先崇拜、生育神崇拜等，考古发现有大型的祭坛、众多的祭器等等。还出现了祭司阶层，他们既是宗教神职人员，又是歌手、舞师、画匠、医生、历史陈述人，掌握习惯法和天文历法知识，对远古文化的搜集、保存、整理、传播起了很大的作用。

旧石器时代的遗物
中国的旧石器时代，在距今250万年至1万年之间，周口店北京猿人属于这一时期。石器的出现表明当时的人们已经广泛使用石制器具，进入了比较普遍的石器时代。

原始社会

2000000—1040

公元前3000年－前2500年

前3000年
前2500年

世界大事记　美洲哥伦比亚、厄瓜多尔等地开始制造和使用陶器。

〈山海经注·海内经〉
〈水经注·湘水经〉

德政　闲适
舜

人物　关键词　故事来源

话说中国

祈求丰收的壁画

云南是一个少数民族众多的省份，在漫长的历史长河中，创造了丰富多彩的文化艺术，图为云南佤族壁画。壁画的笔锋粗犷豪放，整体感强，是祈求丰收的农事舞蹈。

的大泽旁，她们发出的神光能照亮附近百里的土地。

这些神话传说，显然都是为了纪念舜的功德编出来的。

> 历史文化百科 <

〔原始人的岩画〕

过去认为中国无岩画，现在已纠正这种谬说。岩画又分用颜料绘制的崖壁画和岩刻画，其题材丰富，有狩猎、农耕、战争、祭祀、神偶、巫术、舞蹈等。岩画体积或面积大，有浓厚的神秘性，既是生活的反映，又是巫术的魔法。

禹在东南视察会稽山时逝世，死后葬于会稽山麓。

○四六

二位贤妃助舜脱险

在舜的一生中，对他帮助最大的是尧的两个女儿。这两个女儿，大的叫"娥皇"，小的叫"女英"。她们自从嫁给舜后，就帮助舜去对付他的父亲瞽叟、继母和弟弟象。娥皇和女英给了舜智慧和力量，使舜战胜一个个艰难险阻，粉碎一个个陷害阴谋。在舜登上帝位以后，她们成为帝舜的二妃，又经常跟随舜出外巡视。舜治理天下的成功，与二女的协助是分不开的。最后，舜在巡守中野死苍梧，二妃因悲恸而投湘江自尽。后人编了脍炙人口的神话故事来纪念这二位贤妃。

据说尧很早就把他的两个女儿嫁给舜，以考察舜的德行。这二女嫁给舜时，舜还是个穷苦的农民，但她们在田间谦恭地侍候舜，恪守妇女的道德，从不以自己是天子之女而骄傲怠慢。一次，瞽叟与象要舜上廪

湘夫人

尧的两个女儿作为舜的妃子随舜巡视到湘江边，突闻舜逝世的噩耗，她们伤心恸哭，竟使湘江两岸的竹林留下斑斑泪痕。

顶修补，舜告诉二女，二女说："他们这是要烧死你！你可以穿着这件鸟衣前往。"当瞽叟与象抽掉梯子、焚烧仓廪时，舜竟如鸟儿般飞出落地，未受伤害。象又与父母谋划，叫舜挖井。舜告诉二女，二女说："他们这是要活埋你！你可以穿着这件龙衣下去。"当舜下到井底、瞽叟与象投土塞井时，舜靠着龙衣的帮助，在泥土中钻到其他井下爬了出来。瞽叟与象又邀请舜喝酒，想趁舜酒醉之际把他杀了。二女知道此事后，让舜用药水洗澡后前往。如此，舜终日饮酒不醉，瞽叟与象无计可施。

闻噩耗极悲恸泪洒斑竹

舜登帝位后，二女作为二妃，更是日夜相随，感情弥笃。那一年，二妃随舜巡视至南方湘江边。二妃陶醉于湘江两岸的美丽风光，舜就把她们留在那里，自己往前先行，然后再派人来接。谁知过了几天，舜

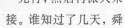

> 历史文化百科 <

〔千差万别的葬式〕

葬式指尸体安葬的形式，各民族因信仰不同，其葬式千差万别，仰韶文化的仰身直肢葬、大溪文化的屈肢葬式、半坡遗址的割肢葬等。有时还要实行二次葬，人死在哪里就葬在哪里，到一定时期再迁葬到氏族驻地附近。最初是氏族内同性合葬、异性分葬，后来一夫一妻制和夫权制兴起以后，出现了夫妻合葬，甚至女奴殉葬。

> 历史文化百科 <

〔原始人的主食〕

粮食是农耕兴起后的产物，北方以粟、黍为主食，江南以稻米为主，西南则流行大麦、稗子等。粟、黍有坚硬的外壳，必先炒干去壳后才成为小米、黄米，通常煮粥吃，或以甑蒸干饭。河姆渡遗址出土了最早的大米锅巴。

原始社会

2000 1040

竟在苍梧之野猝然去世。噩耗传来，二妃悲恸不已。她们抚着湘江两岸的青竹，号啕大哭，哭声震撼两岸大地。最后，泪也哭干了，就一起跳入湘江，淹没在波涛之中。

湘江两岸的竹子，经二妃泪水的挥洒，都留下了斑斑痕迹。为纪念聪慧情深的二妃，后人把湘江两岸生长的带有斑点的竹子，称为"湘妃竹"，或叫"斑竹"，认为这些斑点是娥皇、女英二妃悲痛的泪水挥洒所致。后人在湘江边上，修建了二妃庙，也叫"黄陵庙"。据说，二妃的神灵经常漫游于洞庭之渊，出入于潇、湘之浦。二妃成了湘江之神，在许多神话故事书中，称她们为"湘君"，或称"湘夫人"。

缠绵悱恻成绝唱

传说中湘君、湘夫人与舜的爱情故事，缠绵悱恻，成为千古绝唱。湘君、湘夫人是指尧的两个女儿，又名娥皇、女英。她们都爱上了舜，听说舜南巡，就一路追寻到湘江，不想舜已死而葬苍梧山，于是两人恸哭不已，泪洒青竹，竹皮上泪痕斑斓，称为"湘妃竹"。后来，娥皇和女英投湘江而死。

话说中国 1046

> ：相传舜死在苍梧，他的两个妃子娥皇和女英听闻噩耗，伤心痛哭，泪水使湘江两岸的竹林留下斑斑泪痕。

公 元 前 2 0 7 0 年 〉 〉 〉 〉 〉公 元 前 1 0 4 6 年

夏
商

前言

公元前 2070 年至公元前 1046 年
中国历史上最早的两个王朝
夏商

杨善群　郑嘉融

> 在原始社会瓦解以后，夏商二代是中国历史上出现的最早的两个王朝。原始社会公有制和首领的禅让制是如何变成财产私有制和君位世袭制的？当时国家统治的疆域有多大？官僚机构、军队、法律等是如何形成和运作的？当时的农业、手工业、畜牧业、商业发展得如何？历法的制定和文字的使用已完善到什么程度？当时实行什么样的社会制度？这种制度的后果如何？在社会发展中产生怎样的影响？了解以上这些内容，对于我们认识中国古代文明，都是十分重要的。

由"公天下"到"家天下"的演变 > 从民主平等的原始社会到一部分人剥削、压迫另一部分人的阶级社会，是一个渐变的过程，其间有较长的过渡时期。这个时期从传说中的黄帝时代已经开始了，中经尧、舜、禹直到夏代前期，大约经过了数百年的时间，才完成了这种转变。黄帝部落在战胜炎帝、蚩尤等部落后所建立的部落联盟，已经不是原来按血缘关系组成的集合体，而是按地域结合、部落之间没有亲属关系、跨越地区相当广大的联合组织。它是国家的萌芽形态。部落联盟的首领形式上是由联盟议事会推举产生，实际上则是被实力强的部落首领所操纵。尧传舜、舜传禹的"禅让"，是由部落联盟首领选定一个接班人而进行的，其选定权完全在首领本人。这些首领之所以不选自己的儿子为接班人，有很大一个原因是迫于公众舆论的压力。尽管这样，当时的每一次"禅让"，传子与传贤这两种方案都要经过激烈的斗争。 > 在禹担任部落联盟的首领后，他的权势更加显赫。据史书记载，禹曾经在涂山举行诸侯大会，有上万个国家的首领拿着美玉和丝帛前来参加。可见禹的号令已能指挥如此多的国家。后来，禹又在会稽山召集诸侯，有一个防风氏的国君迟到，禹就把他斩首示众。禹轻易运用刑罚杀戮诸侯，他俨然已经是一个统治天下的帝王了。 > 禹还发动了攻伐三苗以及其他少数族的战争，因夺得大量财物和奴隶而富裕起来。 > 如此煊赫的权势，如此众多的财富，禹怎么肯轻易拱手"禅让"给别一家族的人！可是，迫于传统和公众舆论的压力，禹在表面上也装出要让贤的样子。禹开始时表示要把首领的职位让给皋陶，可惜皋陶很快就死了。后来禹又表示要让给伯益，但在暗中却积极为自己儿子启的夺位创造条件。禹把文武百官都换成启的亲信，又让启在诸侯各国中培植势力。到禹去世时，启已经羽翼丰满，实力强劲。经过一场激烈的争夺，启终于战胜益而登上了帝王的宝座。> 启登帝位后，就公开宣布君位由父子世袭的制度。这样，原来的"公天下"便变成了"家天下"，启建立了中国历史上第一个君位世袭的王朝。禹所在的部落原以"夏后氏"为号，因而启所建立的王朝也定名为"夏"。夏朝已经有了领土疆域的划分，史称"芒芒禹迹，划为九州"，可见夏代曾把国内划为九个区域进行统治。夏朝也有了对内维护统治和对外进行征伐的军队，禹征三苗时称他所统领的军队为"济济有众"。为制止邪恶的行为和镇压人民的反抗，夏朝还订立了刑法。史称"夏有乱政，而作《禹刑》"。疆域、军队、刑罚这些要素既然已经具备，作为统治工具的国家就产生了。从此，开始了阶级之间压迫剥削和反抗斗争的历史。

> 夏王朝统辖的地域以今河南西部的伊洛一带为中心，东至今山东、江苏的海滨，南至今湖北、湖南、安徽、江西的长江流域，东南到达今浙江北部，西至今陕西西部和甘肃东部，北至今山西、河北北部。在这些区域内的中原华夏族和四周少数族的众多邦国，大都臣服于夏王朝的统治之下。夏朝的都城曾经过多次迁徙。禹建都阳城，即今河南登封县告成镇。太康迁都于斟寻，在今河南洛阳市东。其后，夏都又曾迁到原(今河南济源县西北)、老丘(今河南开封市东)、安邑(今山西夏县西南)等地。> 当夏朝的王位传到桀时，政治、经济各方面都出现了危机。桀迷恋于宠妃妹喜，胁迫人民建造豪华的宫殿，征发百姓服繁重的苦役，又贪婪地榨取诸侯的财物，杀戮敢于进谏的贤臣，造成诸侯、大臣和民众的普遍不满和反抗。在夏朝内部矛盾重重、众叛亲离的情况下，夏朝东南的诸侯国君商汤乘机起兵，攻灭夏朝。夏桀在战败后被流放，死于南巢，即今安徽巢县。> 夏朝虽然是由启夺取王位而正式建立了世袭王权制度，但禹实际上已经形成国王的权力，夏朝制订的刑法也称《禹刑》，禹在表面上装作要传贤而在暗中千方百计为自己儿子的夺位创造条件。因此，禹应该是夏朝的第一位君王，夏朝的历史应该从禹算起。自禹至桀，夏朝一共传了十四代，有十七个王，其中有三人是兄弟相继的。夏朝历时有四百七十一年，大约从公元前2070年到公元前1600年。

农工各业的发展与历法的完善 > 大禹治水的成功和他致力于沟洫的水利灌溉，使夏朝的农业有了长足的发展。夏朝种植的农作物很多，有谷、稻、麦、糜、黍、菽(豆类)、瓜等。据说禹时有个人叫仪狄，造出一种美酒献给禹。禹喝了还想喝，直至头昏乏力。启也喜欢酗酒。少康还善于酿酒，发明了一种用秫即黏高粱酿造的美酒。夏朝酿酒、饮酒风的盛行，从一个侧面反映了当时粮食的丰收。> 铜器的铸造在夏代已经有了一定的规模。从夏代的文化遗址中，出土有青铜铸造的刀、锥、锛、凿、铃、镞、戈、爵(盛酒器)等各种工具、

武器和容器。据说夏朝初年，就令各地贡献上等的青铜，夏朝利用这些青铜铸造了九只具有各式图象的大鼎，拥有这九只大鼎就成为帝王的象征，可见当时铜器铸造业的发达。车辆的制造在夏朝也成为一种重要的手工业。当时有一个叫奚仲的人，由于善造车辆，当了夏王室"车正"的官，专门管理车辆制造事宜。因为他造车有功，被封于薛，成为薛国的始祖。 > 建筑业在夏代也已达到相当的水平。在夏代二里头文化遗址中，发现有一万多平方米断断续续的夯土基址，还发现有立柱的洞和基础。在河南登封的夏代文化遗址中，发现有长数十米、宽数米的城墙基槽。这些发现都说明，夏代已有规模较大的房屋宫室和城墙建筑。史书记载夏桀曾经营造高大豪华的"倾宫"、"瑶台"等建筑，这应该是事实。 > 观测天文现象在夏代积累了丰富的经验。从原始氏族社会开始已设有观察天象四时以指导农业生产的管理人员，这种管理人员到夏代就成为国家的常设官吏，它往往是一个家族世袭任职。在这种"天官"的指导下，夏代对天象的观测相当细致，并有文字记载。据《左传》转引的《夏书》记述，在当时房宿位置上发生了一次日食，人们击鼓奔走，惊恐万状。这是世界上最早的一次日食记录。 > 制订历法的工作在夏代已经开始，夏历是我国最早的历法。它定一年为十二个月，以"建寅"即冬至后的第二个月为正月，作为一年的开始。因为夏历比较正确地反映了农事的规律，故史书称"夏数得天"，孔子主张"行夏之时"，今天的农历就是用的夏历。根据经验的积累，夏代还规定了每月农事活动的大致安排，称为《夏令》。现今保存在《大戴礼记》中的《夏小正》一篇，按十二月的顺序，分别记述每个月的星象、物候以及应进行的农事。它是夏代流传下来的真实记录，包含了极珍贵的历史资料。 > 文字在夏代肯定已经产生。在出土的原始公社陶器上，从仰韶文化到大汶口文化，不断发现有几十种刻画符号，这应该是原始文字。传说黄帝的大臣仓颉造字，这完全是可能的。商代甲骨文已经是较成熟的文字，它必然是在夏代文字的基础上逐步进化而成。再说先秦著作《左传》、《墨子》等经常引用《夏书》、《夏训》等书，可见当时还保存着夏代遗留下来的典籍。夏朝有文字和文化典籍的存在，说明由公天下转变为家天下之后，夏代在经济、政治、文化各方面都有较快的进步。

国家统治机构的进一步强化 > 夏朝末年，有一个叫商的诸侯国在东方迅速崛起。商族原是黄河下游的古老部落。它的始祖名契，与夏禹同时，曾经帮助禹治理过洪水。契以下传了十四世到汤，完成了灭夏夺取天下政权的事业。 > 商部落的起源地就在今河南商丘一带，经过几次迁徙，后来又回到这里。为攻灭夏朝，汤先在商丘旧邑北面的亳(音勃)建成新都，作为攻夏的根据地。接着，汤就逐步剪灭夏朝在东面的属国，扩大自己的实力。汤首先征伐在今河南宁陵县北的葛国，取得攻夏的第一个胜利。然后，又征伐在今河南滑县东的韦国、今山东鄄城北的顾国和在今河南许昌东的昆吾。商军的攻势锐不可当，夏朝内部一片混乱，士兵没有斗志，节节败退。夏桀退到今山西安邑西郊的鸣条，与商军展开决战，被打得一败涂地。夏桀在转辗逃遁中被擒获，流放到南巢，即今安徽巢县，不久就死在那里。商汤灭夏回到亳都，众多诸侯前来朝贺，表示臣服。商汤就此登上王位，宣布商朝的建立。黄河上游的氐羌等少数族也闻讯前来朝贡，商朝的统治区域比夏朝又大大地扩展了。〉商朝前期出了几位有名的帝王。商汤的孙子太甲即位后暴虐无道，不理朝政，被大臣伊尹放逐到桐宫。过了三年，太甲悔过自新，恢复王位，又修德勤政，使商朝发展起来。由于他有政绩，后世给他一个庙号称"太宗"。到太戊时，有伊陟、巫咸等大臣辅佐，商朝又出现兴盛气象，故后世称太戊为"中宗"。〉自仲丁后，商王室又经过多次迁都，其中一个重要原因是王室的内乱。由于商朝君王的继承，传子和弟继没有明确的规定，故王室内为继位问题经常发生争乱。有的君王为避开敌对势力的干扰，只好迁都。到盘庚继位时，政治上仍较混乱，他决定再一次迁都至殷，即今河南安阳市西北。盘庚迁殷后，政治局势渐趋稳定，经济也随之发展，殷成为商代后期政治、经济、文化的中心，故商朝又称殷朝。〉国家的统治机构在商代更加完备和强化。商王掌握国家的最高权力，常自称"余一人"，表示至高无上，惟我独尊。王位的继承在前期比较乱，形成子弟争位，后期逐渐确立嫡长子继承制。在商王之下，地位最高、权势最大的有冢宰、师尹、阿衡(保衡)、卿士等官名，相当于后来的宰相。在这之下，武官有多马、多亚、多射等，文官有多尹、作册、御史等，还有管理各种事务的小臣。商代的刑法称为《汤刑》，比《禹刑》有所发展。荀子说："刑名从商"，可见其刑罚的种类已比较完备。商朝的军队组织较前更为严密。有记载说："王作三师：左、中、右。"所谓"三师"，是商王直接统率的常备军。在对外出征时，往往还要临时征集一部分兵员，称为"登人"。每次征集兵员常在三、五千人以上。商朝的神权在政治上扮演重要角色，官吏中的神职人员在决定国家的军政大事时起着重大作用。神职人员以"巫"为首，下面又有祝、宗、卜、史等，掌管祭祀、占卜等事务。〉对于统治区域，商王朝有畿内和畿外的划分，或者称为"内服"和"外服"。畿内是商王室直接统治的地区，除王都外，有不少城邑为王室诸子和其他贵族的封地。畿外是异姓的方国，见于甲骨文记载的就不下数十个。这些畿内的封地和畿外臣服的方国都要接受商王的封号，有侯、伯、子、男等爵位；同时，要向王室定期朝贡，提供力役，奉命征伐。在畿外的各地区，商王往往封某一大国为"方伯"，即诸侯之长，掌管这一地区的贡赋、征伐等事宜，如周在灭商前被封为"西伯"。商王畿的地域没有固定的界限，畿内的城邑与畿外的方国有时杂交在一起。商王畿以今河南北部为中心，并向山西、河北、山东延伸。商王朝在畿外的统治地域，向南已经到达今湖南的衡阳、宁乡和江西的清江等地。在辽宁大凌河畔的喀左县曾多次发现殷朝后期的遗物，说明殷朝的统治势力已经远伸到东北地区。

物质生产的兴盛和商业、文化的繁荣 〉农业在商代较前有明显的发展，铜制农具开始用于农业生产，已发现的有用于掘土的青铜镢和用于铲土除草的青铜铲等。甲骨文的"田"字呈很多正方形排列在一起，说明当时的田地已规划和垦治得相当整齐。在田中耕作

公元前 2070 年至公元前 1046 年
中国历史上最早的两个王朝
夏商

也比较细致：甲骨文有"劦"字，表示三人协力同耕；甲骨文的"物"字，像牛拉犁而耕，可能在商代已经知道用牛耕地。商代统治者嗜好饮酒，据说"沉酗于酒"是他们灭亡的重要原因。酿酒的主要原料是粮食，由此也可见商代的粮食已比较充裕。 ＞畜牧业在商代更加繁盛，考古遗址中曾发掘出大量的马、牛、羊、鸡、犬、猪等家畜的骨骼。甲骨文有许多商王祭祀用牲的记录，一次用大牲口多达四五百头，甚至上千头，可见当时牲畜的大量繁殖。商代还驯养象，作为驮运物品和作战的工具，象在商朝对东夷的战争中发挥过巨大的威力。商代遗址中曾发掘出象骨，甲骨文也有"获象"的记载，可知象确是商代畜牧业的特产。 ＞商代的手工业以青铜器铸造最为突出，代表了当时手工业的高度技术水平。商代的青铜器种类繁多，当作礼器、酒器和用具的有鼎、鬲(音历)、簋(音轨)、彝、尊、爵、觯(音至)、觚、盉、盘、盂等，工具和农具有斧、锛、凿、镢、铲等，兵器有戈、矛、刀、钺、箭镞等，还有铃、铙等乐器。其中礼器和酒器大都造型精美，形式各异，器物上并有瑰丽的艺术花纹。有些器物仿照动物的形态，如象尊、犀尊、龙虎尊，生动逼真，成为艺术精品。大型器物如司母戊大方鼎，重875公斤，形制雄伟，工艺复杂。这些青铜器的制造，体现了古代劳动人民的聪明智慧和非凡的创造力。 ＞随着农业、畜牧业、手工业之间的分工和发展，在各行业和地区间进行交换的商业也活跃起来。据说把贩卖货物的人称为"商人"，从事贸易活动称为"商业"，就是因为商族人善于经营这个行业的缘故。商代遗址中出土有龟甲、鲸鱼骨、海贝、海蚌、绿松石等。这些遗物有的产于东海和南海，有的产于西北，大都是商代贵族通过相互交换的商业活动而得来的。商业活动需要有货币作为中介，于是，一种以远方海边来的比较难得的贝就成了通行的货币。由于真贝不够用，就有仿制品骨贝和用铜铸造的贝。铜贝的出现，说明商代已经有了金属制的货币。作为货币的贝的作用日益提高，贝成为财富的象征。一些有关财富的字都从贝，如财、货、贿、买、赏、贫、贾等字陆续出现。商业的活跃促使货物的交流，生产的发展，同时也为奴隶主贵族的奢侈生活创造了条件。 ＞文字的出现是文明程度的重要标志。已经发现的商代文字，有刻在龟甲和兽骨上的，称为"甲骨文"。因为这些文字都是占卜后写成的，所以又称"卜辞"。还有一种铸在青铜器上的文字，称为"金文"。甲骨卜辞已发现十几万片，连同金文的单字有四千个左右，已能正确识读的有一千多个。从这些字的结构来看，象形、会意、指事、形声、假借等造字方法都已具备。今天的汉字，就是由商代的甲骨文和金文演变来的。 ＞在宗教迷信盛行的商代，统治者凡事都要进行占卜。占卜时的提问、卜兆的吉凶、神的指示、事后的应验都要刻在甲骨上。因此，甲骨卜辞的内容非常丰富，是反映商代国家大事和社会生活的百科全书。除甲骨卜辞外，商代还有大量的文献记录。史称"殷先人有册有典"，"册"是用索带串编起来的写字的竹简，"典"是文化典籍。如《尚书·盘庚》有上中下三篇，一千三百多字，是商代重要的文献资料。 ＞历法在商代又有改进。殷历以月的圆缺确定大月为三十天，小月为二十九天；又与太阳的回归年相参校，适时在年终增加一个十三月。这是在历法上设置闰月的开始，使历法渐趋科学和完备。 > 音乐在商代也已达到相当高的水准。当时已能用金、石、竹、木、革、丝、陶等制成各种乐器，现已发现的商代乐器有陶埙、石磬、铜玲、铜铙、鼓等。传说商代已能用各种乐器配合，奏出《大护》、《晨露》、《九招》、《六列》等优美动听的乐章。商代遗址中出土的一件大石磬，长84厘米，高42厘米，上有瞪目张牙的虎形浮雕，是具有很高价值的艺术精品。

公元前2070年至公元前1046年
中国历史上最早的两个王朝
夏商

残酷的奴隶制剥削及其后果 > 上述商代工农业生产和文化艺术的发展，都是建立在奴隶制度的基础上的。奴隶制度从夏代开始成型，到商代达到鼎盛时期。奴隶的主要来源是战争。商代曾向周围各部落、方国发动频繁的战争，俘虏到大量奴隶。甲骨文中有许多"俘人"、"获羌"的记载。有时，商朝征服比较原始的氏族部落，整个氏族或部落都成为商朝的奴隶。奴隶从事各种生产劳动：作农业生产的奴隶称"众"、"众人"，他们都被强迫在农田中集体耕垦；从事手工业生产的称"工"、"百工"，被强制在手工业作坊中干活；从事畜牧业的称"刍"、"牧"，做放牧牲口的杂务；还有家内奴隶称"臣"、"妾"、"婢"、"仆"，为王公贵族的奢侈生活服务。 > 奴隶们一无所有，不仅他们的劳动成果被奴隶主无偿占有，就是他们的人身也是奴隶主的私有财产，任凭奴隶主的摆布。为防止奴隶逃亡，奴隶主还要给奴隶的身体带上各种刑具。奴隶主生前胁迫奴隶从事各种劳动，死后还要奴隶陪葬，叫做"人殉"。陪葬的奴隶有活埋的，称为"生殉"或"活殉"；有杀死后再陪葬的，称为"杀殉"。许多商代奴隶主的墓葬中，都发现有被殉葬的奴隶，少则数人、几十人，多则几百人。在祭祀上帝和祖先神灵时，商王和贵族们又要杀戮大批奴隶作为供奉神灵的牺牲，称为"人祭"。人祭的数目据卜辞记载，有多达五百人的。在河南安阳附近的一个商代祭祀场中，发现被当作人祭的奴隶遗骸一千多具，其中男性青壮年都被砍去头颅，尸骨狼藉，其象惨不忍睹。 > 残酷的剥削压迫，必然引起强烈的反抗。商代后期，奴隶们经常逃亡，使奴隶主贵族大伤脑筋，因而在卜辞中有许多"丧众"还有"不丧众"的询问。有一次，王室的奴隶成群的逃走，商王下令追捕。由于逃亡奴隶的英勇机智，很快渡过了河，逃得很远。商王派出大批人员进行搜捕，到第十五天，才把这批奴隶抓回来。除了逃亡以外，奴隶们还焚烧仓廪，举行暴动，使商代统治者胆战心惊。 > 商代后期，许多君王只知享乐，荒淫残暴，更加深了社会的矛盾。到商王纣时，迷恋宠妃，大造离宫别馆，贪婪地搜刮诸侯和人民的财富，又滥施酷刑，杀戮忠臣，草菅人命，使亲属和大臣纷纷逃离，人民群众怨声载道。商纣还向东夷用兵，耗费大量的人力物力，加深了同周边各族的矛盾。在众叛亲离的情况下，商纣政权被西边崛起的周族联合其他诸侯势力一举推翻。商殷奴隶制王朝由汤开始建立，至纣灭亡，一共传了十七代，三十个君王，大约从公元前1600年到公元前1046年，经历了五百多年。

133

公元前2070年　夏　公元前1600年

夏代活动区域图

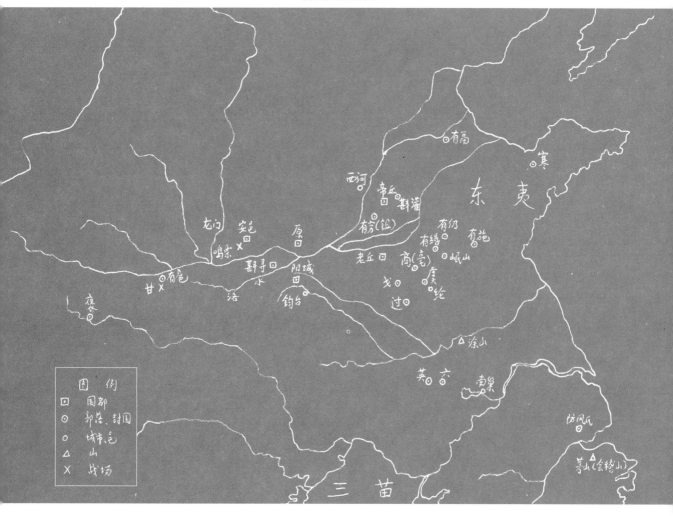

图例
　□　国都
　⊙　部落、封国
　○　城市、邑
　△　山
　×　战场

有鬲
寒
西河
帝丘　斟灌
东夷
有仍　有施
有虞　岷山
有穷(鉏)
老丘　商(亳)
斟鄩　阳城
龙门　安邑
鸣条×
甘×有扈
褒
有莘　原
戈　过　纶
洛　钧台
涂山
英　六　南巢
防风氏
茅山(会稽山)
三苗

夏代世系表

1禹　2启　3太康
　　　4仲康　5相　6少康　7杼　8芬　9芒　10泄　11不降　14孔甲　15皋　16发　17履癸(桀)
　　　　　　　　　　　　　　　　　　　　　　　　　　　12扃　13胤甲

夏朝的第一位君王是禹。因为禹的包庇，导致其子启的篡位，使帝位的禅让制变成了世袭制，建成了中国历史上第一个奴隶制王朝。从此，元首与大臣共同治理的天下，变成了一个家族统治的天下。禹原来要把天下禅让给益，其子启篡夺帝位后，就尊父亲禹为夏朝的创立者。夏朝建立的刑法制度，就称为"禹刑"。因

禹娶涂山女

在治水过程中一次偶然的相遇，禹与涂山女就结为夫妻。婚姻真有缘分吗？

此，夏代的故事应该从禹讲起。

禹的身世与迁徙

禹的父亲叫"鲧"，是黄帝和帝颛顼的后代。鲧娶了有莘氏之女，叫"女志"，又说叫"女嬉"、"女狄"或"修己"。女志年岁已大，却未有生育。一次，她在砥山玩耍，采食了薏苡。薏苡是一种有穗的植物，俗称"药玉米"。女志吃了薏苡后，觉得肚子有异样感，因而怀孕。也有的传说说她是吃了神珠而怀孕的。过了几个月，女志难产，剖腹而生下禹，取名"文命"，又字"高密"。高密出生时，他们的家还在西羌，即今陕西西部、甘肃东部和四川北部一带。后来，禹随鲧向东迁居到今河南中部的嵩山附近。

路经涂山遇知音

禹青年时期就跟着父亲鲧治理洪

山东嘉祥县武梁祠东汉画像石大禹像

汉代画像石、砖中有许多三代历史、传说的描述。山东嘉祥武梁祠东汉画像中有一张大禹手中持器、头戴斗笠、上身穿宽袖衣、下身穿裳、足穿方口鞋的拓片。大禹曾治水，是夏朝创始者启的父亲。

填补空白的农具

耜出土于长江流域，同期出土的大量人工栽培粳、籼稻以及骨耜、骨铲等农具的发现，表明我国早在7000年前已进入"耜耕"阶段，填补了国内新石器时期考古史"有粳无籼"的空白。

> 历史文化百科 <

〔夏代纪年的研究〕

中国历史有确切可靠的纪年是从公元前841年西周共和元年开始的。从这一年往前的纪年只能知道一个约数。夏代历年有《竹书纪年》的471年和《帝系》等书的432年两说，后说当不包括羿、浞代夏的"无王"阶段，故应以前说为是。近年来中国学术界汇集200余位各学科专家，推定夏商的分界在公元前1600年。再往上推471年而取其整数，得出夏代纪年为公元前2070－前1600年。

公元前2113年 — 前2006年

前2113年
前2006年

世界大事记 乌尔第三王朝时期，两河流域南部进入青铜时代，生产力和奴隶制都有新的发展。

《吕氏春秋·音初》
《吴越春秋》卷六

禹 机遇 《吕氏春秋·音初》
涂山女 灵感 《吴越春秋》卷六

人物 关键词 故事来源

水，来往奔波于东西南北各地。有一次，禹来到涂山，即今安徽怀远县东南淮河南岸的一座小山。禹看见一位女子，心中很有好感。那位涂山姑娘，见禹虎鼻大口，身材魁梧，英俊潇洒，也动了心。禹因任务紧急，没有留下来与那姑娘细谈，就继续往南勘测水土。涂山之女思禹心切，便命她的妹妹守候在涂山南面禹回来必经的路上，并作歌唱道："等候我心中的人啊！"这歌声被当时搜集民歌的"采风"人员记录下来，作为"南音"而编入《诗经》中的《周南》一组诗歌中。过了一段时日，禹回来又经过涂山，看见

羽人的舞蹈

云南沧源的陡峭崖壁上，描绘出头插羽冠的巫师，他们舞蹈的同时，也在进行着一场宗教仪式。人物造型古拙，画面充满原始宗教色彩，是中国西南地区岩画的代表。

祈求丰产的红陶鬶

红陶鬶是新石器时代良渚文化的典型器物。陶胎隐约呈红色，并夹杂有细砂。口沿外卷，中间凹下。红陶鬶脖颈短小，颈腹间界限明显。与一般陶器相比，腹部鼓凸，与腹下三个大袋足界限模糊，腹侧有一环形扳。鬶是古代三足带把的水器或者是酒器。与一般的陶鬶相比，这件红陶鬶的特点是腹部较小，三足粗短。鬶的外形被认为是典型的仿人体作品，是人类生殖崇拜的象征或者是丰产的巫术表现。

涂山女的妹妹还守候在那里，知道自己与涂山女情有缘分，便决定娶她。禹和涂山女那天晚上来到古代男女私约的"台桑"，又叫"桑中"之地幽会，两人情投意合。禹便带着涂山女北上，回到家乡，结成夫妻。

九尾狐光临必有好兆

还有一种传说，说禹治水来到涂山，见天色已晚，决定在涂山住一宿。禹心想自己年龄已大，应该是娶妻室的时候了，便在房中自言自语道："我要娶媳妇了，一定会有合适的人来相会。"当时，便有一只九条尾巴的白狐狸来到禹的住处。禹见后高兴地说："白色，是我衣服的颜色；九条尾巴，是我将来要当王的证明。涂山有首民歌唱道：'美丽光洁的白色狐狸，九条尾巴摔摔打打；我的家庭有吉祥好兆，九尾白狐来做宾客而成为君王；有了妻室而成立家庭，我将达到昌盛的彼岸；天人之际事情微妙莫测，应该抓住这个时机赶快进行。'有这首涂山民歌为证，事情就十分明白了啊！"于是，就娶了个涂山女，名叫"女娇"。

后来，禹登上帝位，建都阳城，即在今河南登封市东南。涂山女因为思念故乡，就在阳城南筑台遥望故乡，人称"涂山台"或"青台"，台基至今犹存。禹因治水奔波娶了个远方之妻，可以说是一种姻缘和巧合。

> ：夏朝的开创者、治水的大禹。 137

〇四八

三过家门而不入

新婚欢乐突发变故

禹在新婚后第四天就踏上治水的征程，儿子启出生也顾不上照看。他的伟大精神，怎不令人感动！

治理洪水历尽艰辛

正当禹娶了涂山女娇，夫妻沉浸在新婚欢乐中的时候，禹的家里突然发生了变故：禹的父亲鲧因为治水毫无成绩被舜处死，舜命令禹接替鲧的职位，继续主持治水工作。

对于这突如其来的打击，禹的心里万分悲痛。他想，父亲日夜操劳了九年，由于治水不得法，洪水仍然横行大地。人民的生命财产受到水害的袭击，生活在痛苦的深渊中。父亲的被杀虽然含有帝舜对鲧个人的私怨在内，但他对天下人民造成了巨大损失，也是罪有应得。现在，帝舜命令自己继续完成父亲的事业，这是对自己的信任和器重。禹心里想：自己一定要总结经验，把洪水驯服，将功补过，这样才能不辜负帝舜和广大人民的期望。于是，他不顾新婚燕尔，在婚后的第四天，便背起行装，告别妻子，踏上治水的征程。

禹在主持治理洪水时，邀请大臣益和后稷，共同合作。当时天下大雨，洪水正肆虐咆哮，禹首先教人民爬到高坡丘陵上，积聚树枝柴草，在那里暂避水害；又使益给民众一些稻谷的种子，令他们种在湿润的地方，以弥补庄稼被冲走的损失；再命后稷给饥饿的民众一些粮食，使他们能维持生计。同时，他还要求当地人民出来配合，在需要开挖和堆积土石的地方，大家一齐出力，加快工程进度。民众知道治水是为了自己和子孙万代的利益，所以都踊跃参加，形成轰轰烈烈的治水场面。

为了使治水有一个统一的规划，禹带着一批人走遍祖国大地。他们陆上乘车，水中乘船，泥中乘橇，山上乘檋。橇形如船而短小，两头微起，穿在脚上向前滑行。檋是在鞋下加的铁锥头，有二齿：上山，前齿短，后齿长；下山，前齿长，后齿短，在山上行走不会蹉跌。禹依靠着这些原始的交通工具，走过一座山，就插上一块木牌作为标记，定下高山、大川的名字，记录在治水的地图上。

据说，禹治理洪水，东西南北都到了极远的地方。《诗经》上说："丰水东注"，是禹治理的功绩。"丰水"在今陕西西安市西南。又说：高高的"梁山"，是禹治理过的。这座梁山，在今河北省北部。据不少史书记载，禹治理洪水，还到过"裸国"。那里的人民都不穿衣裳，赤身露体。禹到"裸国"，自己也解下衣裳，入乡随俗，

三过家门而不入的夏禹

禹是夏后氏部落的首领，受舜之命治水，三过家门不入。因治水有功，受舜禅让成为炎黄部落联盟的首领。像中禹王着衮冕，衮冕是古代天子礼服的一种，由冕服、冕冠、蔽膝、大带、佩绶等组成。冕冠形制代代相传，往往只作局部改动。

前2113年
公元前2113年 — 前2006年
前2006年

世界大事记　乌尔第三王朝时期，制定了现在所知最早的成文法典——《乌尔纳木法典》，主旨是保护奴隶制和私有制。

禹
涂山女

三过家门而不入

勤奋　坚强　胸怀

《孟子·滕文公上》
《韩非子·五蠹》

人物　典故　关键词　故事来源

1046

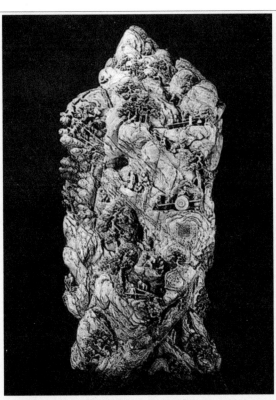

生动再现大禹治水的故事

大禹治水的故事在历史上广为流传。黄河流域是中国水患不断发生的地区，禹采取疏通河道，导疏洪水的方法终于制服水患，在治水的过程中，禹三过家门而不入。后人用很多美好的语言来歌颂他的不朽功绩，这件乾隆年间的玉石山子，就记录了这个传说，是古代最大的玉雕陈设品。

和那里的人民打成一片，没有一点特殊化的样子。直到治水任务完成、要离开裸国时，禹才重新穿起衣裳，系上衣带。禹至裸国，"解衣而入"，成为治水过程中一则广为传颂的佳话。"裸国"一定在南面天气比较炎热的地方。有人说是在"吴郡"，即今江苏南部和浙江北部；有人说在"桂林"，即今广西境内。《左传》上说："芒芒禹迹，划为九州"，意即禹治理水土，把整个中国大地划为九个州。在一次部落联盟的议事会上，禹曾向帝舜报告他治水的成果："我用全力忙于治理水土的工作。同时，把天下的地区分为'五服'，即五等服从的

区域，一直到距离王城五千里的地方；把全国分为十二州，每州各选定诸侯中之贤者为州长；把疆土扩展至四海，并在每五个诸侯国君中选定一贤者为长，这些诸侯之长都能根据要求建立功业。"这些话虽然可能有夸张的成分，但治水所到之处异常广阔，在治水的同时对各地的行政区划也作了整顿，这是无疑的。

伟大精神世代传扬

在如此广阔的中国大地上治理洪水，又做了那么多行政区划工作，禹的确是太辛苦了。传说他这一次出外治水，经历了八年，一说十三年，曾三过家门而不入。涂山女新婚，在禹出外治水时已经有孕在身，经过十月怀胎，当禹的儿子启出生呱呱而泣时，禹却不能来照看，尽到一个父亲的责任。在这十三年里，他身带耒、锸等挖土工具，手执准绳、规矩等测量仪器，事事处处为民先导，走在群众的前面。由于长期的劳累，吃不好，睡不着，禹的身体变得枯瘦，头颈变得细长，嘴变得像鸟儿一样尖小；他的脚上长满了老茧，行路困难，一跛一瘸，人称"禹步"。他的大腿上没有白肉，小腿上没有汗毛，这都是长期泡在泥水里的缘故。禹为民治水，有如此伟大的精神，创造出如此伟大的功绩，故后世人称颂他为"大禹"，意思就是"伟大的禹"。

> 历史文化百科 〈

〔夏商时代民居建筑的基本形制、建筑材料〕

夏商时代的民居从建筑平面而言，大体有方形、圆形、不规则形，面积大小不一。从墙体建筑材料而言，有用植物茎秆作里而外抹泥土的所谓木骨草泥墙，有没有木骨而用草泥堆砌成的泥垛墙，有用夹板版筑法层层加高筑成的夯土墙，还有土坯墙。从屋顶形态而言，有圆顶尖窝棚式，有人字形屋顶，还有平顶式、斜坡式和四面坡式屋顶等等。

○四九

巫山神瑶姬

传说禹治洪水，得到许多神仙的帮助。长江三峡的巫山神瑶姬，即是其中之一。

大禹在全国广大的区域内治理洪水，当时的生产力十分低下，挖土和交通工具都很原始，要完成如此艰巨的任务，确实是难以想象的。在一些人看来，禹治洪水能取得这样伟大的成绩，一定是有天神相助。于是，在科学水平还相当落后的情况下，人民就编出了许多神仙助禹治水的故事，这自然也表达了人民的愿望。

河精授图

据说在禹初接到帝舜任命他继续主持治理洪水时，他精神恍惚，一筹莫展，不知怎么办才好。禹独自一人在黄河边观看、徘徊，希望能思索出一个治水的良策来。忽然，有一个长人在河面上冒出，他的脸像人，面孔雪白，而身子却像鱼。他对禹说："我是河精。"又告诉禹："文命治水。"所谓"文命"，就是

禹的名字。说罢，授给禹一张《河图》，又沉入河底不见影踪。禹打开那张图，图中画的都是治水的规划、方案。禹茅塞顿开，心中忽然一亮，对治水立刻有了信心。那张图成了禹治水成功的法宝。

山神宝书

还有一则神话故事，说禹因治水在外一连奔波了七年，闻音乐不听，过家门不入，帽子歪了顾不得扶正，鞋子掉了顾不得穿上。一心要想治好洪水，苦于无人指点，功效甚微。有一天，他忽然发现一本书，名《黄帝中经历》，上面写着："在九山东南，有一天

带调味附件的食器：新石器时代仰韶文化彩陶簋形器
这件器物造型非常奇特，它的造型很像商周时期的簋形器，从形体分析它应是盛放食物的，而它的一边附有一小斗可能是放置调料用的。

2000000—1040 夏

禹　瑶姬　机遇　灵感　《吴越春秋》《集仙录》卷六

人物　关键词　故事来源

柱，号叫'宛委'，赤帝在此宫中。这座山岩之顶，有一宝书，下垫纹玉，上覆磐石，书是金简，青玉为字，镶以白银，文皆突起。"禹见此记载，便向东巡察，登上南岳衡山。他杀了白马，以白马的血祭祀，希望得见宝书。禹在山上仰天大叫，见到一位穿着红绣衣的男子，自称"玄夷苍水使者"。听说天帝使文命在此，故来等候，将告诉禹一个重要的日期。他要禹务必谨慎对待，切勿当作儿戏，然后就对禹说："欲得我山神书者，祭祀于黄帝岩岳之下，需穿整洁衣服，戒除嗜欲。到三月庚子那天，登山揭石，金简之书就在里面。"禹听后拜退，虔诚斋戒。到三月庚子，登上宛委山，果然得到金简之书。禹读金简玉字，领悟得治水的道理，自此，效率倍增，很快就大功告成。

瑶姬显灵

禹治洪水，据说又曾得到巫山神瑶姬的帮助。瑶姬原是炎帝的小女儿，她在巫山游玩，不幸身亡，葬于巫山之阳。她的精魂化为灵芝草，成为巫山之神。巫山峰岩挺拔，林壑幽丽，巨石如坛，风景奇特，瑶姬常出来游玩。当时大禹治水，驻在山下，大风突然刮起，崖谷振荡，不可遏制。禹在避风时与瑶姬相遇，便拜而求助。瑶姬即命令侍女授禹"策召鬼神之书"，又命其神狂章、虞余、黄魔、大翳、庚辰、童律等，助

壁薄如"纸"的高足杯

山东安丘县出土，属龙山文化，当时黑陶酒器的制作工艺达到高峰，有"黑如漆、亮如镜、薄如纸、声如磬"的特点。这件细泥黑陶杯，壁厚仅0.1—0.2厘米，制作精细，杯柄上有弦纹及三角形镂孔，是酒器文化的代表作。

禹凿石疏波，开挖堵塞之处，以导其流。禹受此帮助，叩拜道谢，却不见了瑶姬踪影。禹想寻找瑶姬，登上高山之巅，仿佛瑶姬身化为石；再转身一看，又倏然飞腾，散为轻云；忽而又油然而上，聚为夕雨；有时化为游龙，有时化为翔鹤，千态万状，捉摸不定。禹疑其狡狯怪诞，不是真的仙人，便问童律。童律答道："瑶姬现在叫'云华夫人'，为王母之女。她不是胎生之形，而是西华少阴之气，故变化无穷，岂止于云、雨、龙、鹤、飞鸿、腾凤啊！"听了此言，禹方信以为真。

禹始终不死心，一心想找到这位云华夫人。他登上山去，但见云楼玉台，瑶宫琼阙，如入仙境。周围有狮子站立，天马行空，毒龙吐焰，电兽放光，八威皆备。在云雾深处，只见夫人坐于瑶台之上，旁边有灵官侍卫，不可名识。禹赶忙上前拜见，述说来此治水之事。瑶姬便命侍女容华拿出丹玉之书授给禹，上有治水宝文。禹得到治水宝书，又得到庚辰、虞余诸神相助，辟山导水，大见功效。

有的史书记载，巫山有十二峰，峰峦直上云天，山脚直插长江之中，甚为壮观。在这十二峰中，要算神女峰最为纤丽奇峭，有真仙人托居其上。每年八月十五日夜月明时，便有丝竹音乐之声在峰顶缭绕，山猿齐鸣，到天亮才逐渐停止。夏禹曾来此峰见过神女，得到所授的"符书"，因而治水得以大功告成。所谓"神女"，就是炎帝之女瑶姬所化。

○五○

开凿龙门

一项伟大的工程，一个美丽的传说。禹的功绩，世代称颂。

大禹在治水的过程中，经历了各种艰难险阻。当时工具简陋，设备落后，全凭禹聪明的才干、顽强的毅力和人民群众的支持，才克服一个又一个困难。其中，最艰难的一个工程，是开凿龙门。

拓宽峭壁，粉碎巨石

龙门的位置在今山西河津市西北和陕西韩城市东北的黄河中。当时的龙门，两岸悬崖峭壁，中间有一狭窄的口子，口子中有不少巨石挡住水的通道，这样从上流而来的黄河水不能通畅地流下，就泛滥于两岸的沃野，冲毁庄稼和人民的住宅，人民陷入洪水的包围之中。禹一边领导人民开凿两边的峭壁，将水道拓宽；一边粉碎河中的巨石，搬掉拦路虎。龙门经过禹的开凿、整治，水流能顺利畅快地通过，两岸的庄稼和住宅不再受淹，人民又开始过上平安的生活。开凿龙门后，黄河顺流而下，经过华阴的弯道折向东流，一直通向大海。

由于龙门的开凿，这里的水流变得清澈缓慢，引来了大批游鱼。据说每年的暮春三月，总有数千条黄鲤鱼从海上争来赴会，这些江海大鱼只要跳过龙门，就能变成龙；跳不过去只能退回去继续为鱼。据说每年能跳过龙门的鲤鱼不过七十二条。这些鲤鱼，初登龙门便有云雨随之而来，接着就化为龙。"鲤鱼跳龙门"，成了

禹开凿龙门后黄河上的一大壮观。

疏导大河，顺利入海

除了开凿龙门，把黄河水顺利地导入大海外，禹还疏导过以下几条大河：一是从嶓冢山开始疏导漾水，向东流为汉水，再向东流为沧浪之水，经过三澨水，到大别山，向南流入长江，再向东汇成彭蠡泽，即现在的鄱阳湖，然后东流入大海。二是从岷山开始疏导长江，向东别出一条支流称沱水，再向东到澧水，经过九江到东陵，继续向东为长江，然后流入大海。三是疏导沇水，东流名为济水，流入黄河，河水流溢而成为荥泽；然后从陶丘北面向东流去，一直流入菏泽；再向东北和汶水会合，又向北流，然后折向东流入大海。四是从桐柏山开始疏导淮河，向东和泗水、沂水相会，再向东入海。五是自鸟鼠山开始疏导渭水，向东和沣水相会，再向东和泾水相会，然后经过漆水、沮水，流入黄河。六是从熊耳山开始疏导洛水，向东北与涧水、瀍水相会，又向东与伊水相会，然后向东北流入黄河。上面所说的长江、黄河、淮河及

洪水神话时代的英雄
治水英雄大禹到会稽巡视，死于此，后人就在这里修筑了陵墓。禹陵是大禹的葬地，山色秀丽，文景交融，是中国东南久负盛名的胜迹之一。禹像两侧的楹联，"江淮河汉思明德，精一危微见道心"，既概括了大禹治水的业绩，也表达了后人对他的崇敬与怀念。

新疆地区的原始农业十分发达:

新疆东部卡诺村出土的石磨盘与石磨棒是4000年前新石器时代的文物。这儿出土的文物文样与中原出土的文物相近，这副石磨盘、棒与下汤遗址出土的世界上最早的两副石磨盘、棒外形非常相近，表明这个地区的农业在当时已经非常发达，人们开始过着定居的农耕生活。

其支流，经过禹的整治，流水通畅，面貌都大大改观。

建设水库，旱涝保收

在疏导河水通往大海的同时，禹还制定了一个"锺水丰物"的治水方针:利用一些泽、薮、洼地聚积一定的水量，称为"锺水"，就像现在建立小水库那样;在天旱需要水的时候，如耕种农田、放养牲畜、生活饮用等，就放出丰富的水源来供给百物使用，这就称为"丰物"。尤其令后人称颂的是，禹在治水中还做到了"尽力乎沟洫"，即把治水和修治农田结合起来，在农田里开出沟洫，既可以排除积水，又能通水灌溉。凡是禹治水经过的地方，农田里都有纵横沟洫可排可灌，成为旱涝保收的高产田。

千秋功绩，后人景仰

禹经过十三年的艰苦奋斗，治水成功，人民纷纷

> **历史文化百科**

〔夏商时代人的主食〕

夏时期人们的食粮，大体可用"北粟南稻"以概之，当然还有麦、黍、高粱、豆等其他粮食作物。通过文献能了解到的商代谷类作物只有粟、黍、麦三种，考古发现有高粱米。说到中国古代人们的主食，有"五谷"的说法，指黍、稷、菽、麦、稻，黍即今黄米之黏者，稷指小米，菽指大豆，麦指小麦，稻指水稻。

过家门而不入的大禹

《史记》记载大禹是黄帝的玄孙，鲧的儿子。尧的时候，天下洪水滔天，民不堪其苦，鲧治水不成而被舜所杀。禹继父主持工程。禹汲取父亲的教训，采用疏导的办法，终于制服了汹涌的洪水。他工作十分忘我，曾经几次路过自家的门口却没时间进去看看家人。

从高山、丘陵迁回到平原家乡，过上平静安宁的生活。帝舜特地赐给禹"玄圭"，就是一件深青色的贵重玉器，以奖励他的丰功伟绩。

大禹治理洪水的功绩，不但给当时的人民带来巨大的利益，而且使后代受福无穷。过了一千多年，到春秋时期，周景王命刘定公去探望晋国的执政赵孟。刘定公至颍，即今河南登封市东，住在洛水边上。他看到黄河、洛水安稳地流淌，不禁想起了大禹治水的往事而对赵孟说:"多么美好啊，禹的功劳!他光明磊落的德行光照千秋!如果没有禹治好洪水之患，我们大家都已经变成鱼鳖了!我和你今天能够戴着礼帽，穿着礼服来治理百姓，视察诸侯，都是得禹之力啊!你为何不继承禹的功绩而大大地爱护人民呢?"思禹的功劳而想到爱护人民，可见禹在后世人心目中的地位了。

世界大事记：非洲埃及和欧洲克利特之间开始进行贸易，主要商品有彩釉陶和象牙等。

人物：禹
典故：一沐三捉发 一馈而十起
关键词：胸怀 仁爱 德政
故事来源：《淮南子·泛论训》《说苑·君道》

○五一

听五音治国

治水的成功使禹继舜而登上帝位。他又如何治理国家呢？

俭朴的君王勤恳办事

禹治水成功，其勤劳的品德、忧民的思想和朴实的性格使帝舜感动，故舜决定立禹为接班人，禹百般推辞，为避让舜的儿子商均而退处家乡阳城，即今河南登封市东南的告成镇。无奈天下诸侯皆不朝商均而朝禹之所在，万民不附商均而来到禹的住地，其状若惊鸟飞天，骇鱼入渊。禹见诸侯与万民如此要求，不得已而登天子位，定都于他的家乡阳城，以他的部落名为国名，称为"夏后"。禹登君位后，生活还是像以前那样的俭朴。据说他的饮食异常菲薄，却对鬼神十分孝敬，祭祀的物品丰富而又清洁。他的衣服都是粗布制的，十分陈旧，但祭祀时穿的祭服却相当精致。禹的宫室卑下简陋，他经常出现在田间，观察田地里的沟洫系统，努力改进农田的灌溉和排涝设施。

同时，他又勤勤恳恳，非常注意官吏的任用和办事的效率，接待有识之士来访，一点没有帝王的架子。据说他"一沐三捉发"，即洗一次澡中间要三次停顿，捏着湿头发出来接见来访的人；"一馈而十起"，即吃一顿饭中间要十次停下来处理紧急的公务。

挂五种乐器接待来访

为了更好地听取民众的意见，禹曾经以听"五音"来治理国家。怎样听"五音"治理国家呢?原来是悬挂钟、鼓、磬、铎(即铃)、鞀(即长柄的摇鼓)这五种乐器在宫廷前面，以接待四方的有见识者。他号令说："能教给寡人道理的，就击鼓；能向寡人说明什么是义的行为的，就击钟；能告诉寡人一些鲜为人知的事情的，就摇铃；能告诉寡人忧患的急务的，就击磬；有要求告状而进行诉讼的，就摇长柄的拨浪鼓。"禹以这样的五种乐器招徕四方之士前来进谏、告状，这在历史上是空前的。由于禹如此的虚怀大度、礼贤下士，四方的民众都来求见帝禹，人人告以善言、效其忠心，所以才形成了上面讲的"一沐三捉发"、"一馈而十起"的动人场面。

路见罪人悲痛哭泣

有一次，禹在路上看见一个被捆绑的罪人，就拍拍这个人的背哭了起来。在旁的大臣益说："这个人犯罪，应该如此，你为什么要哭呢?"禹说："天下有道，则民不犯罪；天下无道，则罪及善人。我听说：一男不耕地，则天下有受其饥饿的；一女不纺织，天下有受其寒苦的。我今为帝统治天下，要使民众安居乐业，各得其所。今有民触法犯罪，这是我的道德浅薄、不能教化民众的证明啊！我还听说：尧舜时的人都能以尧舜的心为心。现今寡人为君，百姓各自以其心为心，故而有走上犯罪道路的。有书上说：'百姓有罪，在我一人。'百姓中有犯罪的，这反映出我治理国家有弊病啊！所以要悲痛地哭泣。"在旁的大臣和民众听了禹的这番肺腑之言，都感动得落下泪来。

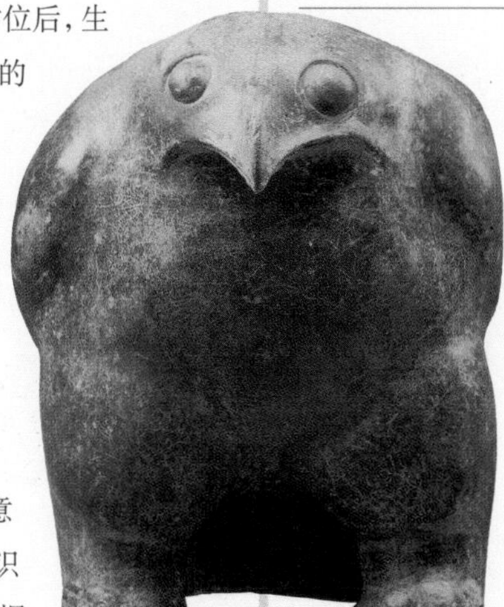

构思精良的艺术品：陶鹄鼎（上图）
泉护村遗址位于陕西省，属新石器时代，是西阴文化的主要内涵，其主要特征包括绘有弧线勾叶纹和鸟纹两种图案的彩陶器皿，陶鹄鼎是件陪葬物，但它是西阴文化及其以前时期构思制作最为精良的艺术品。

○五二

南方的叛乱势力

在中原华夏部落联盟的南部，有一个地域广大、人口众多的"三苗"部落联盟。这个部落联盟是由三支苗族的氏族部落组成，也称"有苗"。三苗所处之地约有今湖南、江西二省的大部和湖北的东南部、安徽的西南部。史书上称三苗左有彭蠡，即今江西鄱阳湖，右有洞庭，即今湖南洞庭湖；南有文山，在今江西吉安县东南；北有衡山，在今安徽霍山县西南。三苗占据着这一片湖泊、山陵地带，依恃着地势的复杂，难于进攻，便不服从中原部落联盟的领导，经常反叛，成为南方一股顽固的对抗势力。

在尧、舜执政时期，三苗对中原部落联盟时叛时服，经常发生冲突。据说有一次，有苗叛乱，禹将发兵攻伐，舜制止道："不可。我们自己的德薄，反而要用武力去征伐，这是不道德的事。"于是用了三年时间对三苗以道德进行教化，同时加强练兵。士兵们一手"执

夏代都城：偃师二里头遗址

这是一处明显带有国家权力中心色彩的遗址。这处遗址的面积约有3.5平方公里，遗址内有两处带有回廊、庭院和高台建筑的大型宫殿基址，另有铸铜、制陶、制骨作坊和墓葬，出土物中包含有鼎、爵等青铜器及璋、圭、琮、钺、戈等玉器。这处遗址的年代跨越了公元前2000年，在夏代的纪年范围内，有专家认为这是一处夏代的都城遗址。这处遗址的发现对研究夏代文化及中国文明起源有重大意义。

攻逐三苗

南方有个三苗部落联盟，不时进行叛乱。禹出动大军攻伐，使三苗土崩瓦解。

干"，即拿着防身用的盾牌；一手持"戚"，即装有长柄的斧形兵器，在雄壮的乐曲伴奏下进行操练，挥舞整齐，刚劲有力。三苗在舜的文教的感化和武力的威慑下，暂时归顺服从。后来，三苗与放逐到那里的尧子丹朱联合发动叛乱，被舜制服，三苗中的首恶分子被流放到"三危"，即今甘肃敦煌一带。但是，三苗中与华夏部落联盟对抗的恶势力并没有完全清除。到禹登上帝位后，这股恶势力东山再起，气焰十分嚣张。

奉天伐罪，广泛动员

据说在三苗发动叛乱的那些日子里，三苗聚居的地区妖魔四起，天生变异，太阳在晚上出来，连下三天血雨，祖庙中出现了青龙，狗在市中嚎哭，炎热的夏天突然冰冻，大地开裂涌出泉水，田里的庄稼五

具装饰作用的夏玉戈

二里头遗址位于河南偃师，是一个帝都遗址，许多文化遗物都出土于其中的小墓。戈本是武器，以玉制作，便成为装饰，此处戈的柄已不在，但棱角分明，说明当时的加工技术有了一定发展。

> 历史文化百科 <

〔夏商时代人的"鲜食"〕

夏商时代人们日常生活的主食是谷类粮食即所谓"根食"，还食用肉类食品即所谓"鲜食"，凡鸟兽新杀为鲜，指动物性的肉类产品，又包括了水产品。"鲜食"大体来自三个方面，一是家禽家畜，猪、犬、羊、牛、马、鸡、鸭、鹅等等；二是野生走兽飞禽，獐、兔、鹿、鼠等等；三是水产品，鱼、鳖、贝、蚌、螺、蛤，既有来自于天然湖泊，又出现人工养鱼等等。

心戮力，勇往直前。凡攻克有功者，将予以重赏。"

乌合之众四散溃逃

誓师以后，大军浩浩荡荡南下，直逼三苗族聚居的洞庭湖、鄱阳湖一带。禹的大军进入三苗地区后，三苗族也驱军前来抵御。因为禹军装备精良，训练有素，而三苗部队只是一些乌合之众，故战斗一开始，就显出了双方阵营的明显差别。禹采取"射人先射马，擒贼先擒王"的策略，一交锋就把三苗的酋长射死了。苗军丧失主帅，阵线大乱，纷纷四散溃逃。没有多久，这场战争就以中原的胜利和三苗的失败宣告结束。

三苗部落联盟土崩瓦解，出现了大动荡、大迁移。大部分三苗族人向南退却，少数逃向北方、东方，一部分向西南方迁移。这些苗民逃到各地后，逐渐融合到其他氏族、部落中去，也有些被俘而沦为奴隶。向南和向西南退却的三苗族，有些仍然保持着聚居的状态和本族的风俗习惯，后世在今湖南、广西、广东以及云南、四川、贵州等地的苗族，就是由上古的三苗部落联盟演变而来。

声威大振，纷纷来朝

禹对三苗攻伐的胜利，使原三苗族的聚居地变为夏国的领土。这一地区内的氏族、部落及其成员，就变为夏王朝的国民，接受夏朝的统治。夏王朝直接统辖的疆域大大扩展了。以禹为首的夏朝统治集团，在这次战争中俘获了许多苗民可作奴隶，掠夺了大量财富可供享用。这就为奴隶制的产生和发展提供了物质基础和劳动力资源。这一次征伐的胜利，又使夏国的声威大振，西戎、北狄和东夷的许多氏族部落，都纷纷来朝，表示愿意归顺。此后，夏、商、周三代，不再听说三苗叛乱的事。南方秩序安宁，百姓平静，出现长期稳定的局面，这也是夏禹的一大功绩。

生命的象征：新石器时代仰韶文化浮雕壁虎图陶缸
这是出自河南汝州洪山庙一个墓葬中的葬具，类似这种陶缸在同一墓中有一百余个。壁虎尾部被截后仍能摆动，人们在陶缸上装饰壁虎表现了对生命永存的追求。

谷也发生变化，人民惊恐万状。面对三苗族来势汹汹的叛乱，禹决定进行一次大规模的攻伐。

禹在攻伐三苗之前，做了许多准备工作。他先召集各地诸侯，命他们出兵支援这次行动。然后在"玄宫"祖庙举行了隆重的祭祀典礼：先祭祀天神，再祭祀祖先，祈求他们保佑攻伐取得胜利。祭祀完毕，又举行誓师大会。禹在大会上手握"玄圭"，象征着奉天之命，对参加这次战争的众多官员、士兵以及各地来会合的诸侯发布出师令。他说："各级官吏，各地诸侯，广大的士兵民众，都恭听我的命令。这愚蠢的有苗族的首领，心志昏迷，不听教化。他们多次发动叛乱，侮慢天神。在三苗地区，政治腐败，道德沦丧，君子在野，小人在位，人民痛苦，怨声载道。现在上天降罪，要惩治这些元凶。我以你们这些英武的军士，奉天伐罪。你们要同

○五三

诸侯大会

禹在妻子的家乡涂山举行诸侯大会，拿着玉帛来朝贡的有万国之多。气氛热烈，盛况空前！

阶级分化，国族林立

禹建立夏国后，由于长期生产力的发展，各家各户有了剩余产品，于是就产生了社会上一部分人剥削另一部分人的可能。在夏国周围的许多氏族部落内部出现了阶级分化，一部分原来当官的人，成了统治阶级；广大平民成了被统治阶级，受到统治者的剥削和压迫。这样，原始社会的氏族部落就逐渐演变成为阶级社会的国家。各国族间为掠夺土地、财富、人口、资源而发动的战争迅速增加。在当时天下林立的国族中，禹建立的夏国显然是最强大的。

在夏国的周围，存在着许许多多小诸侯国。这些小诸侯国的形成有各种各样的原因：一是长期以来帝王子孙的分封，如黄帝、颛顼、帝喾、尧、舜的子孙中均有分封为诸侯的。炎帝族的后裔也在各地建立了许多氏族部落。二是贤人、功臣的分封，如禹就曾封皋陶的后代在英和六，英在今河南固始县东北，六在今安徽六安市。这些分封的后代都建立了小诸侯国。三是夏族自己的分封。据史书记载，自禹登位后，自己及其后的继位者都分封其亲戚子孙到各地建立侯国，并且以其所建之国名为姓。其中有：有扈氏、有男氏、斟寻氏、彤城氏、褒氏、费氏、杞氏、缯氏、辛氏、冥氏、斟戈氏等。四是周边非华夏族，如东夷氏族部落联盟的首领太皞、少皞、蚩尤等。在华夏部落联盟中任职的皋陶和益，原都是东夷氏族部落的酋长。这些东夷氏族部落，这时也演变成了小诸侯国。

涂山诸侯大会盛况空前

为了检阅天下究竟有多少诸侯国，建立各诸侯国的联盟，维护夏国对各诸侯国的统属关系，禹决定召集一次诸侯大会。大会的地点定在黄河和长江之间，东夷和华夏中间的涂山，在今安徽怀远县东南。这个地方位置适中，各诸侯国来此距离都不远，可以吸引众多的诸侯国来参加。同时，涂山是禹妻子的故乡，禹因治水和其妻首次在这里相会，二人一见钟情，在此缔结良缘，因此在这里举行诸侯大会，特别富有纪念意义。

四方赶来的诸侯国首领多达万人以上，他们都带来了朝贺的礼物，大国献玉，小邦献帛，即丝织物。史书记载当时的盛况说："禹会诸侯于涂山，执玉帛者万国。"在这次大会上，首先举行了隆重的祭天地仪式，表示禹是受命于天帝，是天之子，而各国也是因为得到天帝和地神的保佑才能生存发展的。然后，奏起大夏之乐，表演气势宏伟、刚劲有力的舞蹈。许多从边远地方来的邦国首领，欣赏了这声情并茂的乐舞，看到如此庄严的祭祀仪式，都赞美中原的先进文化。特别是在大夏乐舞中，歌颂了禹的治水之功和夏军的威武雄壮，大家

国家诞生的前奏：淮阳平粮台龙山文化城址
龙山文化时期中原地区出现了许多的城堡，早期城堡的出现证明社会已经发展到了更高的形态，为国家的诞生提供了前期准备。这座古城址呈方形，面积约5万平方米，属距今约4500年左右的龙山文化时期。夯筑的城墙至今仍高出地面3－5米，南城门建有门卫房，城门下发现有套接的陶制排水管道。城内发现筑有高台的排房，并有炼铜的残渣。

世界大事记

乌尔第三王朝国王伊比辛被阿摩利人击败而被俘，乌尔第三王朝灭亡。

故事来源：《左传》哀公七年和宣公三年
关键词：尊严 盟誓
人物：禹

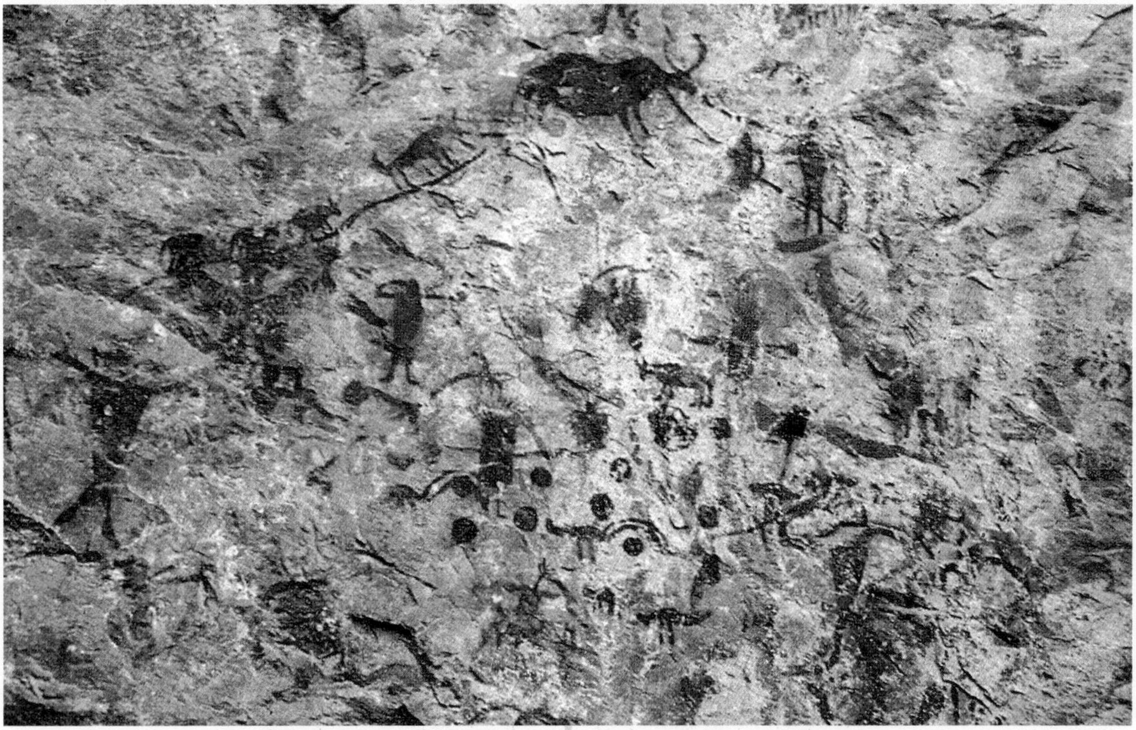

都称赞禹的功德，表示愿意臣服。禹为了显示天子的威德，扩大夏国的领域，明确与诸侯的统属关系，就对前来相会而未有封号的各诸侯正式予以册封，并和各方的诸侯协商，每年向夏王进纳一定数量和种类的贡赋。同时，夏王也将保护各诸侯国的权利，使其不受邻国的侵犯。这些来自黄河流域、大江南北以及边远地区的诸侯，表示一定要遵照天子之命去执行，团结在夏王的周围。诸侯大会在热烈祥和的气氛中取得了圆满的效果。

各方献金，铸成九鼎

涂山诸侯大会以后，禹为了将这次有历史意义的盛大集会永远记载下来，就把各方诸侯进献的“金”，即青铜，铸了九个大鼎。它标志着天下九州万国，统一于夏王的管辖之下。这九个大鼎，从此成了王权的象征。在这九个大鼎上，还铸上了许多神和奸的图像，教育人们敬重天神，驱除奸邪。涂山诸侯大会以及九鼎的铸成，是夏王朝历史上的不朽盛事。

反映原始社会生活、宗教信仰的史前岩画

岩画是古代先民图绘或凿刻在岩穴或崖石壁面上的图画。这些岩画遍布于欧、亚、非、美、澳五大洲的150多个国家和地区，研究者估计世界上遗存的岩画图像约有五千多万个。属于旧石器时代的著名遗存有法国南部和西班牙北部的洞窟岩画，到旧石器时代末和新石器时代，岩画艺术得到了飞跃的发展，史前岩画多方面地反映了当时的经济生活、社会活动、原始宗教信仰和审美观念。

历史文化百科

〔夏商时代的环境卫生〕

夏商时代，普遍遵行居地和公共墓地的分割，人畜分离。夏商遗址差不多都有当时倾倒垃圾的灰坑、灰沟或弃废物窖穴的发现。夏商都邑遗址，均有排泄污水的地下管道或明暗沟设施。还专门采集樟科植物叶片，在室内燎烤，熏杀虫害。

〇五四

用军队、刑罚、监狱加强统治

自涂山诸侯大会以后，各地诸侯定期向夏王朝进贡，夏朝的政权更加巩固，国力更加强盛。此时已经制订有各种刑法，后世称为"禹刑"。刑法规定，百姓如有违法犯罪行为，可施以"大辟"、"膑"、"宫"、"劓"、"墨"五种刑罚。"大辟"是死刑，即杀头；"膑"是挖去膝盖骨，或断足，使人终身残废；"宫"是割掉生殖器，使失去生育能力；"劓"是割掉鼻子，也是一种残酷的肉刑；"墨"是在脸上刺字，并涂以黑色，以毁坏人的面容，使人永远受到耻辱。同时，夏朝也已设有监狱，关押犯罪的人。夏王朝就是用军队、刑罚、监狱来加强对不服从的叛乱分子的镇压，以巩固其在全国的统治。当然，除了"武"的一手外，夏王朝还有"文"的一手，就是宣传道德、礼仪、教化，使诸侯、百姓恭顺地服从。

巡视东夷，进行教育

在夏王朝四方的氏族部落中，禹首先驱逐了在南方发动叛乱的三苗。三苗和东夷有很密切的关系，他们互通婚姻，来往频繁。因此，夏王朝在三苗被逐以后，对东夷，特别是东南地区夷人的动向严密关注。于是，禹常亲自到东南地区巡视。

随禹巡行的还有文武官员和一部分军队。据说有

斩防风氏

过了几年，禹又在南方茅山召集诸侯。有个叫防风氏的诸侯姗姗来迟，被禹立即斩首，以示威严。

一次巡守时，禹和随行人员一起乘船在长江中行驶，因为人众船多，惊动了江中的各种鱼类。长江中的鱼既多又大，其中鳄鱼、鲨鱼等看上去大得像一条龙。有一条黄色大鱼紧跟在船的后面，一会儿又钻入水底，船立刻晃动起来，好像黄龙要来翻船。船上的人惊恐万状，只有禹镇定自若，笑着对大家说："我受命于天，竭力为万民忧劳。想生，是人的天性；遇死，是命中注定。有什么可害怕的呢？"在禹的这种大无畏精神感召下，大家都镇静下来。那条黄龙似的大鱼终于无可奈何地游向他处。

来到东夷族聚居的地区，禹经常向夷人中的耆老询问习俗，

精美的铜牌饰

二里头遗址的文化遗物中有各种绿松石制品和绿松石镶嵌的精美牌饰。这两件嵌绿松石兽面铜牌饰，以铜条勾勒兽面，以绿松石嵌面，精美有致。

> 历史文化百科 <

〔夏商时代酒的品种〕

夏代酒的品种主要有两种，一种是酒液与糟滓和合在一起的浊甜酒，还有一种是用糯性粟酿成的清酒。商代酒的品种大为丰富，有用粟、黍、稻等酿成的粮食白酒，还有果酒和药酒。夏商时代酿酒业的发展十分迅速，已由谷物天然酒化进入人工培植曲糵发酵造酒的新阶段，酿酒作坊相当普遍，批量生产也颇具规模。

世界大事记

世界上现存最古老的史诗《吉尔伽美什史诗》最终完成。该史诗生动地反映了两河流域居民的生活和斗争。

《国语·鲁语下》
《吕氏春秋·知分》
禹
防风氏
专制
法制

人物　关键词　故事来源

鼓励夷民勤于农耕，教育夷人讲礼仪，守法度，敬老爱幼，和睦相处，不要以强凌弱，互相攻杀。禹还向东夷族人宣布，今后若有不听教化、敢于叛乱者，就要兴兵讨伐，首恶分子必将受到严惩。夷人的氏族部落都表示愿意听从禹的教化，臣服于夏王朝。史书称颂禹曾"东教乎九夷"。所谓"九夷"，是指东夷所包括的畎夷、于夷、方夷、黄夷、白夷、赤夷、玄夷、风夷、阳夷等九种类别。

斩防风氏，杀一儆百

过了几年，禹又带领文武官员和一部分军队来到东南夷人聚居的茅山，在今浙江绍兴市东南。禹在这里传谕附近的氏族、部落、诸侯、方伯，在指定的某日来茅山相会。相会时需准备进贡的物品，夏王朝也将以礼相待，对来会的诸侯给予一定的封赏。但如果对这个指令置若罔闻，不来参加，则将受到惩罚。

到了指定的日期，盛况与涂山大会时相仿。禹照例先祭祀，然后演奏夏乐，表演乐舞。在盛大的文化典礼后，禹就对每个诸侯给夏王朝的贡物进行综合考察，叫做"会稽"，然后给予赏物并加封号。由于

游牧民族的人面神像
出自宁夏贺兰口，图画上人面像头部留两根长发，耳上挂长耳饰，具有鲜明的游牧民族特色。

薄如蛋壳的高柄杯
山东日照出土，属龙山文化。细泥黑陶，杯体由一根细管连接底座、透雕柄腹和敞口式杯，制作精、巧、轻，烧成后形状不变，说明当时制陶技术水平之高。

在茅山大会上对众多诸侯计功行赏，盛况空前，因而禹下令把茅山改为"会稽山"。这个名字就一直沿用至今。这次聚会许多部落酋长都赶来参加，其中惟有一个叫"防风氏"的诸侯直到祭祀仪式和计功行赏的典礼结束以后，才姗姗来迟。防风氏国名"汪芒氏"，其地在封、嵎二山的周围，即今浙江德清县附近，姓"漆氏"。防风氏原是土著越族部落的一个酋长，他身长三丈，在周围部落中横行霸道，经常欺凌其他部落。他早就有建国称王的野心，只是听说比他大得多的三苗族因为叛乱而被攻逐，才不得不有所收敛。这次他接到禹的命令，要他在指定的日期去茅山朝贡，心中顿生不满情绪。但他又不敢公开表示反抗，便采取推迟到会的行动，以显示自己在越族部落中的势力和地位，观察禹对他的反映。

禹早已知道防风氏的野心和所作所为，对他有所防备和警惕。现在，看到他居然违反法令，态度傲慢，不禁勃然大怒。为了杀一儆百，禹毅然下令对防风氏处以死刑，立刻斩首示众。到会众诸侯见防风氏就地正法，个个胆战心惊。诛杀防风氏又一次标志着禹运用国家机器对叛逆分子的镇压，夏王朝已经是一个由天子统治着众多诸侯的大国。

春秋时吴国攻越至会稽山，发现了防风氏的尸骨。骨骼甚长大，一节骨头可以装满一车。据说后来防风氏成了越族的神仙。每逢节日，越地人民都奏防风古乐，祭防风神，祈祷他保佑越族百姓安宁太平。

禹
伯
成
子
高

〈山海经·海
外北经〉
〈庄子·海·
天地〉

残忍
闲适

人物 关键词 故事来源

约公元前 1940—前 1910 年

前1940年
前1910年

中国大事记

后羿登上帝位，改国号为"有穷"。后羿
重用流浪儿寒浞，被寒浞杀死。

○五五

伯成子高

看不惯当时社会矛盾的恶化，伯成子高弃官务农，成为夏朝初期的一名隐士。

禹运用军队、刑法、监狱做工具，对企图叛乱的氏族部落和诸侯国，进行残酷的镇压。攻逐三苗、制订"禹刑"和杀防风氏就是其中最突出的几个事件。但从此时开始，夏王朝中央政权与周边部族、各诸侯国的矛盾也越来越激烈。

夏王朝与共工部族的残酷斗争

这种矛盾还有一个突出的例子，就是夏王朝政权与共工部族的斗争。共工部族是炎帝的后裔，其首领经常跟黄帝后裔建立的政权发生冲突。据说共工曾与颛顼争帝位，因恼羞成怒而触撞作为天柱的不周之山，使地东南低而天西北高。在尧舜时期，共工又造成水害，并在部落联盟内部挑拨离间，制造矛盾，因而被舜流放到北方的幽州。到禹执政时期，共工部族又出来危害作乱，最终也被禹攻灭。其部族人员或被诛杀，或逃往四方。传说共工有个大臣叫"相柳"，此人有九个头，都有人的面孔，而身体像一条青蛇。禹诛杀共工后又杀相柳。相柳的身上有血腥的恶臭，其血腥流到之处，庄稼不能生长，于是禹在这块土地上筑了个"众帝之台"，以作祭祀之用。由这个传说可以知道，禹在与共工部族斗争中杀人之多与施用手段之残酷。

因社会矛盾激烈而弃官务农

社会上激烈的为争权夺利而互相残杀，必然会影响人们的思想。传说有一位贤人叫"伯成子高"，在尧时因为他的贤德而被立为诸侯。后来，尧传位给舜，

舜又传位给禹。当禹之时，伯成子高辞掉了诸侯之位到农村去耕田。禹不解其意，便想亲自问问他这样做的原因。当禹来到伯成子高的住地时，他正在田野里耕作。禹就立在伯成子高的旁边，诚心诚意地请教说："过去尧治天下，先生立为诸侯，能够欣然接受，高高兴兴地去治理。尧把帝位让给舜，舜又把帝位让给我，而先生却不想再当诸侯，辞去其位，宁愿到农村耕田。敢问这是什么缘故呢？"子高答道："过去尧治理天下，人民纯朴无邪，不赏而百姓劝功乐业，不罚而百姓畏惧谨慎。现在，君赏罚严明，百姓反而不仁不义；刑法立得越多，盗贼反而更加猖獗。可见道德的衰落，人心的变坏。后世必有大乱，故我早些躲避开啊！君请回吧，不要妨碍我的农事。"说罢，就自顾自地耕田，对禹看也不看一眼。

由于看不惯当时社会矛盾的恶化，斗争的激烈，伯成子高成为夏王朝初期一位弃官务农的隐士。

乾隆喜爱的一方古玉

凝聚物之精华的玉器是古人从事宗教活动的重要礼器。这件新石器时期晚期的玉圭，器表有鹰鸟纹样，体现了原始先人的鸟图腾崇拜的宗教观念。其典雅细腻的精雕工艺，令人惊叹。这方古玉是乾隆帝的心爱之物，上有其御笔题词。

前约公元前2000年

世界大事记　来自印尼的移民开始在马来西亚定居。

○五六

《吴越春秋书》卷八
《越绝书》卷六
勤奋　谋略　禹
人物　关键词　故事来源

夏禹一生，勤劳奔波，艰苦卓绝。他早年主持治理洪水，走遍了黄河上下，大江南北。中年建国以后，他又教九夷、攻三苗，举行了涂山和茅山两次诸侯大会。特别是后一次大会，他对诸侯计功行赏，改茅山为会稽山，杀戮了态度傲慢的防风氏，使夏王朝的声威大振。禹对诸侯和百姓，德教与兵刑并重，采用文与武两手结合的策略，为巩固政权，他忙忙碌碌地奔走于城市乡村和边疆各地。

禹葬会稽

一生勤劳奔波的禹，在一次巡视浙江绍兴东南的会稽山时突然发病而死，遗体就安葬在那里。

记名山大泽，成宝贵古籍

禹还做了一件有意义的事，就是他在治理洪水时，曾经与益共同谋划，每到一处名山大泽，就召集当地的人士询问山川道里、金玉矿藏、鸟兽昆虫、殊国异民、奇闻轶事，让益整理而记述下来，这样就成了《山海经》这部宝贵古籍。据专家学者的研究，《尚书》中的《禹贡》篇不是夏禹时的实录，而是经过战国时代的人加工过的；《山海经》也是战国时代的人所编撰。但是历史上有禹和益记录治水见闻而成《山海经》的传说，它不会是凭空捏造。《山海经》的雏形可能就是在禹和益治水的过程中形成的。

安息于会稽山麓

禹对今浙江绍兴东南的会稽山情有独钟。"会稽山"的山名也是他在一次诸侯大会，对诸侯考核功绩、论功行赏之后取的。禹的晚年又来到东南巡守，对东夷、越民教以礼仪和耕种之法，再一次举行诸侯大会，对诸侯中的有德有功者给予封爵和奖赏。由于年事已高和过度劳累，禹竟病死在那里。他的遗体就安葬于会稽山麓。

禹的葬礼十分简单。他的棺材是桐木制的，棺厚三寸。他下葬时穿着裘皮三条，这是当时的习俗。他的墓穴深七尺，上面不会有水漏进去，下面也不会有积水。他的墓坛高三尺，上去有三级台阶，整个墓占地一亩。就像舜葬于苍梧之野，那里经常有象在为民耕田一样，禹的葬地会稽山麓，经常有鸟在那里耕田。据说这是禹为了催促人民春耕生产，故使鸟耕以教育民众。会稽山上还有禹井、禹祠，都是为了纪念禹而建立和取名的。大禹的墓和祭庙在会稽山下，至今保存完好。

丰产的畜群
画面上畜群的四周布满神秘的斑点，象征着生殖，寓意畜群的繁盛。图案布局疏密合理，为同类题材的代表作。

中国大事记

寒浞又登上帝位，封两个儿子在东方建立侯国，又派兵攻打夏朝偏安政权，杀掉夏后帝相。

禹死后的帝位继承问题，经历了一场惊心动魄的残酷斗争。由于社会生产力的发展，剩余产品的增多，帝王手中权力的增大，过去人们互相谦让、大家推荐贤人继承的帝位，成了人们垂涎三尺、凭借实力争夺的对象。这是无阶级剥削和压迫的原始社会转化为阶级社会的标志。

启夺帝位

禹在表面上要将帝位禅让给益，暗中又培植儿子启的势力。禹死后，一场争夺帝位的大战由此展开。

表面禅让，暗中为传子奔走

按照尧、舜禅让帝位的惯例，禹早年曾选定接班人皋陶，不幸皋陶健康状况欠佳，先禹去世。之后禹又选择益为接班人，让他辅佐处理政务。禹巡狩至会稽猝然去世，三年丧期过后，照例益该继承帝位。但益按过去舜、禹登帝位时的老传统，开始总要避让前帝之子一段时间，然后再登帝位，以表示自己的谦恭态度。不料当益避居于附近的箕山脚下时，诸侯们不去益那里而纷纷去朝见启，说："启是我君帝禹之子，应该继承帝位的是启，而不是益。"这次避让的结果与舜、禹完全不同，大出益的意外。其中原因，固然与益宣布为禹的接班人时间不长有关，但更重要的，是禹和启在背后做了手脚。

禹虽然在表面上宣布将把帝位禅让给益，但内心并不愿意。禹执政后，攻逐三苗，制订"禹刑"，举行涂山、茅山两次诸侯大会，杀戮防风氏，权力越来越大，诸侯贡品越来越多。统治国家的王权和多年积累的大量财富，怎能在自己死后让给其他家族的人，而让自己的

炽烈、动人的永恒记载

花山岩画表现的是千百人集体舞蹈的场面，岩画中的人物都取正面或侧面形象，头部被省略掉了，每个人双手上举，两腿下蹲，其状如蛙形。这些形象令人联想到商周青铜器铭文中那些与人的形象有关的"大""天""尸""夷"等文字，中国古代图画形象与文字的构成有很多相通相似之处，其产生的年代也相近，所以古代有"书画同源"的说法。花山岩画符号化的人物形象虽然简单、粗糙，然而就整幅作品所渲染的环境氛围则是炽烈、动人的。那些大大小小、重重叠叠的人物，从陡峭的石壁上踏足、欢呼，喧闹之声撼天动地，为远古时代大规模祭神的活动留下永恒的记载。

夏

2000000——1040

约 公 元 前 2 0 0 0 年

前2000年 >

世界大事记　西非出现农业生产。

禹　谋略　《楚辞·天问》
启　残忍　《竹书纪年》
益

人物　关键词　故事来源

儿子仍做平民百姓呢?按照尧和舜的惯例和迫于舆论的压力,禹便一面表示将禅位给益,一面使儿子启与诸侯广泛接触,建立感情,又将国家的许多文武官员,换上启的亲信与好友。经过这样一番布置和活动,禹死之后,诸侯与官吏自然都拥护启,帝位势必让启来继任,而益在箕山脚下眼看着本来应该属于自己的帝位,在不明不白中丢失了。

撕下面纱,公开武装争夺

但是,益对这样的局面是不甘心的。他本来是东夷一个氏族部落的首领。在启宣布继承帝位后,益带着他原来的私人卫队,还有从东夷部族中调来的一支精悍军队,采取先发制人的策略,突然在宫廷中把启监禁起来。此时益撕下谦让的面纱,树起公开争夺的旗帜,向天下宣布:“禹本来是把帝位禅让给我的,而启却无耻地抢夺了去,这

中国最古老的一条龙:玉龙
凌家滩遗址出土的玉龙是中国考古发现中最早的一条龙,龙身体扁平,首尾相连,造型十分巧妙。刀法简练,栩栩如生,说明当时玉器加工技术的先进。

>历史文化百科<

〔夏商时代粮食的加工和储藏〕
谷类食物要能成为熟煮蒸烹的“粒食”,一般要经过脱粒除壳或精白之类的粮食加工,考古发现夏商就存在磨盘、碾棒、杵臼等粮食加工工具。夏商时代粮食的贮藏又分为地上和地下两种储藏设施,还发明了井藏式的窖穴,有其相应的选址、建造等技术知识。

实用与美感兼具的彩陶单耳壶
陶器是原始先民的日常生活用品,他们既具有实用性,又具有美感。青海柳湾出土的彩陶单耳壶是古代的水器,高颈短耳,花纹轮廓鲜明,层次错落有致,线条比较复杂,色彩古朴雅致,表明新石器时期人们已经比较注意线条与色彩的搭配,而且图形比较规则,讲究对称美。这充分说明新石器时期人们的审美层次已经提高到了一个新台阶。

是不道德的。”

益动用军队把启监禁起来,同时宣传他是禹选定的接班人,但这仍然挽回不了他的败局。因为启毕竟是先帝的儿子,在朝的文武官员和各地诸侯中都有他的亲信和好友,其势力根深叶茂,远非益所能匹敌。启在监狱中得到狱官的帮助得以潜身逃出,然后纠集他早已联络好的一帮势力,动用国家军队和诸侯国的勤王部队,向益发动进攻。益终因势单力薄而被打败。启在攻战中擒获了益,为消除后患,就把益杀掉了,同时还杀戮了不少支持过益的人。

惊心动魄,社会变革的信号

这是一场血淋淋的斗争,这场斗争宣布了阶级社会的正式开始。从此,家天下代替了公天下,帝位的家族世袭制代替了禅让制。到战国时期,燕国又演出了一场王位禅让制的闹剧。燕王哙想把王位禅让给贤相子之,结果太子平与将军市被起兵反叛,与子之争夺王位,燕国因而大乱,差一点灭亡。可见在私有制的阶级社会中,禅让制已无法实行。

中国大事记 相有个妃子后缗从帝丘逃出,生下遗腹子少康。少康长大后,在夏诸侯和旧臣的帮助下,终于反攻胜利,杀死寒浞及其二子,恢复了夏朝的统治。

有扈氏抗争

启以军事实力夺得帝位后,有扈氏等部落表示不满。启又出动大军,将其剿灭。

维护正义,反抗残暴

夏禹的儿子启采取军事暴力,杀灭禹宣布为接班人的益夺得帝位。这件事在夏王国内部和周围的诸侯中,引起了不小的震动。有的人赞成、支持,有的人不满、反对,其中以有扈氏的反对最为激烈。

有扈氏是与夏启同为姒姓的氏族部落,与夏王朝国君有着血缘关系,是夏氏族部落的分支,其活动地域在今陕西户县一带。在氏族社会向阶级社会过渡的阶段,为了夺取更多的土地和财富,有扈氏与华夏部落联盟曾经发生过战争冲突。传说禹曾经进攻有扈氏,有过三次较大的战役,但未能使有扈氏投降。后来,禹"修教"一年才使有扈氏臣服。所谓"修教",就是用礼义德政来进行教化,用文的一手才使有扈氏归顺,封为诸侯,可见有扈氏是一个很有实力的部落。

夏启攻杀益夺得帝位,有扈氏认为是违反"义"的道德标准的。过去,华夏部落联盟的首领尧、舜,都把帝位禅让给其他的贤人,而启为夺得帝位大动干戈,血腥屠杀,是不人道的。因此,大造舆论,公开举起反对启的旗帜。启认为他一定是益的同伙。于是,一不做,二不休,决心再次动用军队,攻灭敢于反抗的有扈氏。

召集六军,发起猛攻

启率领六个军的兵力,浩浩荡荡到达有扈氏南郊一个名叫"甘"的地方,命令停止前进,召集六军的统帅,发布誓师令,启说:"啊! 六军的将帅和士兵,我发誓告诉你们:有扈氏威胁和侮辱'五行'这种天地的常规,急慢和抛弃'三正'的历法制度,因此天帝要灭绝他的性命。现在我恭敬地执行上天给有扈氏的惩罚。我郑重地向大家宣布:兵车左边的士卒不在左边猛力攻杀,你便是没有恭敬地执行命令;兵车右边的士卒不在右边猛力攻杀,你便是没有恭敬地执行命令;兵车的驾驭者没有把马驾驭得正确顺当,你便是没有恭敬地执行命令。待战争结束,凡是听从命令的,将在先祖的神庙面前领受奖赏;凡是不听从命令的,将杀戮于土地神庙前。对那些不听命令的人,我还要杀死他们的妻子、儿女,或者将他们罚没为奴隶。"

誓师大会结束,启的军队就向有扈氏发起猛攻。有扈氏不甘示弱,全族人员奋起反抗。两军在沼泽进行决战。这一次大战,虽然对有扈氏进行了有力的杀伤,但夏启的军队也伤亡惨重,战争并没有取得完全的胜利。六军统帅还想再作拼杀,夏启制止道:"不可。我的土地不小,人民不少,战而不胜,是我的德薄而教育不善所致。"于是,收兵返回。启从此修身治国:坐的地方不设两张席子,吃饭不做两道菜;琴瑟不弹,钟鼓不击,子女衣着俭朴;和睦亲戚,尊敬长辈,重用贤能。经过一年的休整准备,再次发动对有扈氏的进攻,终于把有扈氏剿灭。

血腥屠杀与太平祥和

夏启杀戮益,剿灭有扈氏,在血腥屠杀中巩固了夏王朝的政权,确立了帝位的世袭制。为了庆祝胜利和夏王朝世袭制政权的巩固,启在钧台,就是现在的河南禹州市,召集诸侯,举行宴会,显现出一派太平祥和的气氛。一场由于社会变革而造成的权力争夺和血腥屠杀,暂时告一段落。

调味器皿:夏代弦纹陶盉(右页图)

陶盉在仰韶文化时期已经出现,盉的流部多有滤孔,是滤酒之用还是滤药之用不得而知。《说文·皿部》:"盉,调味也。"这便是盉的原初功能。在《说盉》中王国维谈到:"盉之为用,在受尊中之酒与玄酒而和之而注之于爵。"这是对商代以后的青铜盉的用途的注解。而这件夏代的陶盉也应是调酒用的。

约 公 元 前 2000 年

世界大事记

英国出现观测天象，确定季节的原始观象台。

《尚书·甘誓》
《吕氏春秋·先己》

正直　专制　残忍

启　有扈氏

人物　关键词　故事来源

启　武观　人物
怨愤　屈辱　关键词
《逸周书·尝麦解》《竹书纪年》　故事来源

前1890年
前1860年
约公元前1890－前1860年

中国大事记　少康分封小儿子无余到越国，以守护、祭祀其祖先禹的陵墓。

〇五九

流放武观

社会的争夺引发家庭的内乱。小弟武观对启出言不逊，启把他流放到西河。武观竟欲反叛。

帝王家族内部又起斗争

在阶级社会刚刚形成的时期，权力争夺的事件一个接着一个，真是"一波未平，一波又起"。就在钧台诸侯大会之后不久，夏后帝启家族里又发生了流放和诛杀武观的内乱。

武观是夏禹的第五个儿子，封在"观"当诸侯，其地在今河南淇县、浚县一带，所以叫做"五观"。"五"与"武"谐音，故又写成"武观"。武观见长兄启继承帝位后，一改过去勤劳、节俭的作风，开始奢侈、享乐起来，特别是钧台大会上花天酒地、诸侯朝拜的热烈景象，使武观好不羡慕！他心想，如果自己能继承帝位，享受天下各地的进贡，接受四方诸侯的朝拜，该有多么威风和快乐！他在钧台大会上表现得十分随便，作为诸侯，也不对作为天子的兄长进行朝拜。启看出小弟的心思和行为，对他进行了批评教育。武观不但没有接受兄长的规劝，反而口出怨言，说什么父亲的帝位，作为儿子大家可以继承，你兄长又有什么了不起！启觉得武观难于管教，必须给予惩戒，就把他流放到"西河"，就是现在的河南安阳一带，因为那里在黄河的西岸，故有此地名。武观流放西河，革除诸侯官位，沦为平民。

因被流放而谋反作乱

在西河，武观再也享受不到诸侯的生活待遇，更不要说做天子了，因此他心中更加不平，便在那里组织人力，制造兵器，准备以武装反抗对他的不公平待遇。经过四年的准备，集结了足够的力量，他就在西河公开举起叛乱的旗帜，与中央朝廷相对抗。夏后帝启看到小弟公然谋反，甚是愤怒，但又不便亲自出兵征伐，便命令在附近的诸侯彭伯寿，派兵前往西河，讨平叛乱。彭伯寿是彭国的诸侯首领，名"寿"，彭国在今江苏徐州市。

武观所纠集的军队是一批乌合之众，没有经过实战的训练。当彭伯寿的部队与武观纠集的军事力量初一交战，武观的众士兵就因害怕而四散奔逃。武观成了彭伯寿的俘虏被带到都城，交给启处置。

为除后患而狠心杀戮亲弟

武观叛乱失败，悔恨交加，他在兄长面前承认自己的罪过，表示要痛改前非，重新做人。帝启顾念兄弟手足之情，看在父亲禹的面子上，曾想把武观放回西河，但又怕他恶习难改，再行叛乱，最后还是把他杀了。这是帝启为巩固夏王朝的统治，平定家庭内乱的一次重大事件。

同时展现放牧与狩猎两种生产活动的岩画

上古时期畜牧业并不十分发达，还要依靠部分狩猎活动补充生活，在一幅岩画上同时体现这两种生产活动，十分少见。

约公元前2000年

前2000年

世界大事记

玛雅人开始在今墨西哥东南部和危地马拉中部一带生活。

享乐　浮华

夏启　谄媚

《山海经·大荒西经》

《墨子·非乐上》

人物　关键词　故事来源

上天得《九歌》

纵情享乐，沉湎歌舞

夏启过着花天酒地、沉湎歌舞的生活。宠臣们为了取悦于启，编造了夏启从天上采集《九歌》的神话。

夏后帝启杀益、灭有扈、处死武观后，自以为从此天下太平。夏启暗自思量，自己夺得帝位也不容易，经过了多少艰难曲折。现在，到了晚年，应该享享乐了。于是，经常带着一班人，到野外去聚餐饮食，看着大好的山水风光，吹起笙管，击起钟磬，听着美妙的音乐，再与一帮宠臣嬖友，消闲聊天，寻欢作乐，流连忘返。启又特别喜欢饮酒，经常喝得酩酊大醉，呕吐不止，让人搀扶着回来。

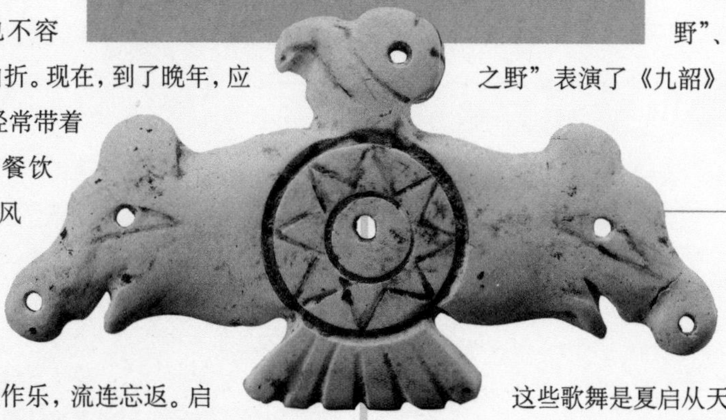

夏启不但喜欢饮酒，更喜欢歌舞。每当赴野外聚餐，他总要带上一帮歌手舞女，尽情地唱歌跳舞，以助兴作乐。他的宠臣们知道帝启的爱好，便在民间搜集或自己创作了一些新颖的歌舞，取名为《九辩》、《九歌》和《九韶》，又叫《九招》。所谓"九"，是指数目多的意思。这些歌舞，歌词华丽，曲调优雅；舞者服装色彩缤纷，动作婀娜多姿，令人赏心悦目；表演的时间也比较长，一演就是两三个小时。夏启非常喜欢

看这些歌舞，不但野外聚餐时演，宫廷中高兴时演，甚至出外巡狩时也演。有一年，帝启到西边巡狩，就在"大穆之野"，又称"大乐之野"、"大遗之野"或"天穆之野"表演了《九韶》的乐舞。

宠臣编造故事
美化帝王

为了取悦于帝启，宠臣们还编了一些神话故事，说上述这些歌舞是夏启从天上采集来的。有的神话故事说，夏后启上乘飞龙，以登于天。他三次上天，终于学得《九辩》与《九歌》的乐舞，然后回到人间。有的说，启上天后来到"天穆之野"，这里比地面高二千丈，启就在那里演出《九招》的歌舞。还有的说，夏启乘两龙，上面盖了三层云，他左手拿着羽毛，右手拿着玉环，身上佩带着玉璜，在高三百丈的"大乐之野"表演《九代》的乐舞。这些神话故事越说越离奇，一说夏启上天得到歌舞，再说夏启上天演出歌舞，三说他自己在天上表演乐舞。这些神话自然都是编造出来美化帝王的，但是从中可以得知，夏启确实与歌舞有着不解之缘，可以看出他是多么迷恋音乐歌舞了。

启晚年的所作所为，其实为夏王朝的衰败种下了祸根。

中国最古老的一只鹰：玉鹰（上图）

玉器在早期多被用于宗教祭祀，这只玉鹰呈展翅飞翔状，尾部为底座，两只翅膀塑成猪头形状，头部上扬，眼部被突出，腹部刻圆形，内有八角形星，内再套圆，中心有一孔。显然这是一件祭祀用品，但其设计巧妙，制作精美，让人过目难忘。

>历史文化百科<

〔夏商时代的调味品：盐、梅、酒〕

盐、梅、酒是最先出现的三大烹饪调味品。盐最重要，一般认为夏商时代的卤盐来自山西解州的盐池。梅，古人利用梅的果酸作调料，称之为梅醋。酒既可作饮料，也可以作调味品，学者们认为当时应已掌握酒渍肉类的食品保鲜与保藏技术。当时已经存在的调味品还有：花椒、姜、葱、蜜糖等。

> ：夏王少康，传说他流落民间时当过有虞氏的厨师，还会酿造粮食酒。　159

〈左传·襄公四年〉

太康　昏庸　后羿　屈辱

人物　关键词　故事来源

约公元前 1860－前 1830 年

前1860年
前1830年

○六一

中国大事记　杼征伐东夷，制止那里的叛乱活动，一直打到东海之滨，使夏王朝声威大振。

夏

200000年—10年

昏庸帝王的放荡生活

夏后帝启死后，由他的长子太康即位。太康把国都迁到斟寻，在今河南洛阳市东。太康登位后，政治越来越坏。帝启时还不时召集诸侯大会，到各地巡狩视察，注意各种政治动向。有一段时间，因为"巴"这个地方，即今四川东部，发生的诉讼案件比较多，启就派大臣孟涂到那里，倾听民众的意见，纠正判决中的冤假错案。因为孟涂判案公正，裁决得当，受到人民的信赖，所以他死后就成了巴地的诉讼之神。实事求是地讲，帝启执政时还干了一些好事，但太康登位后，就整天打猎游玩，对朝政、国事根本不管，更不要说关心人民的生产和生活了。史书上说他"盘于游田，不恤民事"，十足是个昏庸的帝王。太康每天出外游山玩水，捕捉猎物，时间长了，对都城附近的地方已缺乏兴趣，就想跑得远些。有一次，他打猎渡过洛水，向南方进发，越玩兴致越高，一直玩了一百多天还不想返回都城。

长期以来，太康这种放荡不羁的生活，使诸侯国产生了离心，百姓中也流传着对他不满的言论。这次南游一百多天不回，朝政大事无人过问，更给周边的诸侯、部落造成可乘之机。

有穷国乘机入侵

在夏王朝的东北部有一个方国叫"有穷"，首领"后羿"是尧时以善射著称的英雄羿的后代。有穷作为东夷部落联盟中一个较大的分支，禹时被分封在钼，就在今河南濮阳县西南，离夏王朝的统治中心不远。因为后羿原来是东夷一个大氏族部落的首领，故华夏族又称他为"夷羿"。后羿也有一手高超的射箭技术，是他祖传的看家本领。他的手臂特别粗壮长大，射出的箭，力量

太康失国

启的儿子太康登位，只知游玩、打猎。国都被有穷部落首领后羿占据，太康只得向东流浪。

强，命中率高。一旦被他射中，没有不丧命的。后羿仗恃他的射箭本领和拥有一支强悍的军队，很早就对夏王朝存有野心。在禹和启执政时期，夏王朝的军威很盛，四方诸侯都归服顺从，后羿不敢轻举妄动。现在，听说新即位的太康，终日游猎，不问政事，诸侯和人民都有怨言。最近一次出游，已有一百多天不归。这是个攻击夏王朝的极好机会，于是便亲自率领一支军

队，沿着黄河而下，从东北面攻入夏都，并以重兵扼守洛水北岸，阻止太康从南面渡过洛水返回都城。

太康向东流浪

帝太康在南方打猎，闻讯国都被有穷后羿侵占，急速带领随行人员北上返归。但见夷羿的军队严阵把守，太康兵员寡少，无法渡洛水与之较量，只得在南岸暂住，同时派人向各地诸侯讨救兵。各地诸侯对太康早已失去信心，没有一个来相助的。太康万般无奈，只得向东流浪到一个地方安顿下来，过了四年的穷困生活，最后病死在那里。因为他原来是帝王，人们为他修了一个太康墓。这个地方在秦汉时叫"阳夏"，到隋朝更名为"太康"，就是现在的河南太康县。

新石器时期最重要的发现之一：玉钻（上图）
凌家滩遗址出土了许多玉器，同时还出土了一组加工玉石器的工具，其中一件石质钻孔工具呈扁圆形，两端钻头为螺丝纹，一头粗一头细。是20世纪中国新石器时代考古最重大发现之一。

五子之歌

太康的五个弟弟扶着母亲来到洛水边上，仰天放歌，抒发国都被占的哀怨和惆怅。

夏后帝太康不理朝政，终日游猎玩耍，最后弄得国破家亡，在这痛心的时刻，太康的五个弟弟搀扶着他们的母亲来到洛水边上，望着滚滚而流的洛水，发出哀怨的感叹。他们想起祖父大禹的告诫，再看看自己哥哥的所作所为，不禁仰天作歌，以抒发自己的哀怨和惆怅的胸怀。

祖宗教训，怎能遗忘？

第一曲，他们唱道："我们的祖父大禹早有训戒，人民可以亲近而不可戏谑。人民是国家的根本，根本稳固了国家才会安宁。我视天下百姓，愚夫愚妇也能胜我，怎能不敬畏小民？一个人有多种过失而为人所怨，岂有明白显著的征兆？小过不见而酿成大过，

酒祖杜康

在河南汝阳县杜康村，相传夏代（前 21－前 16 世纪）杜康发明粮食酿酒，后人尊杜康为"酒祖"。粮食酿造以发达的农业生产为基础，还需有相应的酿造器具，所以酿造技术是农业发展到一定阶段，为适应人类需要而出现的一种生产方式。

所以应该防微杜渐，从长计谋。我治理亿万民众，小心翼翼，像用腐朽的绳索去驾驭六马。当人君、做帝王的，怎么能够不毕恭毕敬！"

过了一会，他们又唱第二曲："祖父大禹还有这样的教训。在宫廷内部为女色所迷乱，到了野外为捕捉飞禽走兽而忘乎所以，沉湎于饮酒，热恋于歌舞，好造高大的宫殿，雕花的墙柱：以上六者中只要有一，没有不遭亡国之祸！"

如今荒废，国破家亡

接着，他们又唱第三曲："我们的祖先陶唐氏帝尧，建都于冀州而统治天下四方。今天失其秩序，乱其制度，因而导致国家的灭亡！"第四曲又反复唱道："光明正大我们的祖父大禹，曾经做过天下万邦的君主。有治国的法典和为君的原则，留给后世子孙，使遵照执行。统一度量衡之器而正确使用，百姓和王府都有足够的积蓄。如今太康荒废而坠失其事业，这样就覆灭宗族，断绝祭祀！"

最后，五兄弟唱起了第五曲："啊！太康远去不返，我们将以何处为归宿？我以此故，思念而悲！太康为恶，万姓都仇恨我们，我们将依靠谁？抑郁的心啊充满着哀思，我们的外貌强作厚颜，而内心则忸怩羞愧！我们的大哥不慎其德，以致国都被占，返回无门，虽欲改悔，怎么能够追及？"

歌声哀怨，荡气回肠

太康的五个兄弟陪着他们的母亲，在洛水边上一唱三叹，歌声在洛水两岸回荡。后来人们把太康五兄弟所唱的歌记载下来，称为《五子之歌》。它告诉人们许多治国的道理，充满着哀怨和教训。

胤征羲和

后羿立太康之弟仲康当傀儡。羲氏、和氏掌管天文历法，荒淫无度，仲康命胤侯征其私邑，进行惩罚。

有穷后羿逼迫太康向东流亡以后，他害怕夏民和诸侯起来反对，暂时不敢明目张胆地废弃夏帝而篡位自立。于是在有穷军队进驻夏都的情况下，允许夏人立太康之弟仲康继登帝位。仲康成为有穷驻军和后羿卵翼下受制于人的帝王，当然不能在政治上有所作为。不过，他还是做了一件有意义的事，就是命胤征羲和。

失度，时令节气模糊，月蚀、日蚀一无所知。仲康一登帝位，就命胤侯统率六军，做"大司马"的官。仲康既然是在有穷军队和后羿势力的卵翼下做帝王，他所拥有的"六军"在数量上自然大大减少，其矛头只能惩罚国内的一些违纪行为，而不能攻打后羿，驱逐侵略者。所以仲康任胤侯为大司马后，就命他率领军队去攻打羲氏、和氏的私邑，惩办那些失职的官吏。

官吏失职历法乱

羲氏、和氏这两个家族自尧舜以来，世代执掌天地四时之官，观察天文、地理，定历法和时令节气，以指导人们的生产和生活。然而自太康以后，因为帝王自己整天游乐玩耍，不问政事，于是上行下效，使许多官吏都严重失职。特别是羲氏、和氏这两个家族，在他们的私邑里酗酒，荒废其职，不修其业，以致历法混乱，过差

宣布罪状命征伐

胤侯承帝仲康之命出发前，在军队中进行训话，说："啊！我军队的将官和众兵士们，圣人有教训谋略，其目的在于定国安家。先王能谨慎地对待天的告

大禹的城堡：登封王城岗龙山文化城址

这是一处面积约一万五千平方米的龙山文化时期的城堡遗址。城堡由东西两个并列的小城组合而成，城内发现有夯土建筑基址、奠基坑、窖穴、灰坑等，城内还发现有青铜容器的残片，证明当时已开始铸造青铜器。这一城堡的地望与文献记载的大禹所都的阳城相符，对研究夏文化有重要价值。

约公元前2000年

世界大事记

埃及出现最早的历法，称"太阳历"。

享乐
法制
果断

羲仲
氏康
和胤
氏侯

《史记·夏本纪》
《尚书·胤征》

人物　关键词　故事来源

诚，臣人能遵守常规法典，百官修职辅助其君，我们的事业蓬勃向上。每年开春，道人以木铃摇于路旁，告诉人们勤奋工作。众官互相规劝，百工各发挥他们的技艺，对君上的失常行为还可以进谏。其中或有不恭谨地履行其职责的，国家则有常规的刑罚。"

在讲了一通失职应受罚的大道理后，胤侯开始数落羲、和二氏的罪责："现在羲氏、和氏担任天地四时之官，丧失了他们的道德，沉湎于酗酒，而叛离了所居的官位，开始扰乱天时节令，远弃其所主之事。就在深秋九月初一那天，日月没有会合而出现了日蚀的现象，于是，瞽人乐官敲击大鼓，办事的啬夫官快速驰骋而取来币帛礼拜天神，庶人奔走以救日蚀之灾。在这样大的灾异面前，群官和百姓都忙碌奔走，而羲氏、和氏主其官却不闻不知。羲、和昏迷错乱了天象，犯了先王规定的诛杀之罪。夏后的政典上说：'天地四时之官，对于历法、时令、节气，不认真进行测算，颁布的历法比天时太超前的，罪死无赦；其历法比天时太拖后的，也罪死无赦。'"

宣告了羲、和的罪状，胤侯便发布进攻的命令和治罪的政策："现在你们众军士，要共同协助王室，辅助我去完成天子的威命。火焰烧上山冈，玉石都要被焚毁；天王之吏丧失道德而滥加杀戮，其害甚于猛火。要歼灭其罪魁祸首，对于胁从的人可以不问，其余久染污习而本无恶心者，都一概不予追究而使他们重新

可以系挂香料袋的夏代酒器

夏代晚期二里头遗址出土的青铜器，长流尖尾，流与尾分界处一对钉形柱用来系挂香料袋，因而此爵为斟酒器。爵体较扁，器壁极薄，颈部饰实心连珠纹。爵的整体纤细舒展。

做人。啊！将军的威严能胜其爱心，有罪者虽爱必诛，这样，征伐必能完成使命；若爱心胜其威严，亲爱者有罪不杀，则征伐必然无功。你们众军士，一定要勉力，谨慎地接受告诫，不要违令而触犯王命啊！"

冲进邑里惩首恶

训令结束，胤侯率领军士出征，很快来到羲氏、和氏的私邑，率军冲进邑里，抓住两个家族中的首恶分子把他们杀了，然后再命其他人员任此官职。经过这次征伐，仲康的政治稍有起色。但在有穷后羿的侵占之下，仲康再也难有别的作为了。

群猎
画面形象生动地表现了上古人类的狩猎场景，武器有箭、矛等，并采用独猎、围猎等多种狩猎方式，是展现上古人类狩猎方式的珍贵资料。

〇六四

寒浞杀后羿

整天游玩打猎的后羿，又被其宠臣寒浞施计杀害，宫廷一片混乱。

中国大地四分五裂

仲康死后，其子相即帝位。有穷后羿的军队仍然驻扎在夏都，随时可以对夏王朝采取行动。由于夏王朝的衰弱无力，后羿就把自己的有穷氏族部落从鉏迁到穷石，就是现在的河南偃师，在原来夏王朝的国都旁建立自己的都城。同时，后羿废弃夏后帝相，由自己登上帝位，称为"帝羿"，国号"有穷"，正式宣告取代夏王朝的政权。夏后帝相遭后羿驱逐，向东北逃到帝丘，就是现今的河南濮阳县，在那里建立夏王朝的都城，依靠同姓诸侯斟灌氏、斟寻氏，苟延残喘。有穷后羿虽然废弃了夏王朝的都城和帝王，正式称帝，但他在诸侯方国和人民中威信不高，许多诸侯都不拥护他，夏后帝相又在帝丘偏安，中国大地处于四分五裂的状态。

宠信奸诈子弟藏隐患

后羿有一手高超的射箭技艺，他不去作巩固政权的打算，对人民的生产、生活漠不关心，却整天在田野里打猎。他的身边原来有四位贤臣，他们叫：武罗、伯因、熊髡、龙圉。这四位贤臣曾帮助后羿

最早的铜制酒具：夏代铜斝
这应是目前发现的时代最早的铜斝之一。这件斝的器壁较薄，腹部有简单的弦纹，这是早期青铜器所显现的特征。斝在龙山时期已经出现，当时多为陶斝，用于炊煮食物，青铜斝出现后一般用于温酒。

攻克夏朝都城，又策划篡夺夏朝政权统治中原。在后羿篡位称帝后，他们又劝谏后羿要治理朝政，关心民事。但后羿此时一反常态，对四贤臣态度冷漠，有意疏远，却对一个善于花言巧语、口蜜腹剑的人，十分亲近，言听计从，这个人名叫"寒浞"。

寒浞原是寒国的一个奸诈子弟。寒国在今山东潍坊市寒亭区，原是东夷部落一个氏族的居地，禹时臣服于夏王朝，封为方国，此时的首领叫"伯明"。伯明对寒浞吹牛拍马、搬弄是非的恶习十分反感，就把他从寒国驱逐出去。寒浞流浪到有穷国，为后羿所收养。他凭着一手吹拍的本领，向后羿百般献媚，为后羿出了不少吃喝玩乐的主意，深得后羿的宠信。后羿认为寒浞是最了解自己心意、最能效忠于自己的人，因而把寒浞立为有穷国的丞相。

培植势力，买通家丁施阴谋

寒浞由一个被驱逐的流浪儿，摇身一变成为帝羿最宠信的人，更加得意忘形起来。他在内，经常出入帝羿的宫闱，与帝羿的妻妾打情骂俏，暗中勾搭；在外广泛行贿，收买人心，特别是与帝羿的管家人员交往甚密，打得火热。同时，他又欺骗、愚弄人民，说了许多漂亮话，却一句也不能兑现。寒浞还有更加恶毒的一招：他千方百计诱使帝羿在田野里作乐而忘记返回宫廷，终日糊里糊涂，不问朝政；然后又在宫廷中培植自己的势力，为夺取帝位、霸占帝羿的

前1980年 约 公 元 前 1980 年

世界大事记

埃及第十二王朝法老塞索斯特利斯一世即位，王权达到极盛。

谋略 邪恶 狡诈

帝羿 寒浞

《左传》和昭公二十八年 襄公四年

人物 关键词 故事来源

崖画上的村落

云南沧源佤族自治县境的沧源崖画，尽管构图手法比较原始、稚拙，但已能注意到空间的表现，描写也是有条有理的。图的中心是由不同样式的多幢房屋聚合而成，房子的基本样式是下以木柱支撑的干阑式住屋，村中心有氏族共用的大房屋，四周的房子都向中心倾倒，这种构图方式 在透视观念上和儿童画十分相似。村落之外，有几条道路向四周延伸，路上络绎不绝的人群，似乎是分别表现交战与胜利后押解着俘房与牲畜凯旋归来的勇士们。人物都画成"文"字形的符号。但举手投足，有明显的动态和情绪表现。

妻妾创造各种条件。这一切活动，在不知不觉中进行得十分顺利，杀帝羿取而代之的时机已经成熟。

帝羿的家丁中有一个人叫"逄蒙"，他曾经向羿学习射箭技术，学得非常精通，几乎把所有的技术都学到家了。他想，世界上只有羿的技术能超过自己，因此常有杀羿的念头。这时，寒浞来到帝羿家中，想买通家丁暗杀帝羿，先付给家丁一笔好处费，答应事成之后还有大赏。逄蒙首先表示愿意效劳。在一切都布置就绪后的一天傍晚，帝羿出外打猎玩得高兴，在回来的路上，以逄蒙为首的众家丁忽然将帝羿射死，并把他的尸体放在锅里煮熟。逄蒙还将这尸体的肉

羹拿来给羿的儿子吃。羿子不忍吃其父亲的肉，也被众家丁杀死在国门。

霸占他人妻室登帝位

寒浞经过几年精心策划，迷惑帝羿，勾结其妻妾，贿赂其群臣，欺骗其人民，买通其家丁，终于把帝羿杀死。寒浞杀死帝羿后，自己登上有穷国的帝位，同时霸占了帝羿的妻室。原先乐官后夔娶有美丽的有仍氏女，帝羿为了占有这个美丽的女子，要阴谋将夔杀死，现在这位有仍氏女又在帝羿被杀后，转到了寒浞的手中。

> 历史文化百科 <

〔夏商时代的针砭疗法〕

除药物外，人们还发明了针砭及外科手术疗法。针疗器具由竹、骨、牙、石，甚至金属制成。针的形制不同，疗法也不一样。如形如卵的圆针、锋如黍粟的银针、刃三隅的锋针、末如剑锋的铍针、圆锐而中大的圆利针等。锋针可发痼疾、铍针可发大脓、圆针可按摩体表、圆利针可发暴气，各有各的用处。

> 历史文化百科 <

〔夏商时代肉食加工的方法：燔、炙、炮、生脯〕

把食物直接加上火烧叫"燔"；把食物串起来近火烤叫"炙"；将食物涂上草泥丢在文火中烧烤叫"炮"。先秦文献里还有烙、爆、脍、烧、炖、熬、溜、煨、渍等大量烹饪术语。另有一种制生脯的方法，取牛羊鹿类牲肉之精者，沥去血水，加调料，浸溺时以木棒轻敲，令其坚实，制成条形肉干，可以长久保存。

○六五

少康中兴

寒浞登上帝位，又分封两个儿子建立侯国。仲康的孙子少康联合各方势力，打回老家，重建夏王朝。

寒浞杀了帝羿，自己登上帝位，并把羿的妻室占为己有，与其生了两个儿子，大的名叫"浇"又叫"靬"，小的名叫"豷"。这两个儿子长大后都勇力过人。为了扩大有穷国的势力，寒浞把大儿子封在"过"，在今河南太康县东南，建立过国；把小儿子豷封在"戈"，在今河南杞县一带，建立戈国。过、戈二诸侯国在有穷的东方，起着屏障的作用。

夏王朝偏安政权被攻灭

夏王朝帝仲康的儿子帝相被有穷后羿驱逐后，向东北逃亡到帝丘，今河南濮阳县。在那里得到与夏同姓的诸侯斟灌氏和斟寻氏的帮助，重新建立都城和朝廷，夏王朝的势力又开始发展起来。斟灌氏其国在今河南省范县北。斟寻氏原封国在今河南巩义，就在原夏王朝都城的旁边。由于后羿夺取都城取代夏政，斟寻氏不得不迁居到斟灌氏和帝相所居的帝丘附近。这样，在有穷国的东北，夏王朝又形成了一个集团，一些原来忠实于夏王朝的诸侯，都纷纷表示拥护帝相。这种情况，当然是寒浞所不能容忍的。

经过一番密谋策划之后，寒浞决定派自己的大

儿子浇率领军队去攻打夏王朝的偏安政权及旁边的二同姓诸侯国。浇首先攻灭了斟灌氏。次年，又攻灭了斟寻氏。接着攻入夏朝在帝丘的宫廷，杀掉了夏后帝相。

遗腹子隐蔽身世积聚力量

当浇的军队攻入帝丘宫廷、乱砍乱杀之际，帝相有一个叫"后缗"的妃子，正有孕在身。她乘浇的军队不注意，从墙下的阴沟中爬出，逃奔她的娘家有仍氏，其地在今山东济宁。后缗不久分娩，生下一男孩。这个男孩，就是夏后帝相的遗腹子，取名"少康"。其意就是要继承其祖辈太康、仲康而成为夏朝的帝王，恢复夏王朝的帝业。

少康长大后，先在有仍氏当"牧正"，就是主管畜牧的官。当他知道自己的身世后，对寒浞和浇满怀仇恨。同时，他又十分警惕，惟恐浇得知后加害于他。浇经过打听，果然得知夏后相有个遗腹子在有仍的消息，便差遣一个叫"椒"的臣子前往寻访，伺机谋害。少康无法再在有仍呆下去，便逃奔至有虞国，即今河南商丘地区的虞城县。有虞的君长叫虞思，与夏王朝

放牧羊群

两块巨石上刻满飞奔的羊群，笔法粗犷，集中体现了北方游牧民族豪迈的性格，也反映出青铜时代宁夏中卫县照壁山地区水草丰美、人与自然和谐相处的情景。

〔农业生产发达的良渚文化〕

分布于浙江北部和江苏南部沿海地区的一种新石器时代文化，因其最早在1936年发现于浙江杭州良渚镇，故此后该地附近发掘得的同类型遗存统称为良渚文化。当时的石农具已相当精细，漆黑色陶器光亮规整，农业生产发达，稻谷已有粳稻和籼稻两个品种，还有蚕豆、花生等。

良渚文化经测定其年代为公元前3300年至前2250年，它是继承马家浜文化发展而来。

二里头夏代建筑复原模型：
显示统治者的权势与威严
河南偃师二里头夏代宫殿遗址是已知最早的庭院建筑，它坐落在大夯土台上，由廊庑围成一封闭式广场——庭，用来举行朝拜等仪式，主体殿堂是一座面阔八间、进深三间的大殿。高踞于台基上的宫殿显示了统治者的权势与威严。这件建筑图是考古学者根据《考工记》的记载复原的。

世代交好。他知道少康是夏相的儿子后，热情接待，给他当"庖正"的官，主管君长家庭的饮食，以隐蔽地留在那里。并且找了两个姚姓的姑娘，嫁给少康做妻妾，让他成立家庭，安定下来。虞思还为少康找了"纶"这个城邑作为其恢复夏王朝统治的根据地，在虞城东南三十里的地方。少康在纶邑逐渐积聚力量，"有田一成，有众一旅"，即有方十里的土地，有五百人的军队。少康以纶邑为基地，布德施惠，开始他的复国计划。他收纳夏王朝流落在各地的人员，势力一天天壮大。

招募残余，重新武装成大事

再说在有穷国侍奉后羿的臣僚中，有一个叫"靡"的人，原是夏王朝的高级官员。他看见后羿被家众杀死，寒浞又夺取了有穷国的王位，对这个国家感到失望，便弃官逃到一个叫"有鬲氏"的诸侯国，其地在今山东德州市东南。当寒浞之子浇攻灭斟灌、斟寻两国，杀掉偏安的夏后帝相之后，靡依靠有鬲氏的帮助，将斟灌、斟寻两国的残余部队招抚到有鬲，重新武装起来。同时，靡得知夏后氏的根苗尚在，便以恢复夏王朝为号召，很快组织了一支很有战斗力的武装。靡率领这支队

伍悄悄奔袭到有穷国都穷石附近，一举攻克其都城。寒浞猝不及防，被攻入的众军杀死。靡率军杀死寒浞后，就直奔有虞迎回少康到原来的夏都，立为夏帝。

中国最早的间谍

少康知道寒浞还有两个儿子浇和豷，统治着过和戈两个诸侯国。便派大臣女艾去过国当间谍，取得浇的信任，然后杀浇而灭过国。又使自己的儿子季杼在戈国当间谍，季杼诱使豷出外打猎，乘机杀豷而灭戈。这样，猖獗一时的有穷国就全部灭亡了。女艾和季杼可以说是中国最早的间谍。

少康重新登上帝位，各地诸侯又前来朝贺，恢复了夏禹的业绩。历史上就称少康在危难中重建夏王朝的过程为"少康中兴"。

> **＞历史文化百科＜**

〔夏商时代的药物〕
夏商时代的人对疾患有了初步的认识，也有自己的治疗方法。有人对《山海经》中的药物作过统计，有矿物类药、植物类药、鸟兽类药、水族类药等共132种，大部分是单药单方单功用，有些目前仍在使用。考古发现有可入药的核桃、桃仁、李实、枣、草木樨、大麻籽、郁李、欧李等。

中国大事记

不降年老时，把帝位逊让给他的弟弟扃，在王室贵族中引起矛盾。

越君祖先

少康分封小儿子到会稽山，守护、祭祀其祖先禹的陵墓，到春秋时其后代成为越国的君王。

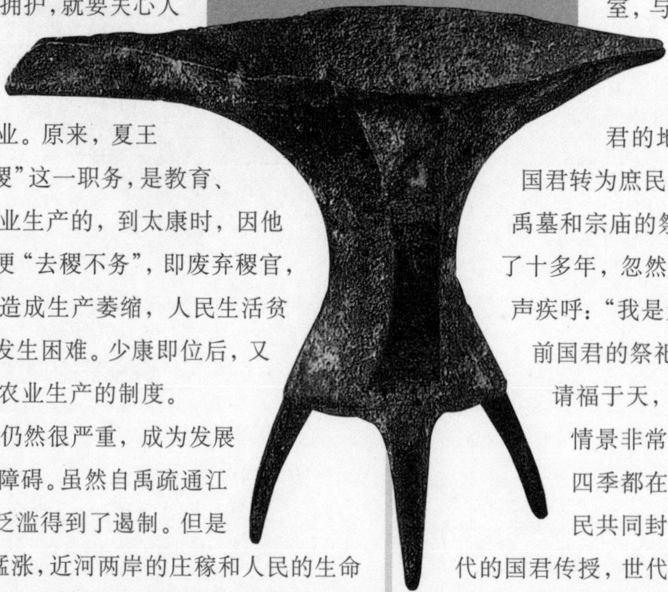

少康恢复国民经济的策略

夏后少康登帝位后，第一件大事就是发展农业生产。因为长期战乱使生产荒废，民不聊生。少康深知要取得人民的拥护，就要关心人民的生产和生活，使他们衣食丰足，安居乐业。原来，夏王朝的官吏中有“稷”这一职务，是教育、督察人民从事农业生产的，到太康时，因他只知打猎游玩，便“去稷不务”，即废弃稷官，不管农业，于是造成生产萎缩，人民生活贫困，国家财政也发生困难。少康即位后，又恢复了稷官管理农业生产的制度。

当时，水害仍然很严重，成为发展农业生产的一大障碍。虽然自禹疏通江河以后，洪水的泛滥得到了遏制。但是每到雨季，河水猛涨，近河两岸的庄稼和人民的生命财产，仍处在洪水的威胁之下。特别是自有穷后羿篡夏以来，政治动乱，战争连绵，河道失治，洪水又卷土重来。少康看得很清楚，要使农业生产正常发展，必须对黄河重新整治。于是，他又恢复了“水正”的官职，其职责是管理水利工程。少康任命商国的诸侯冥为水正，要他治理黄河。

分封小儿子到南方守护禹陵

少康在治国安民时，经常想到为夏王朝奠基创业的他的祖先禹。禹的遗体安葬在东南方的会稽山，那里有他的陵墓和宗庙，少康恐怕先祖的祭祀会被断绝，就决定封他的小儿子去那里建立越国，号叫“无余”。无余初到越地，人民都居住在山上，那里虽然有鸟在帮助耕田，但产量较低，收来的租赋仅够宗庙祭祀的费用。鉴于这种情况，无余就教人民在平地上耕种，并且畜养禽兽。他自己，生活非常朴素，不建豪华的宫室，与人民住在一起，每逢节日就在会稽山麓祭祀禹墓。

无余传了十几代，国君的地位日渐微弱，慢慢地就由国君转为庶民，从此，再没有人来负责对禹墓和宗庙的祭祀，祭禹的香火断绝了。隔了十多年，忽然有人对天发誓，在禹墓前大声疾呼：“我是无余君的后代！我要继续以前国君的祭祀，恢复对禹墓的供奉，为民请福于天，以通鬼神之道。”众民见此情景非常喜悦，都来帮助祭祀，一年四季都在陵墓上斋以贡物。于是，众民共同封立此人为国君，以继承其前代的国君传授，世代不绝对夏王的祭祀，按时为百姓向天神求福。从此以后，越国开始懂得做君和臣的道理。这位继立的国君，号称“无壬”。

千年沧桑变化露头角

夏帝少康分封小儿子“无余”到越国，守护、祭祀其祖先禹的陵墓，他的后代在越国辗转传授君位，繁殖生育，经过一千多年的沧桑变化，到春秋末年，在争霸中显露了头角。

夏代束腰爵：独特槽形流使酒更芳香（上图）

爵是一种斟酒器，它的流与尾浑然一体，没有明显分界线，器形扁，制作朴素。古代祭祀需用香酒，香料是用郁金草捣烂的汁，以爵盛汁，通过爵的槽形流将汁掺入酒中，使酒的气味芳香。

约 公 元 前 1900 年

世界大事记

赫梯旧王国时期开始。当时赫梯境内小国林立，尚未统一。

帝杼　和亲　《竹书纪年》
帝芬　友谊

人物　关键词　故事来源

〇六七

征服东夷的宿愿

少康重建夏王朝后，除了恢复稷官管理农业生产，恢复水官治理黄河水患，分封小儿子去越国世代祭祀祖先禹的陵墓这样三件大事外，还有一件常使他心中不安的事，那就是东夷诸部落、方国的时叛时服，威胁着夏王朝的安全。即位初年，东方九夷中只有"方夷来宾"向夏王朝称臣纳贡，表示顺服，与其他八夷的关系仍处在紧张状态。太康失国，就是由于东夷有穷国的入侵。为了杜绝这样的祸患再次发生，少康决定发动一场对东夷的征伐战争，以显示夏王朝的实力和威风，粉碎东夷各族想要入主中原的野心。可惜少康过早地病逝。他死后，只能由继承王位的儿子杼去完成他生前的未竟之业了。

夏帝杼的名字，有许多种写法，有的写作"伃"，有的写作"予"或"宁"，因为古字常常同音通假。杼

自然可爱的动物形象
二里头文化遗址出土的陶器种类繁多，有一些新品种，如印纹硬陶、釉陶和造型精美的白陶、黑陶等，这件鸭形陶器表面有纹饰，鸭腿作为陶器的腿，取自动物形象，写意而自然。

九尾狐

少康重建夏王朝后，一直以东夷部落为忧患。他的儿子杼继承王位后率军东征，东夷部落献上九尾狐表示臣服。

即位后，继承少康遗志，积极准备征伐东夷。传说杼为战争的需要而制造了许多矛和甲，矛是进攻武器，甲是防御衣服。这些矛和甲制作精良，进攻和防御的性能都很好。为了指挥战争的便利，他先把都城迁到黄河北岸的原，即今河南济源市西北，后又向东迁到老丘，即今河南开封市东。

太平盛世的祥瑞

制造众多武器，扩充军队编制，训练杀敌本领，国都也迁到合适的位置，然后，帝杼便亲自率军东征了。这次征伐，由于准备充分，又做了大量的宣传工作，因此比较顺利地征服了分布在今河南东部、江苏北部和山东各地的夷人部落，一直打到东海之滨。军队所到之处，夷人部落的首领都来朝贺，纳贡称臣。一路上几乎没有遇到什么阻力，夏王朝的声威大振。特别是打到大海边上，有一个叫"三寿"的，也有的说叫"王寿"的东夷部落，其酋长立刻表示臣服，并向帝杼献上一条"九尾狐"。这种九尾狐颜色雪白，尾巴有许多分叉，是一种罕见的珍稀动物。传说九尾狐的出现是一种祥瑞，预兆着天下将出现一个太平盛世。过去夏禹在涂山见到过一次，现在帝杼征东夷，又见到了。帝杼高兴异常，东征不但平服了广大地区的东夷部落，而且还意外地获得了一只可爱的"瑞兽"。然而不幸的是，不久，他因不治之症，竟过早地去世了。杼在位的时间虽然不长，但在夏族人看来，他是能继承夏禹事业的一位杰出的帝王。

关系密切的佳话

杼死后，他的儿子芬继位。因为杼征东夷胜利，声威远扬，原来一些叛离的方国、部落，又纷纷来

朝，臣服于夏。史载帝芬三年"九夷来御"，即在东方的九种夷人都来称臣纳贡了。这九种夷人，包括

制作精湛的琮王
良渚文化的玉琮，以其超常的体量和制作技艺的精湛，被人们称做"琮王"。琮王的造型内圆外方，外部呈扁方形。每面正中有一道直槽，槽的上下方各以浅浮雕与阴刻的细线刻出神人与兽面合体的图像，它是良渚人所崇敬的神徽。神的面部作倒梯形，戴着高大的羽冠，双臂平抬，屈前臂，下肢蹲踞，足部像鸟爪。其腹部为兽面。双目圆睁，咄咄逼人，有宽鼻与巨口。这一局部形象与后来青铜器上的饕餮纹显然有着发展上的内在联系。

畎夷、于夷、方夷、黄夷、白夷、赤夷、玄夷、风夷、阳夷。九夷都来朝贡，夏王朝与东方诸夷人的关系有了显著的改善。到芬的孙子泄继帝位后，又对九夷中的畎夷、白夷、玄夷、风夷、赤夷、黄夷这六种夷人加封诸侯，更加密切了夏王朝与东方夷人的关系。

以三寿部落所进献的九尾狐为祥瑞，夏王朝与东夷各方国部落的亲密关系日益增进，成了夏王朝历史上的一段佳话。

世界大事记 阿摩利人建立古巴比伦王国。

帝芒 胤甲 孔甲 昏庸 愚蠢 《竹书纪年》

人物 关键词 故事来源

〇六八

求神拜鬼的孔甲

夏朝王位传到孔甲，只知求神拜鬼，打猎玩乐，使国内混乱，声威衰落。

帝芒祭祀河神，迷信盛行

夏朝后期，对鬼神的迷信十分盛行。遇到洪水泛滥，有人就以为是河神在发怒。在夏后帝杼、芬两代的几十年间，河水很少泛滥，农业生产有了较大发展，人民生活也较安定。这在某些统治者看来，是河神的赐福。因此，在帝芬的儿子芒即位的第一年，就举行了一次十分隆重的祭祀黄河之神的仪式。

在选定的吉日里，帝芒率领群臣百官以及一些诸侯、使者来到黄河岸边，举行祭祀典礼。祭祀仪式开始，祭祀场上鼓乐齐鸣，由巫祝宣读祈祷河神的祭文，接着将猪、牛、羊等作为"牺牲"沉入河中。当年先祖大禹治水成功，帝舜为奖励大禹，赐给他一件名为"玄圭"的贵重玉器。为了表示对河神的敬意，芒决定将这玄圭也沉入河中。这就是古代为祈祷河神保佑而进行的一种"沉祭"，沉祭作为一种迷信活动被长期保存下来。同年，帝芒率领一些官吏和随行人员到东方海滨地区去打猎，在那里捕捉到一条不同寻常的大鱼。群臣们向芒表示祝贺，说这是河神所赐，是天下太平的征兆。

胤甲遇大旱，恐慌而死

帝芒以后，帝位传到胤甲。胤甲又名"廑"。他即位后，把国都迁到西河，即今河南淇县，因为处在古黄河的西岸，故有此名。胤甲在位有一年，天下大旱，酷热异常。传说那时的情形和尧当年一样，天上"十日并出"，把庄稼都晒死了。当年有射箭英雄羿出来把九个太阳射落，天下才变得温和宜人。这当然是一种神话。胤甲在位那年大旱，也以为是天上有妖怪作祟，于是天天举行祭祀仪式。胤甲心神不定，以为是上帝要来惩罚他。这一年，胤甲就在恐慌中去世。

烧香磕头者祈拜生效

胤甲死后，帝位由孔甲继承。他一天到晚装神弄鬼，大搞迷信活动。为什么会如此呢？这还得从夏代中期帝位继承的波折说起。帝芒去世，由其子泄即位；帝泄去世，由其子不降即位。帝不降年老时，突发奇想，为了表示自己有"圣德"，不把帝位传给儿子孔甲，而是在他弥留之际，把帝位逊让给了弟弟扃，叫做"内禅"。这样就在王室贵族中引起了矛盾。孔甲是帝不降的长子，本来可以顺利地继承帝位，但由于其父晚年的奇特做法，使他的帝位落了空。于是，孔甲一方面暗中培植自己的势力，企图等待时机夺取帝位；一方面又将希望寄托于鬼神，天天祭祀、祈祷，盼望依靠天帝神灵的保佑，将帝位返还于他。

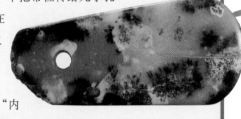

事情的发展正像孔甲所盼望的那样。帝扃死后，由他的儿子胤甲继位。扃和胤甲都是短命帝王，只有前帝不降的儿子孔甲还健在，他培植的势力也在王室贵族中活动，帝位自然就落到了孔甲的头上。孔甲登上了帝位，认为这是天神的恩赐，是他长期求拜鬼神的结果。于是，更加沉醉于迷信活动，以为祭祀鬼神、烧香磕头，就能达到一切目的，对于王朝政事、社会生产一概不管。除了大搞迷信活动外，其余时间就是打猎和玩乐。孔甲的这种行为，使国内混乱，声威衰落。过了四代，夏朝就灭亡了。

祭祀用的玛瑙斧(上图)

凌家滩遗址出土，玛瑙斧也应是专为祭祀之用。

○六九

刘累养龙

孔甲造了两个大池，抓来四条大
鱼命刘累喂养，把鱼说成是天赐
的龙，以谎骗天下，愚弄人民。

胡作非为的残忍昏君

夏后孔甲除了祭神拜鬼，就是打猎游玩。有一次，孔甲带领大队人马到东阳地区的黄山打猎，突然刮起了大风，空中乌云密布，天色黯淡。人们处在一片灰蒙中。孔甲迷了路，走进一个山民家中，见女主人正在给一个小男孩喂奶。有人说："这男孩生下的日期是个好日子，一定大吉大利。"又有人说："看来吉利不能胜过祸害，这孩子将来一定要遭殃。"孔甲听见此话，再看看那男孩生得十分可爱，就夺过女主人怀中的孩子，说："作为我的孩子，谁敢伤害他？"不管女主人同意不同意，抱了孩子就走。女主人孩子被夺走，大哭大叫，孔甲全然不顾，扬长而去。

这个孩子在宫中托人抚养，因为他失去亲生父母，没有人疼爱他。孔甲虽然作为他的养父，但因不是亲骨肉，也不去关心他。有一次，宫中拆房子，男孩跑去观看，一把锋利的大斧从屋上掉下来，砍断了他的脚。就此男孩成了残废，别的事不能做，只好守门。孔甲闻讯此事，感慨地说："唉！遭殃，这是命里注定的啊！"他还作了一首歌，用东部地区人的音调来唱，取名叫《破斧之歌》。他要身边的人都学着唱，说这是"东音"。这件事传扬出去，大家都骂孔甲是个胡作非为的残忍的昏君，是个神经病！

二里头遗址陶器上刻画符号表 符号记事代替结绳记事的开始
二里头文化出土的陶器上，留有制陶工匠为表示某种特殊含义而刻画的符号约20余种。这些符号虽不是文字，却具有中国文字的笔画形状，与文字的产生有一定联系。

> 历史文化百科 <

〔部落·部落联盟〕

部落是由多个血缘相近的氏族公社组合起来构成的，它通常居于一定的地域，有自己的名称和管理本部落事务的机构。

由于斗争的激烈和军事活动的增加，若干部落往往联合起来组成部落联盟。联盟有议事会和人民大会等组织，并推选出军事首长进行指挥。

部落联盟中后来出现了特权贵族，导致部落联盟的解体而演变为阶级统治的国家。

历史上的养龙传说

在有关孔甲祭神拜鬼的故事中，还有一些关于龙的故事流传下来。据说

整体健硕朴素的夏代连珠纹斝
斝是盛放香酒的器具，用于祭祀，也可在宴会中献酒饮客，为斟酒器。此夏代斝为敞口长颈，颈部有一周实心连珠纹，整体健硕朴素。

公元前 1850年

世界大事记　埃及莎草纸抄本上出现有关避孕方法记载。

《左传·昭公二十九年》
《吕氏春秋·音初》

孔甲　恶行
刘累　谎骗

人物　关键词　故事来源

仅绘头部的北方岩画

宁夏中卫县黄羊湾人面像，头顶圆状饰，为一面具，充满神秘宗教色彩。仅描绘头部，为中国北方岩画的特殊技法。

因为孔甲天天祭祀鬼神，顺于天帝，天帝格外开恩，赐他"乘龙"。所谓"乘龙"，即驾车的龙，在黄河、汉水中各有雌雄两条。孔甲命臣下把它们捉来，但没有人能够喂养。听说古代养龙，有专门的人才，国家设立有"豢龙氏"和"御龙氏"的官职。豢龙氏是专门养龙的，御龙氏是专门驾驭龙的。传说古代廖国国君叔安，有个后裔非常善于养龙。他知道龙的饮食爱好，便用龙喜欢吃的东西去喂养，因此龙都爱到他那里。他以驯服龙的技艺长时期地服事帝舜。舜很夸赞这个年轻人，让他做"豢龙氏"的官，并赐他姓"董"。"董"是督察管理的意思，因为他善于督察管理驯龙的事，所以赐给他这个姓。后来他的名字叫"董父"，"父"是古代对男子的美称。帝舜时有董父作豢龙氏，因而把养龙的事管理得很好。

孔甲养龙的目的和真相

相传尧的本家陶唐氏有个后代叫刘累，曾经在豢龙氏那里学习过驯服龙的本领，这个人在孔甲时还活在民间。孔甲就传令把他召来。这刘累果然名不虚传，真的会喂养龙。孔甲就造了两个大池，把从黄河、汉水中抓来的两对龙放在里面，让它们自由地游动。刘累喂养龙很有耐心，把龙喂养得体大力强，孔甲看了非常高兴，就封他做"御龙氏"的官。这个官原来世代由彭姓的"豕韦氏"担任的，现在豕韦氏衰落了，便由刘累继任。龙这种神物是很难养的，刘累虽然受过专门训练，但也难免有失误。经过一段时间的喂养后，一条雌龙突然死去，这使刘累十分害怕。他偷偷地把这条雌龙的肉剁成肉酱，煮了给孔甲吃。孔甲吃了觉得味道鲜美，赞不绝口。过了几天，孔甲又要吃这种肉，刘累怎么能再杀活龙给孔甲吃呢？他因害怕而逃跑了，一直逃到鲁县，即现今的河南鲁山县。

孔甲、刘累所养的龙，实际上可能是四条大鱼。孔甲一贯装神弄鬼，他把大鱼说成龙，编造说这些"龙"是天帝赐给他的，以此愚弄天下人，巩固自己的统治。但是，孔甲不问政事，专搞这些荒唐无稽的迷信活动，反而使国家越来越乱。

> 历史文化百科 <

〔夏商时代的马车〕

陆行乘车，最早不是人人都能享用到的。文献中有夏代贵族乘车外出的说法。今知最早的整车，出土于安阳殷墟。那时马车的箱舆栏杆仅高0.45米以下，估计当时的乘员采用的是跪坐姿势，曲膝跪式，这样才可手倚栏杆。驾车时，大概也如文献所说，仆御居左，乘者居右。若是乘3个人，大概主人居右，仆御在中，陪乘者居左，都以右为上。

中国大事记：桀攻有施氏，获美女妹喜，宠爱无比，乃纵情享乐，不问朝政。

迷恋妹喜

夏朝末代王桀是个好色之徒，因迷上妹喜为她造宫室，整天纵情享乐。

大凡一个国家或朝代的衰亡，与国君迷恋女色往往有很大关系。古今中外，有着举不胜举的例子。中国古代最早的夏、商、周三朝，可以说是因国君迷恋女色而遭灭亡的典型代表。夏朝的最后一个帝王桀，就是由于迷恋美女妹喜（原作妹喜，妹，音默），导致了夏朝的覆亡。

末代昏君的致命弱点

夏后孔甲去世，由儿子皋继承帝位。有的书上把皋写作"昊"。皋死后，由子发继位。有的书上把发写作"敬"或"发惠"。发去世，又把帝位传给儿子履癸。履癸，又作"癸"，也名"桀"，就是遗臭千古的夏朝末代帝王。

夏桀身材魁梧，力大无穷，据说他能折断铁钩索，在水中能杀大鳄鱼，在陆地能生擒熊、罴、虎、豹。然而，他有一个致命的弱点，就是酷好女色。夏桀即位后，为了便于征伐，又将都城迁回黄河以南的斟寻，这是太康曾经建都的地方。夏王朝东边的有施氏，在今山东滕州一带，是一个小诸侯、方国，对夏王朝一直怀有二心。桀为了杀一儆百，决定先拿有施氏开刀。他调集了大量军队，向有施氏的族居地进发，大有一举攻灭之势。有施氏国小力薄，见夏王朝大兵压境，赶忙向夏桀请罪，表示愿意称臣纳贡。桀开始时声色俱厉，不接受有施氏的投降，一定要灭之而后快。在这生死存亡的紧急关头，有施氏国君打听到桀是个好色之徒，赶忙选了一个叫"妹喜"的美女进献给夏桀。妹喜，有的写作"末喜"、"末嬉"或"妹嬉"。桀见妹喜生得妩媚可爱，立刻改变态度，不再要灭有施氏，迅速带着妹喜罢兵而归。

造宫室极尽富丽讨好妹喜

妹喜见桀十分钟爱她，就撒起娇来。她说斟寻的宫殿已经陈旧，应该造个新的。桀为了讨好妹喜，就征派民夫、调集奴隶在旧宫旁边修建新的宫殿、楼台。这座宫殿造得高大，外形别致，看上去像要倾倒的样子，所以名为"倾宫"。倾宫中的柱子，都是烫金、雕饰过的，十分富丽堂皇。倾宫的花园里，又用玉石建造了一个漂亮的楼台，称为"瑶台"。倾宫、瑶台完工以后，桀就和妹喜迁到这个离宫中去居住。

恶作剧踩死百姓寻开心

桀和妹喜在新造的离宫中纵情享乐。他召来许多能歌善舞的女子，还有弹奏乐器的人和演滑稽戏的小丑。离宫中张灯结彩，每天都有大型的歌舞和戏剧演出。在歌舞和戏剧演出之外，夏桀日夜与妹喜及宫女饮酒作乐。妹喜常常坐在夏桀的怀中，撒娇作态，博取桀的欢心。为了寻找刺激，妹喜想出了许多奇异的游戏。她要夏桀造一个很大的酒池，叫许多人在旁边低头伸下去饮酒。据说夏桀击一次鼓，像牛一样下到池中饮酒的就有三千人。这些人喝醉了，都淹死在酒池中。妹喜觉得有趣，大笑不止。本来，车是用马拉的，妹喜想看看人拉车的样子，于是就叫来一些奴隶，套上缰绳，命他们拉着车奔跑，妹喜觉得新奇，玩得十分高兴。妹喜还想出一个奇招：她要桀在集市贸易时，把老虎放入市中，她在台上观看。她看到人们见老虎扑来，惊慌失措地奔逃，卖货的摊位上东西狼藉，互相碰伤踩死的人不计其数。这种惨状，使妹喜笑得前仰后合，桀看到妹喜开心的样子，心里也是乐滋滋的。

一个昏君，一个宠妃，过着这样花天酒地、穷奢极欲、胡作非为、寻找刺激的生活，不管国家的政事、人民的生活，它预示着千秋大业必然要断送在他们的手里。

新石器时代良渚文化玉璧：玉器功能的转换（右页图）
《周礼》云"苍璧礼天"，最早的玉璧是用来祭天的，但在良渚文化的墓葬中出现成批的玉璧，有的制作粗糙，有的缺损。部分学者因此认为这些玉璧是财富的象征，不再仅仅是礼器。

民众诅咒太阳骂夏桀

夏桀除了贪恋女色，荒淫无道，整日过着花天酒地的放荡生活，不理朝政外，他还无休止地搜刮人民，进行残酷地剥削、压迫，把他们的血汗都榨光了，就征发他们来服劳役。被征发来服劳役的民众，敢怒不敢言，就用消极怠工的方式进行对抗，不执行监督官吏的命令。因为夏桀经常把自己比做天上的太阳，所以服

忠臣关龙逢

眼看桀大肆搜刮民众，过着荒淫无耻的生活，国家危在旦夕，有个忠臣直言劝谏，却被桀处以极刑。

劳役的民众对着天上的太阳诅咒道："你这个太阳啊，什么时候才能命丧，我与你一起灭亡！"民众表面上诅咒的是太阳，但实际上是指桑骂槐，痛骂的是夏桀。

琮王的设计表现出数学计算的精确性

良渚文化的琮王造型以圆柱形与方形组合，在设计制作上表现出数学计算的精确性，16组纹饰均匀地分布在器体由纵横的直线所规划出的均等范围之内，刻纹异常浅细，与浮雕手法配合，显得主次分明，有条不紊。

《韩诗外传》
《吕氏春秋·慎大览》卷四

忠言
正直
残忍

夏桀
关龙逢

人物 关键词 故事来源

二里头文化石范：铸造技术的发展

夏朝普遍使用的铸造模具是陶范，但在二里头文化有少量石范出现，用来制作小件器物。石范由四块组成，用时对合在一起，使用起来既结实又方便。

佞臣花言巧语当丞相

在国家局势的危难关头，君主的身边总有两种大臣：即佞臣和忠臣。佞臣用花言巧语向君主献媚，说天下局势稳定，政权巩固，百姓们感恩戴德，你君王永保天命。这样可以得到君主的恩宠，容易升官发财。但佞臣这样的吹牛拍马，阿谀奉承，掩盖矛盾，粉饰太平，会使君主越来越胡作非为，最后导致国家灭亡。夏桀时有两个著名的佞臣，一个名叫干辛，一个名叫侯侈，他们都当了夏桀的丞相。干辛对夏桀百般谄媚，说尽好话，而对诸侯和百姓，耀武扬威，进行凌辱和苛刻剥削。侯侈，又叫"推侈"、"推哆"或"推移"。他能说会道，颠倒是非，内心险恶，手段狠毒。他投君主之所好，善于掌握君主的心理而操纵君主的行为。这些佞臣，成事不足，败事有余，把桀一步步推向深渊。

忠臣直言劝谏遭杀戮

在桀的身边，也有一些忠臣。当时最著名的忠臣叫"关龙逢"。他看见桀大肆搜刮民脂民膏，终日过着荒淫无耻的生活，诸侯叛离，人民怨愤，一旦边境有外族入侵，国家命运就危在旦夕，因而他手捧"皇图"，

来到倾宫求见桀。皇图是古代王朝绘制的宣扬帝王祖先功绩的大幅图画，它的作用是留给后代帝王们看，使他们弘扬祖先的功德，效法祖先们治理国家的业绩，把王朝一代代继续下去。关龙逢捧去的皇图绘有大禹治水、涂山诸侯大会等宏伟的图景和壮阔的场面。他的目的是要桀效法先王，像夏王朝的始祖大禹那样节俭爱民。因为只有这样，才能得到诸侯和人民的拥戴，使国家长治久安。关龙逢一边手捧皇图给桀看，进行规劝和诱导；一边严肃地进谏道："古代的人君，身行礼义，爱民节财，故国家安定而身自长寿。现在你作为君主，用财大肆挥霍，好像有无穷无尽的来源；杀人惟恐不多，好像割草一样。长此下去，如果不改，天灾一定会降临，而诛杀一定会轮到君的头上。我的君王，你一定要改变啊！"说罢，立在倾宫中不出去，希望夏桀醒悟。桀见他话中有不祥之意，并且态度激昂，行动傲慢，不禁大怒，便令边上的卫士把关龙逢拉出去斩了，把皇图也一起焚毁。关龙逢被桀处以极刑，先斩其四肢，然后再杀头，让其慢慢死去，惨状目不忍睹。

在朝的大臣们听说关龙逢忠言谏桀，得到如此的下场，不禁心寒胆栗，纷纷有离夏朝远去之意。而桀对逆耳忠言更加反感，态度更加骄横暴虐。这样一来，桀边上的忠臣越来越少，佞臣越来越多，离大难临头的日子已为期不远了。

> 历史文化百科 <

〔夏商时代人的季候知识：年岁与四时〕

夏代至殷商时期，黄河流域形成农业社会，人们已有关于年岁和四时的基本知识。《尚书·尧典》里提到相当于农历的春分、夏至、秋分、冬至四个节气。商代实行一套适合农业社会的以太阴定月、太阳纪日的阴阳合历，置闰，历年长度在360日至370日之间。

夏桀　有缗国君
贪婪　怨愤
《左传》昭公四年和十一年
人物　关键词　故事来源

前1640年
前1600年
约公元前1640—前1600年

中国大事记
桀在有仍召开诸侯大会，敲诈勒索财物。有缗国君愤然出走，被桀攻灭。

〇七二

灭有缗氏

为掠夺更多财物，桀召集诸侯大会，勒令各国进献。有个诸侯因气愤而出走，桀便率军征伐，把它攻灭。

出点子，诸侯大会穷搜刮

夏桀因为伐有施氏喜得美女妹喜，又掠夺得大批财物，尝到了甜头，所以他总是想再向东边的小国攻伐，夺得更多的财物和美女。但是，动用军队攻伐，总是劳力伤神。夏桀想出了一个既省力又可多得财物的办法，即举行一次诸侯大会。举行大会的时候，一方面可以显示夏王朝的威

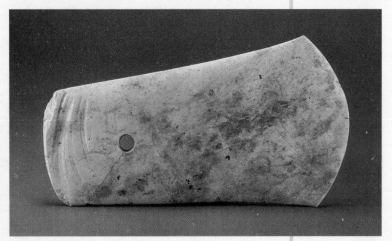

作为礼器的玉钺
凌家滩遗址出土，钺本是武器，但此处的玉钺应是作为礼器祭祀用的。

力，向诸侯们发号施令，叫他们称臣顺服；一方面又可以向诸侯摊派贡物，令他们定期进纳，大肆搜刮资财。岂不一举两得！

主意已定，夏桀就考虑诸侯大会的地点。经过再三思索，他把地点定在有仍，即现在的山东济宁市。有仍是桀祖上夏后帝相的妃子后缗的娘家，一向与夏王朝关系很好。当年后缗带了帝相的遗腹子逃到娘家，生下夏王室的根苗少康，夏王朝才得以中兴，延续其统治一直传到桀。因此，有仍对夏王朝有着特殊的亲

密关系。而且，有仍四周小国多，资源丰富，便于进行控制和掠夺。于是，夏桀令人通知东方各地诸侯，在确定的日期到有仍参加诸侯大会，并要准备贡物，向夏王进献。

遭抵制，有缗国一走了之

东方各地的诸侯，不满意夏桀贪得无厌的掠夺行径。但慑于桀的武力，不得不前来赴会，并准备了一定的贡品。夏桀在诸侯大会上，摆出一副天子的架势，对各地诸侯不以礼相待，动辄进行训斥，而且敲诈勒索，要求的贡品特别多，引起诸侯的反感。他们三五成群地窃窃私议，都在数落夏桀的无礼，商量着如何想办法抵制夏桀的搜刮行为。这时，有一个叫"有缗"国的诸侯，态度特别偏激，他不能忍受夏桀的狮子大开口，要这要那，贪得无厌，就在会议中途不辞而别，一走了之。这样，有仍诸侯大会便不欢而散。

用武力，财物美女全虏掠

有缗就在有仍的西南，今山东金乡县东北。夏桀认为，有缗在诸侯大会上出走，是对他的背叛。一气之下，便率领夏朝军队及参加"有仍之会"的各诸侯国家，讨伐有缗。可怜有缗国小力弱，无力抵抗，被夏桀一举攻灭，然后将其财物、美女、强壮劳力全部虏掠到夏都。但是桀的所作所为，被各诸侯国看在眼里，恨在心上。他们对夏王朝更加离心离德，希望有哪一个国家强盛起来，把夏王朝推翻掉，解救他们于苦难之中。如此一来，夏王朝在诸侯国中更加孤立了。

前1840年左右
公元前 1840 年左右

世界大事记

赫梯的一些部落开始向奴隶社会过渡，逐渐形成一些小城邦。

夏桀
琬
琰
妹喜
荒淫
嫉妒
《太平御览》卷一三五引《纪年》

人物　关键词　故事来源

〇七三

岷山献美女

玩够了妹喜，挥霍尽财物，桀又设法攻伐小国。岷山之君只得精心挑选两位美女，送入夏营。

夏桀又得绝色佳人

攻灭了有缗氏，夏桀掠夺到大量的财物、美女，财物供他挥霍，美女供他玩乐。但是，一个贪婪的帝王，欲望岂有满足的时候！过了一段时间，财物用尽了，美女玩够了，夏桀又想再对一个小国发动一次攻伐，以获得更多的东西。于是，他命令一个叫"扁"的武将带领一支军队去攻伐岷山，自己随军队在后督战。岷山也是有缗附近的一个小国，土地狭小，人口不多，无力抵抗夏朝的进攻。这个小国之君听说夏桀特别喜爱女色，过去有施之君献了美女妹喜，因而国家得以保全，人民免遭祸殃。于是，岷山之君也在国内精心挑选了两位绝色的美女，把她们送入夏营，贡献于夏桀的面前。

这两个美女，一个名叫"琬"，一个名叫"琰"。两个名字的意思，都是一种美玉。夏桀仔细端详，见琬和琰这两名美女确实生得如花似玉，比妹喜还要可爱。同时，岷山还送来了许多贵重财物。夏桀大喜过望，不费一兵一卒，竟得到如此满意的收获，立刻下令退兵。

夏桀回到宫中，对琬、琰两人钟爱备至，特地找

来了一对美玉，取名为"苕华之玉"。在苕玉上刻上"琬"的名字，在华玉上刻上"琰"的名字，象征琬和琰两名女子，把她们珍藏起来。夏桀像当年钟爱妹喜一样，整天和这两名女子泡在一起，看歌舞，观戏剧，吃喝玩乐。日子就这样一天天地过去，夏桀觉得自己有些衰老，很想有个孩子，一方面可以享受天伦之乐，一方面也可以有人继承王位。但这二女一直没有怀孕。

妹喜遭冷落，醋性大发当间谍

再说夏桀的元妃妹喜，自琬和琰进宫以后，马上遭到冷落。事实上，琬和琰确实比妹喜年轻、美丽，妹喜无论在哪一方面都比不上这两位佳人。面对夏桀喜新厌旧，整天和琬、琰二人形影相随，妹喜醋性大发。她决意要让夏桀的王朝灭亡，以消除自己的心头之恨。她知道伊尹是商汤派来的间谍，来了解情况，以便时机成熟向夏发动进攻。于是就主动和伊尹结交，提供给他自己所知道的情况。伊尹得到妹喜的帮助，情况了解得细致深入，对商汤攻夏创造了极有利的条件。

夏桀攻岷山得美女琬和琰，冷落元妃妹喜，妹喜因为妒忌而与伊尹勾结，当了商汤的间谍。夏桀的胡作非为，使夏王朝内部更加分崩离析。

作为礼器与佩饰的玉璜

凌家滩遗址出土，玉璜的形体可分两种，一种是半圆形片状，圆心处略缺形似半璧，另一种是较窄的弧形。一般玉璜在两端打孔，以便系绳佩戴，早期的玉璜是一种重要的礼器。商周以后，玉璜逐渐形成具有礼器和佩饰两种作用。

> 历史文化百科 <

〔夏商时代的医疗认识〕

《山海经》里保留有夏商以前人们对于各种疾患种类的病象病因识别。商代甲骨文里有人体各器官专门名词，记载了大量病理观察和病变记录，疾患的专用名词，这些疾患分属现代医学的内科、外科、口腔科、齿科、五官科、眼科、骨科、神经科、肿瘤科、小儿科、妇科等。

话说中国

中国大事记

桀派武将扁攻伐岷山国，又得琬、琰二美女。桀喜新厌旧，使妹喜怒火中烧。夏王朝内部更加分崩离析。

〇七四

终古奔商

识时务者为俊杰。夏王朝有个名叫终古的太史令，带着史籍典册，向东方新兴的商国投奔而来。

天壤之别的两个世界

历史上每当一个王朝或政权将要灭亡的时候，总有一些大臣或贤士弃暗投明，跑到敌对的国家去。古今中外，概莫能外。夏王朝传到桀，君主享乐腐化，不问国家的政事和人民的生活，专制暴虐，滥杀无辜。当时在夏桀周围的，都是些阿谀奉承的佞臣，投合君主的意思，沆瀣一气，互相串通，道德沦丧，世风日下。由于贪官污吏残酷的剥削和压迫，人民无法正常地进行农业生产，因此田地荒芜，野草丛生，害虫遮天蔽日，呈现出一片衰败景象。

在夏王朝的东面，有一个叫"亳"的地方，就在现今的河南商丘市东南，那里是诸侯国商的所在地。商国的首领叫汤，他待民宽厚，附近的人民都来归附于他。汤又虚心纳谏，礼贤下士，重用能人，所以商国政治清明，君臣和睦。人民都安居乐业，农田里庄稼茂盛，谷穗壮实，年年丰收。夏王朝和商国相隔只有几百里地，然而两地的政治、经济状况却有天壤之别，看上去简直是两个世界。官吏和人民纷纷离夏投商，是很自然的事。

伊尹劝戒不成由桀归汤

当时伊尹正在夏王朝担任一个小官职。伊尹姓伊名挚，因为他后来当了"尹"的官职，所以人们都称他为"伊尹"。伊尹在夏王朝宫廷中听见群臣唱这样的歌："河水滔滔啊，船和桨都败坏了！我的帝王荒废政事啊，快快归向东方的亳，亳正在一天天壮大啊！"也有人这样唱："快乐啊，快乐啊，四匹公马矫健拉车啊，六根缰绳粗壮有力啊，离开不善而到善的地方去，怎么不快乐啊！"伊尹听了这些唱词，知道夏王朝的气数将尽，就举着"觞"跑到桀所在的地方。"觞"就是酒杯，和伤亡的"伤"同音，举觞就象征着国家将要伤亡，用以提醒桀警惕。伊尹对桀大声劝戒道："君王终日不理朝政，不听群臣忠告，大命将要逝去，灭亡就在眼前啊！"桀看了看伊尹，忽然大笑起来，不屑一顾地说："你又在制造妖言了。我有天下，就好像天上有太阳。太阳有伤亡的日子吗？太阳灭亡，我才会灭亡呢！"伊尹见夏桀已经无药可救，便急忙打点行装，朝商国奔去。汤见伊尹明白事理，才能出众，立刻任他为丞相。

终古顺应大势离夏奔商

夏王朝有一个太史令叫"终古"。太史令是记录政事的长官，兼管天象、历法。终古多次向桀进言，规劝

名厨贤相

伊尹名挚，夏末商初人，是我国古代著名的贤相，由于父传，他的烹调技术很高，是一位有名的烹饪家。

> 历史文化百科 <

〔夏商时代的纪日法〕

夏商时代的纪日法，就是我们今天还在使用的干支纪日法，即把甲乙丙丁戊己庚辛壬癸等"十天干"，与子丑寅卯辰巳午未申酉戌亥等"十二地支"依次搭配，组成六十个干支单位，用来纪日。夏商时代偶尔也单用十干支或十二地支纪日。

夏

2000000

1010

公元前1815年

世界大事记

亚述国王沙木什·阿达德以暴力夺得王位，规定物价。

《韩诗外传》卷二
《吕氏春秋·先识览》

忠言　逆境　弃暗投明

夏桀　伊尹　终古

人物　关键词　故事来源

话说中国

他要爱惜民力，关心人民的疾苦，夏桀都置若罔闻。眼看夏朝将要灭亡，他将无处容身，便拿出多年记录的史事、绘制的天文图及计算的历法，暗自哭泣。他得不到夏桀的重视，夏朝灭亡后，这些东西也将成为旧物，再也不能发挥作用了。他思前想后，最后也像其他官吏一样，带着自己的记事本和图法，奔往商汤之国。商汤见夏朝的太史令也奔来了，喜出望外，遍告四方诸侯说："夏王无道，暴虐百姓，他使父兄穷困，使功臣受辱。他轻视贤良的人，抛弃德义，听信谗言。广大民众，怨声载道。守法之臣，都自动归于商国。"商汤利用夏朝官员的纷纷来归发布告示，他这是为推翻夏王朝的统治大造舆论。

伊尹归汤和终古奔商，表现了当时的大势所趋，人心所向。

地位与权力的象征：玉猪龙

红山文化玉器玉猪龙更接近于猪的造型，其形象特征是头大，有双耳，额与鼻部多皱折，口露獠牙。整体造型厚重，背上有穿孔，可以悬挂，在牛河梁红山文化积石冢4号墓随葬玉器中，以两件兽形玉背靠背地并排置于墓主人胸部下方，吻部朝外，应是一种地位与权势的象征物。它是中国传统文化中龙的形象来源之一。

夏桀 商汤 琬 琰
狡诈 谋略 韬晦
《管子·轻重甲》
《史记·夏本纪》

人物 关键词 故事来源

前1640年
前1600年
约公元前1640－前1600年

○七五

拘禁阴谋

夏桀见商国对己有威胁，便设计逮捕其国君汤。商汤通过桀身边两位得宠女子的说情，得以释放。

出了一个馊主意

夏桀听说东邻的商国政治清明，官吏廉洁，人民都能安居乐业，农田庄稼一片兴旺，特别是夏王朝的官员，如伊尹、终古等，一个个投奔商国。夏桀意识到这不是一个好兆头。他还听说，商国的国君汤，年轻有为，办事精明，有远见卓识。商国还在制造武器，训练军队，莫不是要来进攻夏王朝?想到这里，夏桀全身不寒而栗。他和旁边的佞臣商量，出了一个馊主意:借故召商汤来夏都有要事面谈，等他来了之后，便把他逮捕，关进监狱，这样夏朝就不会有商国的威胁了。如果商汤不来，说明他心中有鬼，便可以发兵去攻他。

明知凶多，还要前往

于是，一道传令到商国，要汤马上来见夏王。汤知道夏桀旁边有一帮奸臣，诡计多端，此去凶多吉少。但是，商国现在的国力还不能和夏朝对抗，如果对传令置之不理，很可能引起夏朝军队来攻，后果将不堪设想。在衡量了去还是不去的利弊之后，商汤

决定还是去走一趟，看夏桀能把自己怎么样。果然不出所料，商汤一进入夏都，就被拘禁起来，夏桀把他关押在"夏台"。这是夏朝的中央监狱，专门囚禁重要的犯人。

凭机智设计脱险

商汤早就在夏桀周围买通了间谍。夏桀最喜欢的琬和琰两名女子，商汤曾托人给以"千金"的代价，使她们为商国服务。琬和琰也知道商国欣欣向荣，必定大有希望;而夏桀专制暴虐，总有一天会走向灭亡。为自己的前途考虑，琬和琰接受了聘金，愿与商汤合作。自从商汤被拘禁后，两个女子每天在夏桀面前讲好话，说商汤是忠于夏桀的，是夏王朝的忠实卫士，他不会有叛逆之心，他制造武器和练兵是为了保卫夏王朝。商汤在监狱中也不断向夏桀陈词，表示自己的忠心，永远向夏王朝称臣纳贡，做夏桀的马前卒。由于两位得宠女子的说情，商汤自己又不断表白对夏桀的忠诚，夏桀觉得商汤确实没有违抗自己的行为，拘禁的时间长了，对各地诸侯的影响不好，因而便把他释放归国。

夏桀拘禁商汤、欲把他置于死地的阴谋，因为夏桀的昏庸和商汤的机智终于没有能够得逞。

作为祭祀礼器的青绿玉饰
红山文化出土的这件玉器有着非常奇特的外形，紧靠在一起的圆眼夸张而神秘，圆眼下部的方扁形巨齿则带有兽的凶猛。整个造型体现了原始先民对神和自然的敬畏，是当时地位较高的族人祭祀用的礼器。

约 公元前 1800 年

世界大事记 意大利北部的青铜文化——特拉马尔文化出现。

夏商 桀汤
妹伊 喜尹

果断
屈辱

《史记·夏本纪》
《古列女传》卷七

人物　关键词　故事来源

○七六

桀之死

当时机成熟，商军向夏发动进攻，很快擒获夏桀。桀被流放到南巢，自杀身亡。

获情报，攻夏时机成熟

商汤归国后，一方面加强与各诸侯国的联系，一方面加紧军队的建设，同时派伊尹为间谍至夏侦察。怕桀不信，汤故意用箭射伤伊尹。伊尹带着箭伤到夏桀面前哭诉商汤如何暴虐，请求夏桀再收留他。这样，伊尹又在夏潜伏下来。过了三年，伊尹悄悄跑到亳向汤报告："桀迷惑于妹喜，钟爱琬和琰，不顾恤其民众。民众不堪剥削，怨气郁积，都说：上天不会照顾他，夏朝之命快完蛋了。"汤听了伊尹的报告，觉得出兵攻夏的时机已经成熟，便与伊尹歃血为盟。他们杀了牲口，把血涂在嘴唇上，对神起誓，表示一定要消灭夏朝，不达目的，誓不罢休。

桀被擒，政策宽大区别对待

商汤的军队向西挺进，直逼夏都斟寻。夏桀此时已是众叛亲离，自知无法与商汤对抗，便带领一部分军队向西逃到鸣条，其地在今山西运城市东北。商汤引兵追至鸣条，夏桀觉得再无路可退，便在鸣条的野外摆开决战的架势。夏桀的兵都不愿为桀战斗，纷纷逃离战场，溃不成军。夏桀见大势已去，亡命奔逃，终为商汤军队擒获。

商汤没有杀死夏桀，为表示宽大为怀的政策，决定对夏桀加以流放。为了使夏桀与夏朝的人民不再发生关系，断绝其死灰复燃的可能，商汤把夏桀流放到南巢，其地在今安徽巢湖市西南的巢湖边上。妹喜虽然曾经与伊尹结交，愿当商汤的间谍，但她是因为妒嫉琬和琰，并非出于真心拥护商，而且后来又有反

悔，故商汤将妹喜和夏桀一起流放。同时流放的还有夏桀的一些婢妾，但不包括琬和琰。因为琬和琰在汤被夏桀拘禁时，曾经为汤说了许多好话，救了汤的命。因此，琬和琰在夏朝灭亡后就恢复了自由。

自寻短见，摔死南巢山下

夏桀流放到南巢，过着囚徒般的生活，再也不能像往常那样奢侈腐化，为所欲为。他也没有面目去见他的臣僚和乡亲，心情十分懊丧。他告诉别人说："我懊悔没有在夏台杀了汤，才落到这个下场。"他觉得这样窝窝囊囊地活着还不如一死了之。一天，夏桀和妹喜以及婢妾同坐一条船在巢湖里漫游，然后就登上湖边的南巢之山。夏桀自寻短见，在高处纵身一跳，摔死在南巢山下，结束了他荒淫无耻的一生。

夏朝自禹建国，共传了14代，有17个帝王继位，历时471年。桀是夏朝的最后一个帝王，他的所作所为在历史上遗臭万年。战国时代的吴起曾经指出：夏桀统治的地方，东边到达黄河下游和济水流域，即今河北东南部和山东中部；西面到达华山，即今陕西东南部；南面到"伊阙"，即今河南西部的伊河及其附近的山脉；北面到"羊肠"，即今山西南部的丘陵地带。地域广阔，形势险要，但是由于夏桀暴虐无道，不施德政，终于被商放逐。这是个深刻的教训。

简朴折腹黑陶壶（上图）
湖南城头山遗址出土，此折腹黑陶壶口部小，下部有装饰用的小孔，形状简朴，壶面光滑。

约公元前1600－前1580年

前1600年
前1580年

中国大事记

汤伐夏归来，有三千诸侯携带贡品前来朝贺。

〇七七

夏朝的历法和生活情况

夏朝文化中有一件宝贵的遗产，就是《夏小正》。这是一篇按月份记载物候、气象、天文、农事、田猎等活动的文献。现保存在西汉戴德编的《大戴礼记》中。夏朝的文字，在考古发掘中，只是在出土的陶器上发现过一些刻画符号。但在先秦典籍中，有很多地方引用过《夏书》，还有"禹刑"，在《尚书》中也有几篇"夏书"。从夏代有书籍和刑法来看，它不可能只是在口头流传，而应该有最早的文字把这些内容记载下来。传说"仓颉造字"，仓颉是黄帝的臣下，

夏小正

这是一篇按月份记载物候和人活动情况的历法文献，是夏代留下的宝贵文化遗产。

那么到夏代也有了一段较长时间的造字过程。现存的《夏小正》，分经文和传文两部分，经文记载的内容，据现代学者考证，就是夏朝的历法和生活情况；传文就是注文，其注释部分，则是战国至秦汉间的学者加上去的。

《夏小正》中记载的物候和人的活动情况非常有趣

正月：蛰虫开始出土，大雁飞向北方，野鸡振翼鸣叫，鱼从结冰的水底上浮，田鼠出洞了，水獭捕鱼陈列水边，园中见有韭菜长出来，柳树长出新芽，梅、李、山桃开花了，农夫开始治理田亩。

二月：到田中去种黍，羊开始生羔，捕鱼的时候到了，堇菜长出来可以采摘，昆虫蠕动了，燕子来到家中作巢，黄鹂开始鸣叫，芸豆结实可以收获。

三月：桑树萌发，杨树抽枝，蝼蛄鸣叫，桐树开花，斑鸠鸣叫，开始养蚕。

四月：蜻虫和蛤蟆开始鸣叫了，园中的杏树结果了，开始执小驹使其驾车。

让人产生幻觉的艺术：新石器时代马家窑文化彩陶罐
马家窑文化是存在于甘青地区稍晚于仰韶文化的一种以彩陶为特征的考古学文化。马家窑文化的彩陶往往通过细密的水波纹、方格纹、螺旋纹等绘制出使人产生眩晕效果的图案，这或许就是马家窑人对美的特殊感受。

五月：浮游的小虫大量产生，伯劳鸟开始鸣叫了，蝉也鸣叫了，煮梅子、蓄兰草以为香料，开始吃瓜。

六月：煮山桃储藏起来作为食品，鹰开始搏击捕杀小动物。

七月：芦苇开花，小狸长大了，池水中长出浮萍，扫帚草长成了，寒蝉开始鸣叫，雨也下得多起来。

八月：瓜成熟了开始采摘，枣也开始剥取，栗裂皮而自动脱落，鹿交配成功而生养，田鼠损害庄稼。

九月：大雁迁往南方，燕子升空飞去，各种野兽入穴，菊花盛开，此时开始种麦。

十月：捕捉野兽的时节来到了，乌鸦忽高忽低地飞翔，夜变得长起来。

十一月：国王进行狩猎活动，陈列精良的弓箭，麋鹿坠落其角，商旅不行，万物不通。

十二月：鸳鸟高飞鸣叫，昆虫潜入地下，掌管水泽的虞人设网捕鱼。

最符合人们活动规律的历法

上面所记的物候和人的活动情况，是当时长期经验的积累。值得注意的是，这里所用的历法是夏历。古代人们把十二个地支，即子丑寅卯辰巳午未申酉戌亥，和一年的十二个月互相配合。以通常有冬至的那一月配子，第二月配丑，第三月配寅，直至第十二月配亥。如果以有冬至的那一月作为一年的正月，这样的历法叫做"建子"；以冬至后第二月作为一年的正月，这样的历法叫做"建丑"；以冬至后第三月作为一年的正月，这样的历法叫做"建寅"。传说古代夏、商、周三朝的历法都不同："夏正建寅，殷正建丑，周正建子"，即夏代把一年的正月放在冬至后的第三月，殷代即商代把一年的正月放在冬至后的第二月，周代把一年的正月

二里头文化铜爵：早期的饮酒器具

人类很早就知道酿酒技术，所以中国有所谓酒文化。二里头文化出土的饮酒器铜爵，是采用复合范铸造而成，其器壁单薄，纹饰简单，是中国历史上出现最早的青铜容器。

放在有冬至的那一月。在这三种历法中，只有夏历最符合人们的活动规律。因为冬至后的第三个月，正是春天的开始，万物复苏，大地更新，农民们开始下地劳动。把这个月作为新年的正月，最受农民的欢迎，也最便于管理农业。

夏历在中国的深远影响

自《夏小正》用夏历记录了一年十二个月的物候和农事活动的规律后，受到人们的普遍重视。春秋时代的孔子说："我欲观察夏朝兴亡的道理，所以到夏王后代所在的杞国，但那里找不到这方面的文献，却得到了夏时。"所谓"夏时"，就是按月记载物候和农事活动的《夏小正》。孔子认为这个文献非常好，所以他主张"行夏之时"。汉代司马迁写《史记》时还说："学者多传《夏小正》。"汉初的历法仍然用夏正"建寅"。直到现在我们所用的农历，也叫阴历，冬至一般在十一月，而冬至后的第三个月才是新年的开始，正是采用的夏历。可见《夏小正》记载的夏历，在中国历史上的深远影响。

> 历史文化百科 <

〔夏族起源地的探讨〕

关于夏族的起源地，历来有三种说法：一说夏族最早兴起于西羌，在陕西、山西一带活动；一说夏族是中原地区的部族，最早活动于河南的嵩山地区；一说夏族原是东夷集团的一支，最早活动于山东地区。

近年许多学者主张：夏族起源地在晋南。《国语·周语》说："昔夏之兴也，融降于崇山。"融作龙解，崇山即今山西襄汾东南的塔儿山。

商

公 元 前 1 6 0 0 年 ＞ 公 元 前 1 0 4 6 年

商代活动区域图

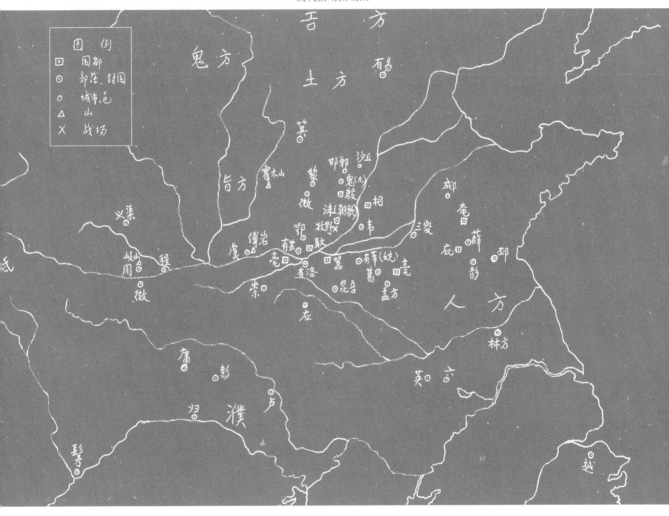

商代世系表

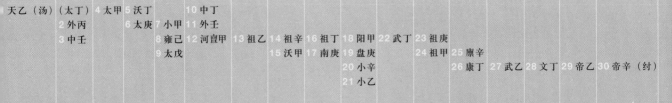

天乙（汤）	（太丁）	4 太甲	沃丁		10 中丁											
2 外丙		6 太庚	7 小甲		11 外壬											
3 中壬			8 雍己	12 河亶甲	13 祖乙	14 祖辛	16 祖丁	18 阳甲	22 武丁	23 祖庚						
			9 太戊			15 沃甲	17 南庚	19 盘庚		24 祖甲	25 廪辛					
								20 小辛			26 康丁	27 武乙	28 文丁	29 帝乙	30 帝辛（纣）
								21 小乙							

○七八

简狄 契 舜 ｜ 玄鸟生商 ｜ 尊贤 谋略 ｜ 《古列女传·契母简狄》《诗经·商颂·玄鸟》

人物 典故 关键词 故事来源

吞燕子卵而怀孕

商朝的祖先名"契"，他的母亲叫"简狄"，是有娀氏国君的长女，嫁给帝喾，成为帝喾的次妃。有一次，正当春分时节，玄鸟到来的日子。玄鸟就是燕子，因为它的身体呈深青色，也即玄色，所以叫做"玄鸟"。那一天，简狄跟从帝喾到郊区去祭祀禖神。据说禖神是管理生儿育女的，谁要求生育子女，便来求拜禖神。因为禖神的祠一般在郊区，所以又称"郊禖"。简狄来到郊区，向禖神求拜、祭祀仪式后，和她的两个妹妹在玄丘之水中洗澡。这时，有一只玄鸟衔的卵即鸟蛋坠落下来。这只玄鸟卵小巧玲珑，上面还有五色花纹，十分好看。姐妹三人都去抢那只鸟卵，用玉筐把它覆盖起来。简狄眼明手快，先夺得了那鸟卵。出于好奇，简狄把那卵含在嘴里，谁知一不小心，竟吞了下去。那卵在简狄的肚子里翻腾，使简狄怀上了孕。过了几个月，简狄难产，剖腹而生下一子，取名为"契"。

契当司徒官

简狄性情温和，家有教养，她上知天文，下知地理，道德高尚，乐善好施。契从小受到良好的教育。在他青少年时期，简狄又教给他家庭伦理的道德。契生性聪明，把母亲的教导牢牢记在心上。

契长大以后，曾帮助禹治理洪水。他勤恳踏实，受到禹的赞赏，立了功劳。契又在尧、舜的宫廷中当"司徒"官，负责教育民众。当时的人民，虽然能吃饱穿暖，

完美的图案设计：新石器时代马家窑文化彩陶罐（左页图）
这件器物上连续的旋涡状纹饰围绕器身上下大幅度的起伏形成封闭的组合，使整个器物充满了律动。这种设计上的严密及图案与器身的有机结合，显示出马家窑人在图案设计上独有的才能。

玄鸟生商

传说商朝的祖先契，是他母亲简狄吃了玄鸟即燕子的卵而怀孕生出来的。因此商族人把燕子当作神鸟。

但缺少教育，经常发生争吵。舜对契说："现在的百姓不亲，'五品'不逊。你做司徒的官，一定要恭谨地向百姓进行'五教'。"所谓"五品"，是指君臣、父子、夫妇、长幼、朋友五种关系。臣不敬君，子不孝父，夫妇不睦，长不爱幼，朋友无信义，叫做"五品不逊"。"五教"就是五种关系的教育，即：父子有亲，君臣有义，夫妇有和，长幼有爱，朋友有信。契的工作十分出色，经过他的努力工作，百姓的道德风貌大为改观。

商朝诞生的神话

因为契帮助尧舜治国有功，被封于商，就是现在的河南商丘一带。舜并赐给契一个姓，姓"子"。从此，契的后代就以"子"为姓。契生在商，以后有功又被封在那里。契的后人经过十四代的努力，终于发迹，攻灭夏桀而建立商王朝。契是商朝君王的始祖。由于契是母亲简狄吞了玄鸟卵而生的，应是玄鸟的儿子。所以商族人把玄鸟作为一种神鸟。在一首歌颂商朝的乐歌中，一开头就这样唱道："天命玄鸟，降而生商。"简狄吞卵而生契的传说给商朝的诞生涂上一层神话的色彩。在许多诗歌和典籍中，契都被称为"玄王"，意思是天神玄鸟所生的王。其实，简狄在吞玄鸟卵以前早就怀孕了，只是没有察觉，吞了玄鸟卵而怀孕，不过是一种偶然的巧合。

安阳殷墟出土陶排水管：科学的排水系统
河南安阳殷墟曾出土陶排水管，为圆筒形插入式，一口较粗，口大，平沿，另一端口小，可套入另一节的大端口内，用来作建筑物周围的排水设施，说明当时的建筑技术较为进步。

为生存，商族多次迁徙

自契封于商后，为了生存和发展，经过多次迁徙。当时商族还是一个游牧部落，为了寻找丰富的水草，契向东迁到了蕃，就是现在的山东滕州市附近。契的儿子昭明继任首领后，又向北迁到砥石，其地在今河北石家庄以南、邢台市以北一带。昭明死后，儿子相土又率领族人赶着畜群回到老根据地。

相土发展经济，扩张势力

相土在商族历史上是一个了不起的首领，传说他"作乘马"，就是发明用马来拉车和驮运东西。这对生产力的发展是一个巨大的促进。用马拉车和驮运，必须把马驯服并加以训练，这样就要改变合群放牧的办法。相土把牛马分到各家各户，设立喂牛马的槽和关牲畜的圈。于是，游牧变成定居畜牧，同时开始了农业种植。随着畜牧和农业的发展，商族有了雄厚的经济实力，军事力量也壮大起来。

当时正值夏朝初期的多事之秋。夏后启即位后，先是与有扈氏发生战争，接着又有"征西河、诛武观"的事。后来，太康失国，夏王朝处于苟延残喘的境地，

治水英雄

商族早期首领冥在夏朝任治水之官，长期奋战在治河第一线，以身殉职，受到商族人的崇敬。

无力对各诸侯国进行控制。相土利用这一时机，大力扩张商族的势力。有一首商族人祭祀其祖先的乐歌中这样唱："相土烈烈，海外有截。"歌中的"烈烈"是形容威武的样子，"海外"是说东海之外，"截"是斩获。可见相土一定有过轰轰烈烈的军事征伐行动。他一直打到黄海之滨，还征服过海岛上的部落。据有的书上记载，相土还有过"东都"，可能是在东部建立的军事据点。这样，相土既有西部本土，又在东部有据点，势力是大大地扩展了。

大家族的印记
商代青铜鼎的铸造不仅被视为国家政权的象征，同时也是大家族权势的展示。此鼎系商代晚期大家族析子孙所铸，铜质纯正，铸造工艺精美，尤其是作为鼎足的鸟的造型古朴奇崛，富有写实的动感。这类铜器流传甚广，从中也反映出商代晚期至西周早期大家族的发展与变迁。

约 公 元 前 1 8 0 0 - 前 1 7 0 0 年

前1800年
前1700年

世界大事记

古巴比伦文化发达，在天文、历法、数学等方面都有长足的发展。

《国语·竹书纪年
鲁语上》

相土商侯冥

勤奋识才

相土商侯冥

人物　关键词　故事来源

殷墟出土玉援铜内戈：作为礼器的兵器
殷墟妇好墓出土了商后期的玉援铜内戈，玉援薄而脆，显然不是实用品，可能用作仪仗。

为黄河两岸人民捐躯献身

相土以后，商国诸侯的职位又传了几代。相土传给儿子昌若，昌若传给儿子曹圉，曹圉传给儿子冥。冥继任时，夏朝已经到了"少康中兴"的恢复时期。少康中兴后，水患是当时的一个突出问题。少康任命商侯冥为"水正"，即治水之官，让他带领人民去治理黄河水患。冥勤恳踏实，身先士卒。他先勘察水情，发现当年夏禹治水时疏导过的一些河道又被泥沙淤塞，农田灌溉的渠道大多年久失修，毁坏严重，于是他制定了治河的方案，发动黄河患区的两岸人民挖泥沙，疏河道，开沟渠。从少康中兴到其子杼即位后的二十多年里，冥发扬前辈契帮助禹治水的精神，艰苦奋斗，数十年如一日，终使黄河水患得到控制，农业生产有

> 历史文化百科 <

〔商代纪年的推定〕
我国学术界组织200位专家对夏商周纪年进行联合攻关，在商代纪年方面也做了大量工作。首先，根据文献和出土资料进行天文推算，得出武王克商之年为公元前1046年。专家们又测定郑州商城和偃师商城的始建年代，再结合文献资料，推定商代始年为公元前1600年。
在得出商代纪年为公元前1600-1046年的同时，专家们又推定盘庚迁殷和商后期诸王的年代。

了发展，人民生活安定，衣食丰足，夏王朝的政权也得到巩固。

冥不辞劳苦地长期奋战在治河第一线，吃不好，睡不好，身体受到严重损害，得了很多慢性病，经常头晕眼花，但为了根治黄河，他仍然毫不懈怠地工作着。不久，一件不幸的事发生了。相传杼即位的第十三年，冥率领一支治黄大军疏通河道时，因长期过度劳累，脚下一滑，不慎失足落水，被滚滚而来的黄河水流席卷而去。商侯冥就此以身殉职，为黄河两岸人民献出了生命。这是商族人民引以为骄傲的。

冥被后代尊为水神

春秋时期，蔡国的史墨宣称，"五行之官"都祭祀和尊奉各自的神，其规定是这样的："木正"即管理木器制作的官祭祀句芒，"火正"即防止火灾的官祭祀祝融，"金正"即管理金属制品的官祭祀蓐收，"水正"即治理水害的官祭祀玄冥，"土正"即管理土地的官祭祀后土。这里所说的"水正"祭祀的"玄冥"，就是商侯冥。有一年，郑国都城发生大火，负责祭祀的祝史"禳火于玄冥"，就是祈求水神玄冥来消除火灾。

约 公 元 前 1600 - 前 1580 年

中国大事记 商汤初年，发生严重旱灾。商汤以自己身躯作祭神求雨的牺牲，巧遇大雨而灾情缓解。

〇八〇

上甲微灭有易

冥的儿子王亥到有易部落贸易，为一点小事而被杀。王亥之子上甲微为父复仇，把有易攻灭。

王亥发展畜牧，往来各地经商

商侯冥去世后，儿子亥即位，古书中又称为"王亥"。亥有个弟弟叫恒，甲骨文中称作"王亘"。王亥和王恒兄弟俩感情甚好。王亥即位后，不再做夏王朝的"水正"，而是一心经营畜牧业。他见把马驯服成驾车和驮运的工具，使用起来非常方便，但当时的马主要产于北方，中原地区比较少，且难于饲养。王亥就将中原地区较多的牛加以驯服，用牛代替马驾车和驮运，所以史书中说"王亥作服牛"。牛的行动不如马快，但繁殖和驯养比马容易，于是，王亥在不长的时期内，驯养了大批的牛。

畜牧业发达起来，产品大量增加，就想到要交换。当时各方国、部落之间，已经在陆地上开辟道路，开展贸易活动。王亥以牛作为交通运输工具，来往于各地间，以自己的土特产去进行交换。以王亥为首的商族人，贸易活动越来越频繁。大家都管他们叫"商人"。据说后来把做生意的人叫商人，就是从王亥贩运货物开始的。

行为失检，惨遭杀害

有一年，王亥和弟弟王恒，率领着一队商族人马，赶着牛羊，驮着土特产，跨过黄河，长途跋涉，来到易水流域一个叫有易的部落，其地在今河北易县一带。王亥打算用牛羊和土特产，与有易部落的首长绵臣交换一些粮食和手工业产品。绵臣见王亥兄弟带了这么多牛羊和土产远道而来，非常高兴，就举行了宴会款待王亥兄弟，并有歌舞助兴。商族人本来就好酒贪杯，王亥兄弟喝得大醉，对宴会上的歌舞女子动手动脚。这种有失检点的行动惹怒了绵臣，他派

人乘夜把王亥杀死，把王亥兄弟带来的物品全部扣下。第二天清晨，又下令把王恒和商族人赶出有易部落。王恒苦苦哀求，希望能换回一些粮食和土产，遭到绵臣的拒绝。他只得带着随从们逃回本国。王恒向他的侄儿、即王亥的儿子上甲微如实地讲述了王亥被杀和物品被扣的经过。上甲微觉得父亲的行为虽然有些失礼，但绵臣也不该如此对待。他悲愤之余，决心要报杀父之仇。

上甲微的决心和谋略

上甲微的"上甲"两字，是因为其出生在甲日而加的号。"微"是上甲的名。此后商族的首领，都以其出生在"甲乙丙丁戊己庚辛壬癸"十个天干中哪一日作为号。上甲微即位后，要为父报仇，首先感到的是自己武装力量的不足。商族在相土时期武

造型生动的商豕尊

尊体为野猪形，吻部较长，口露獠牙，双目圆睁，短尾下垂，造型较为生动。背部有椭圆形口，有立凤钮形盖，腹部中段可放酒。1981年湖南湘潭出土。

商

2000000 1010

公元前1753年

世界大事记

汉谟拉比完成统一大业,《汉谟拉比法典》颁布。

绵臣 王亥 上甲微

怨愤 谋略

王恒

《竹书纪年》

人物 关键词 故事来源

青铜精品:商代铜鸮尊

商代后期青铜器开始出现以动物为母体的造型。特别是鸮(猫头鹰)的造形,在青铜器、玉器等艺术品与实用器中屡见不鲜。这件出土于妇好墓中的鸮尊巧妙借用了鸮的造型特点,将鸮的双足作为器物的两足,将鸮的尾部支撑于地形成器物的另一足,并且其周身纹饰雕刻精细,整体以雷纹衬地,蝉纹、双头怪夔、饕餮纹、蟠螭纹、盘蛇纹等交互使用,达到了实用与艺术的有机统一,是商器中难得的精品。

力强盛,征服东方各部落,一直打到海边。此后几个首领,对军事力量的发展注意不够。冥埋头于治理水患,而王亥又集中力量发展畜牧和商业。这样,就缺乏战胜有易部落的武力。于是,上甲微一方面积极扩充自己的军事力量,一方面设法与邻国联合。当时黄河边有个方国的首领名叫河伯,与商族

关系较好,冥治理黄河水患时,河伯也得到很多实惠,因此一直与商族保持着友好往来。上甲微求河伯出兵帮助讨伐有易,河伯觉得绵臣一贯横行霸道,有必要进行惩罚,就答应出师帮助。不久,上甲微就组织起了一支精良的武装。

振兴商族的战斗

绵臣得知商侯和河伯的军队前来征伐,也立刻组织兵力抵抗。双方在易水岸边展开激战。商族军队要为先君王亥报仇,河伯要来讨伐残暴,军士们个个斗志高昂,同仇敌忾。相反地,有易的军队不愿为绵臣卖命,纷纷溃退逃跑。于是,商侯和河伯的军队一路冲杀,把绵臣杀死。上甲微终于报了杀父之仇,把有易部落毁灭。

消灭有易的战争,打得干净利落,从有易部落获得了不少俘虏和财物,使得商侯在农业、畜牧业方面都有较大发展。上甲微的声威大振,各诸侯、方伯都另眼相看,商族开始发展壮大起来。史书上说:上甲微能继承商族始祖契的事业,振兴商族,故商的后人给以隆重的祭祀。在商代甲骨文中,上甲微作"上甲",商王祭祀上甲时隆重热烈,供品牺牲较多,充分说明上甲微在商族发展史上的地位。

> **历史文化百科**

〔显示夏商手工业状况的二里头文化〕

从1959年开始,在河南偃师二里头遗址进行大规模的考古发掘,发现制陶、铸铜等手工业作坊遗址,出土一批陶器与小件铜器。同时在豫西和晋南又发现数十处类似的遗址,考古界就把这些相同类型的遗存,统称为二里头文化。

经测定,二里头文化的年代约当公元前1900—前1600年。它的发现对探索夏文化和商文化的渊源有着十分重要的意义。

赴汤蹈火

传说商朝的开国君王，出生时就有不同寻常的征兆。长辈们称他为"汤"，意思是要他赴汤蹈火，救民苦难。

上甲微去世后，商侯君位的继承，《史记》的记载是：上甲微——子报丁——子报乙——子报丙。有人根据甲骨文考订，认为次序应该是：上甲微——子报乙——子报丙——子报丁。现在史学界大都采用后一种说法。报丁死后，由子主壬继位。主壬传给子主癸，主癸又传给儿子天乙。天乙就是著名的商朝开国帝王，名"汤"。

取名字寄予厚望

据说汤出生时就有不同寻常的征兆。他的母亲是主癸的妃子，名"扶都"。扶都怀孕数月，有一天晚上，她看到有一股白气贯穿月亮，心中感动，觉得自己腹中怀的是一个了不起的人物，过了几天，就在天干有"乙"的那日生下一子。于是，主癸和扶都就给儿子取号为"天乙"，起名叫"履"，意思是一步一个脚印，踏踏实实，去做一番事业。

后来，长辈们又给他起了一个字叫"汤"，意思是驱除暴虐，赴汤蹈火，解救人民的苦难，开创一个新天地。传说汤的脸上面小下面大，像一个葫芦，皮肤

精美的铜爵
商代人饮酒成风，铜爵是用来温酒或饮酒的器具。此铜爵尾部尖而流畅，顶部为伞形，兽首，三棱形锥尖足，是一厚重并且制作精美的大型铜爵，颇能体现青铜时代的狞厉之美。

白净而留有小胡子。他身长九尺，约合现在近两米，是个高个子。他的身体有些驼背而声音宏亮，手臂因为细长，看上去好像有四个肘子。随着他的事业逐渐成功，他的名字叫法也就多起来。他认为"汤"的名字要比"履"响亮，于是在外面传扬都叫汤，而有时自己谦称叫履。史书上说"汤有七名"，即在汤的前面加上不同的形容词和天干号，如成汤、武汤、商汤、天乙汤、大乙汤等。甲骨文中，汤称作"唐"。有时候，还被尊称为"武王"。

有利时机，加紧准备

商族从始祖契开始到汤，已经将族居地迁了八次。汤即位后，又居住在亳，即先祖契居住的地方，在今河南商丘市东南。当时的夏桀暴虐无道，残害人民，侵夺诸侯，以致众叛亲离。面对着这一有利时机，商汤日夜思考着如何能壮大自己，广泛联合诸侯而剪灭夏朝。于是，他对人民轻赋薄敛，布德施惠，对死者、有病者进行慰问，对无父的孤儿、无夫的寡妇，更是关心他们的生活。这样一来，商国内百姓亲附，政令通达，人人拥护君上，积极从事生产和各项灭夏的准备工作。商汤见有了基础，便开始积蓄粮草，制造兵器，招集人马，训练军队。

汤没有辜负长辈的厚望。他利用国内外的大好形势，经过不懈的努力，踏实的工作，终于一举攻灭夏桀，成就了他的功业。

体现狞厉之美的方鼎（右页图）
郑州商城遗址位于河南郑州市，是一处以商代二里岗期为主的大型遗址。引人注目的是其中出土的一批巨型青铜器，这件兽面纹铜方鼎鼎身边沿以纽装饰，靠近口沿有兽面纹，纹饰相对简洁，体形较大，体现了商代青铜器的狞厉之美。

前1580年
前1530年

约 公 元 前 1580－前 1530 年

中国大事记

太甲是汤的孙子，因从小失去父亲，缺少教养，即位后任性贪玩，道德败坏。

〇八二

夏桀原来以为商汤是忠于夏王朝的，曾授予他"得专征伐"的大权，即他征伐别国可以不经过夏王朝的批准。为了剪除夏的羽翼以壮大自己的力量，商汤决定先向附近的葛国开刀。

向葛伯开刀

商国西面的葛国，其君葛伯暴虐无道。商汤的军队把葛国攻灭，吊民伐罪，声威大振。

无药可救的葛伯

葛是商国西面的一个小诸侯国，其地在今河南睢县北。葛国之君葛伯是个好吃懒做的人，昏庸无能，不治国事，只知搜刮百姓，连祭祀天地鬼神这件古代社会中的头等大事都不愿去做了。商汤原本想争取葛伯作为伐夏的同盟国，得知葛伯已有很长时间没有举行祭祀，就派使者去问葛伯："你为何不祭祀啊？"葛伯知道商汤国内畜牧业发达，且汤乐善好施，便乘机回答说："我没有牛羊来做祭祀时的牺牲啊！"汤听使者回来报告，就派人送去一群肥大的牛羊。葛伯见毫不费力地得到这么多牛羊，真是高兴，他把这些牛羊全部杀掉，大吃一顿，根本不管祭祀的事。

商汤得知这一情况，又派人去问葛伯："你为什么还不举行祭祀啊？"葛伯又换了花样，说："我的田中种不出粮食来，没有酒饭做祭祀时的贡品啊。"使者回来报告情况后，商汤知道，若是送去酒饭，又会被葛伯吃掉，祭祀还是不会进行。于是，就派了一些农民去帮助

兽面纹斝：商代早期的青铜器
灌酒器，敞口，口上有两个菌形柱，高颈宽腹，腹下三足为空心三棱式。颈部饰粗线条兽面纹。口沿上有一周加厚唇边，是商代早期青铜器常见的特点。

前1710年

公元前1710年

世界大事记 　喜克索斯人征服埃及，把马和车引入埃及。

《孟子·滕文公下》

商汤 葛伯 　谋略 仁爱

人物　关键词　故事来源

葛伯种庄稼，同时，派老人和孩子给种田的人送饭。葛伯见此情景，就率领一帮手下人等在送饭的路上，待老人、小孩一到，就上前去抢，不给的便杀人强夺。

商军出征，吊民伐罪

　　汤见葛伯如此无可救药，与这种人怎能结盟？于是，商汤就调集军队进行征伐，并在出征前的誓师大会上历数葛伯的罪行。最后他宣布了这次征伐的纪律，他警告说："如果哪一个不恭敬地执行命令，就要加以惩罚，决不赦免。"汤这次在征葛伯誓师大会上的讲话，后来作为文献保存下来，取名《汤征》。誓师大会后，汤就率兵一

举把葛国攻灭，葛伯自然得到了可耻的下场。因为葛伯暴虐无道，葛国人民早就恨透了他，现在见汤的部队把葛伯杀了，大家都拍手称快。商汤的军队

国之利器：商代铜戈
商周时代"国之大事在祀与戎"。奴隶主贵族除用青铜铸造礼乐之器以示对上天对祖宗的敬畏和其地位的尊贵，他们还用青铜铸造大量兵器，用以保卫和开拓疆土。青铜戈作为一种钩杀兵器成为最常见的青铜利器。

> 历史文化百科 <

〔商代竹木结构建筑〕

　　四川成都市一条4米深的古河道遗址岸边，近年发现古代人聚居的建筑群，已发掘出1248平方米的木结构住房。这些住房用圆木做栋梁，四周墙壁用竹竿编织，里外抹泥，屋顶则用树枝编夹树皮遍盖。

　　此遗址说明我国商代南方民族有着先进的建筑技艺。这里已定名为"成都十二桥古蜀文化遗址"。

只杀葛伯及其手下的一批帮凶，对广大受压迫、受剥削的人民秋毫无犯，并且表示慰问。其他诸侯国对商汤攻灭葛伯的行动，没有一个反对的。他们都说："商汤的攻伐，不是为了掠夺天下的财富，而是为了给被杀、被夺的老人、孩子报仇啊！"

人民盼望，势如破竹

　　由于商汤的军队吊民伐罪，纪律严明，受到广大人民的拥护。当商汤的军队征东时，西边的人就埋怨；南征时，北方的人就埋怨。他们说："为什么不来征伐我们这里？为什么把我们这里放在后面征伐？"人民盼望商汤的军队来征，就像大旱的日子盼望下雨一样。因此，从征葛伯开始，商汤前后一共经历了十一次征伐，每次征伐都势如破竹，迅速取得胜利。

伊尹陪嫁

有莘氏国有位贤人伊尹。商汤设计娶其国君的女儿为妃子，将伊尹作为陪嫁的奴隶，请到商国。

得到隆重祭祀的商代功臣

伊尹在商朝的开国史上，是一个有着特殊经历又十分重要的人物。他不但辅助商汤灭夏，为建立商朝立下汗马劳功；而且扶立汤的儿子外丙和仲壬，教诲汤的孙子太甲改过自新，可说

名相伊尹
伊尹是商朝成汤时期的名臣。他本为陪嫁的媵臣，受到汤的赏识而委以重任。在他的辅佐之下，商朝走向强盛，最终取代夏朝而立国。汤死后，他又辅佐几位商君，并且把不理朝政的太甲放逐三年，直到太甲悔悟，才重新迎归复位。

是商朝开国的三代功臣，所以得到后世商王的隆重祭祀。伊尹原名"挚"，因为他在商朝做过"尹"的官，所以习惯上就叫他"伊尹"。伊尹又叫"阿衡"或"保衡"，都是商代人对当权大官的称呼。在商代甲骨文中，伊尹又简称为"伊"，他和其他老臣一起被祭祀，不但列于首位，还单独受到祭祀，或与大乙汤同祭，可见伊尹在后世商王心目中的地位。

奇特的身世经历

伊尹的出生有一段传奇的故事。据说他是黄帝大臣力牧的后代，生于"空桑"，即桑树的空穴中。伊尹的母亲名叫"始朵"，在伊水边上怀孕了。她梦见有神告诉她说："看到舂米的臼中出水，你要马上向东远走，不要顾其他东西。"次日早上，始朵察看臼中，果然有水。她马上向东走了十里，回头再看她居住的村落，全被水淹没了。始朵正感到惊讶之际，忽然变成了一棵有空穴的桑树。伊水东面，有个叫"有莘氏"的国家，其地在今河南开封县陈留镇。一个有莘氏女子到这棵树上采桑，发现桑树下的空穴中有个婴儿，就把他抱起来献给国君。有莘氏国君觉得这个婴儿来得奇怪，一定有特别的经历，就

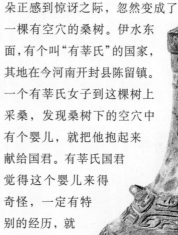

商代最早的青铜壶
此壶小口长颈，腹部圆鼓，肩上有两个小系，可穿绳提携。壶盖面饰卷龙纹，腹体饰兽面纹，居中有一对兽目，间距甚小。在夏代和商代早期青铜器中还没有壶的形式，这应是发现最早的壶。

公元前1700年

世界大事记

两河流域一匠人写下了玻璃的制法。

伊尹 商汤 有莘国君

识才 机遇 谋略

《吕氏春秋·本味》《孟子·万章上》

人物 关键词 故事来源

交给他的厨师去抚养，以观察动向。从上述故事中可知，伊尹可能是一个被遗弃的婴儿。

一心向往尧舜时代

伊尹长大后，一方面在有莘氏国中接受教育，一方面在田野里耕种。他最向往尧舜的时代，所以要求自己也做一个正直的人。凡是不义的、不道德的，就是给他骏马千匹，壮牛千头，他也决不去做，更不会用不义的、不道德的行为去损害他人。

汤得知有莘氏有这样一位贤人，就派人用玉帛作为礼物来聘请他，伊尹没有答应，他说："我为什么要接受汤的聘礼出去做事呢？我在这田亩之中耕田自给，享受着尧舜时代的快乐，岂不很好！"汤三次派使者前往聘请，伊尹虽然没有接受，但为汤的精神所感动，他暗自思量："我一个人生活在田亩之中，享受着尧舜时代的快乐，还不如使汤变成尧舜那样的君王，使天下的人民都像尧舜时代的人民那样快乐的生活，眼看到尧舜那样的时代重新出现，岂不更好！"

做有莘氏女的陪嫁奴隶

后来伊尹在有莘氏那里当了厨师。他有一手烹饪的好手艺，烧出的饭喷香诱人，烹调出的菜味美可口，有莘氏国君对伊尹十分满意。伊尹本想说服有莘

氏国君行尧舜之道，但有莘氏是个小国，力量太弱，且有莘氏与夏桀是同姓，同是夏禹的后代，怎好劝说他去推翻夏桀的统治呢？伊尹感到一筹莫展。恰好这时商汤为了得到伊尹，想出了一个主意：商汤向有莘氏国君提出，要娶他的女儿为妃子。有莘国君听说可以和商汤这样大诸侯国君攀亲，当然高兴，但商汤还有一个附带条件，就是要把伊尹作为陪嫁的奴隶，当

虎形舒展的石磬
安阳殷墟发现了商代大型建筑基址和墓葬，其中武官村大墓出土的虎纹石磬，是在一石磬上刻的一个完整的虎纹，其线条流畅华丽，虎形舒展，石磬上部有一孔，可能是用于悬挂。

时称为"媵（音应）臣"，一起嫁过来。有莘国君为了高攀这门亲，就同意了商汤的条件。

在夏商时代，有一个风俗习惯，凡随妇女陪嫁出去的男子，其身份只能是奴隶。因此，只能让伊尹暂时委屈一下，当一回奴隶。由于伊尹有这样一段经历，所以古书上常称伊尹为"有莘氏媵臣"，有的书中称伊尹为"小臣"，有的铜器铭文中称他为"伊小臣"。这里的"臣"，都是奴隶的意思。

识才机遇 忠言
《墨子·贵义》《史记·殷本纪》
商汤 伊尹
人物 关键词 故事来源

约公元前 1580-前 1530 年
前1580年 前1530年

中国大事记
太甲三年，汤大臣伊尹把太甲流放，令其反省。

〇八四

商汤求贤若渴

伊尹作为"媵臣"，随着有莘氏国君的女儿来到商国的都城，住在一处简陋的房子里。商汤闻讯，急于要去见他，就令彭氏的儿子驾车而行。彭氏之子走到半路问汤："君今天急急匆匆，要去哪里？"汤答道："去见伊挚。"彭氏之子嘀咕说："伊挚，是天下卑贱的人。君去看他，并且问候他，这对他真是莫大的恩赐了。"汤见彭氏之子看不起伊尹，就责备他说："你懂得什么！譬如有药在这里，吃了它能耳目更加聪明，我一定会十分喜欢甚至强制自己把它吃下去。现今伊尹对于我们的国家，就好像是良医善药，大有用处。你不愿意我去见伊挚，是你不要我们的国家好起来啊！"说罢，就把彭氏之子赶下车，不要他来驾驶。直到彭氏之子认识错误，对伊尹表示敬重，才恢复了他驾车的资格。

迎进宫中当厨子

来到伊尹的住地，汤见这里的房屋破旧，条件太差，同时又听说伊尹有一手烹饪的好手艺，便决定把伊尹接到宫中，做宫中的厨子，为自己烹调食品。伊尹进入宫中当了厨子，与汤接触的机会多了。他经常背负着鼎俎等炊事用具，端着可口的饭菜，来到汤的

厨子宰相

商汤安排伊尹做宫中的厨子，经常向他请教国内外大事。后来，让他担任"尹"这个商国的最高官职。

面前，请汤品尝食用，同时，就谈论起天下的形势，治国的要诀，夏桀的暴政，诸侯的动向，人民的痛苦生活。他希望商汤在国内能施行仁政，以宽厚的态度对待百姓，同时积蓄力量，联合诸侯，推翻夏桀的统治，建立起一个君民同乐、人人幸福的新世界。

提拔奴隶当宰相

有一次，商汤和伊尹讨论起如何治国的问题。汤说："我有这样一个经验：人在水里能看到自己的形状，君看众民的状况就知道治理得好不好。你看，这句话有没有道理？"伊尹马上回答："英明啊！"他接着说："君对下面的意见能听，国家的治理就能进步。君主治理一个国家，要把人民当作儿子一样看待。对一个国家治理得好坏，在很大程度上取决于君王所任用的官吏。要勉励大家啊，要努力行善啊！"商汤觉得，伊尹的每句话都很有道理，很合自己的心意，对于治理国家和统一天下都大有用处。于是，商汤决定免除伊尹的奴隶身份，让他担任"尹"的官职，相当于后来的宰相。从此，大家都叫伊挚为"伊尹"，这个称呼便一直流传下来。商汤身边也从此多了一个出谋划策的人。

最早的文字史料：商代刻辞牛骨
商代人信奉鬼神，事事都要通过占卜的形式向上苍询问。安阳殷墟出土的甲骨文记载了商代王室关于天文、战争、疾病、农事、婚嫁等的占卜。甲骨文是中国最早的成形文字。

> 〉历史文化百科〈

〔古代世界最大的青铜人像〕
四川广汉三星堆遗址近年发现两个商代大型祭祀坑，出土珍贵文物约800件。其中两尊青铜连座立人雕像，通高2.6米，人像高1.7米。这是世界上迄今为止发现的最大的古代青铜人面立像。
大量稀有青铜文物的发现，为研究古代巴蜀文化的冶金、雕刻、宗教等方面，提供了极有价值的材料。

前1700年 公元前1700年

世界大事记

人类历史上最早的一部农历古巴比伦时代的《农人历书》写成。

《吕氏春秋·慎大览》《孟子·告子下》

商汤 谋略
伊尹 谎骗
夏桀 韬晦

人物 关键词 故事来源

〇八五

入夏当间谍

伊尹到夏桀的宫廷中，冒着极大的危险搜集情报，为商汤灭夏作准备。

施苦肉计取得夏桀信任

商汤决定剪灭夏朝、夺取天下、解救苦难人民的战略方针后，他对夏王朝内部的情况还不是很熟悉。夏王朝有多少军队？装备如何？夏王朝的内部是否团结？夏王朝人民的反抗情绪怎样？进攻夏王朝采取什么路线最易突破？这些都需要深入的了解和全面的掌握，方能旗开得胜，马到成功。因此，商汤很想派一个间谍到夏王朝去刺探情报。派谁呢？商汤考虑了很久，认为派伊尹去最为合适。因为伊尹忠心耿耿，头脑清楚，善于随机应变，能分析和判断情况。派他去，不但信得过，成功的希望也最大。于是，商汤把这个计划告诉了伊尹，伊尹很愿意接受这个任务。

为了使夏桀相信伊尹的弃商投夏是真的，伊尹施了个苦肉计，让商汤用箭把他射伤。伊尹带着箭伤逃到夏王朝，诉说商汤如何"暴虐"，竟用箭来射他，他已经和商汤决裂，愿竭诚为夏王朝服务。昏庸的夏桀听说伊尹从商国"投诚"而来，还有商汤射他的箭为证，就信以为真，把伊尹收留了下来，让他在宫廷里担任官职。

五就汤，五就桀，建立不朽功勋

伊尹在夏桀的宫廷里呆了一段时间，搜集到一些情报，就悄悄地从夏都溜出来，潜回商都。在亳的北门，遇到汤的两位贤臣，一位叫汝鸠，一位叫汝方，就和他们畅谈了一番。他们一致认为，应该迅速积蓄力量攻入夏都，取而代之，建立新的世界，成就一番功业。这次谈话，被整理成文献《汝鸠》和《汝方》两篇。可惜，这两篇文献散失了，没能收入《尚书》这部古代文献的汇编内。

在汤那里汇报了情况，商量了对策，伊尹又回到夏桀的宫廷内，继续搜集情报。在那些当间谍的日子里，伊尹冒着极大的危险，曾经"五就汤、五就桀"，即五次回到汤处汇报敌情，又五次返回桀处藏匿卧底，不露声色。伊尹在夏朝宫廷，与夏桀的官僚、大臣结成朋友，以了解夏朝各方面的情况；又与夏桀的宠妃妹喜勾结，以探得夏桀的隐私秘密。《孙子兵法》上说："殷之兴也，伊挚在夏。"可见伊尹在夏当间谍，搜集到全面而准确的情报，为殷朝即商朝的兴起，推翻夏桀的统治，建立了不可磨灭的功勋。

质朴实用的商早期铜器

商代早期的铜鬲在形制特征上与新石器时期良渚文化的红陶器有着诸多相似之处，如鼓凸的腹部，腹下的锥形三袋足等。由于它是烧煮用的食器，这种设计可以增加腹内容量，烧煮也相当方便，颇具实用性，而商代晚期的铜器则偏重于装饰。

〇八六

宽仁大度，诸侯心悦诚服

在诸侯纷争的社会中，一个人或一个集团想要获得胜利，首先要表现出宽仁大度的品格，这样就容易取得大众的拥护，壮大自己的力量，为消灭敌对势力打下坚实的基础。商汤在夺取夏朝政权以

商朝开国之君商汤
商汤相传是契的子孙，是商部落的首领。夏朝末年，商部落日渐强大，商汤以仁慈宽厚闻名四方，召集部众，一举攻灭夏桀，建立商朝。像中商汤服冕披衮，身旁有一白兽作回首状，是商汤德政的象征。

网开三面

商汤到郊外遇见一个狩猎者，教他网开三面。诸侯纷纷传扬，商汤对禽兽都那样仁慈，真是一个有德之君！

前，就以这种表现赢得很多诸侯国的归附，使商国的势力一天天发展。

商汤行仁义、敬鬼神，天下诸侯大都心悦诚服。当时，荆州地方，即今湖北省北部，有一个国君人称"荆伯"的，没有表示服从。商汤于是派人给他送去一头壮牛，全身装饰，可以用作祭神的"牺牲"。荆伯接到这一礼物，感到十分惭愧。他想，像商汤这样大国之君，给我送来如此丰厚而意义重大的礼物，而我对商汤却没有什么表示，实在不应该啊！于是，他对商汤的使者说："我有失服侍圣人的礼节，今后当一心相报。凡是商汤要我帮忙的，我一定尽力去做，决无二话。"荆伯顺便请使者带回一些荆州的土特产，表示对商汤的敬意。这样，荆州的一些诸侯国也都归附到商汤的麾下。

网开三面，四十国归顺

汤经常出外巡视农业生产和畜牧情况。有一次，驾车来到郊外山林，看见一个狩猎者正在张挂捕捉飞禽走兽的网。他的网在东西南北四面都张开了，结得严严实实，还跪在地上祷告说："我的网已在四面张好。求上天保佑，凡是从天上飞下来的，从地下跑出来的，从四面八方来的鸟

纹饰特异的殷墟出土铜镜
商代铜镜目前共发现5面，铜镜一般为圆形，照面的一面磨光发亮，背面饰以花纹。铜镜的纹饰与商代一般铜器上的花纹不一样，大概是从其他文化中传来的。

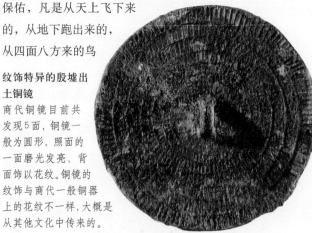

前1640年

公元前1640年

世界大事记　拉尔巴那统一赫梯，是赫梯国家的创立者。

狩猎商者汤
夏荆桀伯
人物

网开三面
典故

仁爱
谋略
关键词

《越绝书》卷三
《帝王世纪》
故事来源

兽，都钻到我的网中来吧。"汤看了这狩猎者所布的网，听了他的祈祷，笑着说："啊，如此张网，一定会把鸟兽全部捉尽。但不是太残酷了吗？只有夏桀才如此啊！"于是，汤命人撤掉三面的网而只留下一面，并教狩猎者这样祈祷："从前蜘蛛结网以捕捉飞虫，现在的人都学到这一套了。我现在张了一个网在此，飞禽走兽想要往左的就往左吧，想要往右的就往右吧，想要高飞的就高飞吧，想要下来的就下来吧，我要捕捉的是触犯天命的自投罗网者。"祈祷完毕，汤又对那个狩猎者说："对待禽兽也要有仁德之心，不能捕尽捉绝，我们要捕捉的只是少数不听天命者。"人们听了汤的讲话后，都称颂说："真是个有德之君！"

商汤教育狩猎者"网开三面"的事，很快在诸侯中传扬开了。南方汉水流域的诸侯国闻讯此事后都说："汤的道德真高尚啊！他对禽兽都这样仁慈，而况对人呢！"大家认为，商汤是一个可以信赖的胸怀仁慈的国君，与夏桀的暴虐无道真有天壤之别。一时间归服商汤的，竟有四十国之多。人们评论说："在四面置网，未必得鸟。汤去其三面而只置一面，网到了四十个国家。汤不只是在网鸟，而是在网诸侯啊！"

遭逮捕，说情者络绎不绝

当时夏王朝内部发生了夏桀杀死忠臣关龙逢的

奴隶的形象：商代青玉踞坐人佩

这件玉佩出土于安阳妇好墓中。猴面宽额，臣字眼，蒜头鼻，小口，头顶留短发一周，面部特征具有典型的东方人形象，它的坐姿呈踞坐形态，双手抚膝，两臂略内弯，这是中国高坐具出现之前人们标准的坐姿。其恭顺服帖的造型表现了奴隶对主人的敬畏。

事，商汤认为，可以利用这次事件再进行一次宣传，以提高商国的威望，使夏王朝陷于孤立。于是，派人到夏王朝宫廷进行吊唁活动，用祭品向死者表示哀悼，并慰问死者家属。夏桀暗想：我杀了人，要你来吊唁，做好人，笼络人心，以扩大自己的势力。这不是明明在和我作对吗？他越想越气，便下令召见商汤，然后把他逮捕，关进"夏台"，就是夏王朝的中央监狱。

商汤被关进夏台的消息不胫而走，传到各诸侯国那里。许多诸侯国派使者到夏桀那里请愿，要求释放商汤。汤的臣下搜集很多珍宝、玩物和美女，送到夏桀的宫廷，请求将汤释放。打入夏桀宫内充当间谍的伊尹也贿赂夏桀的宠妃妹喜和琬、琰，请她们在夏桀面前说情。夏桀见那么多人为汤说情，再关押下去影响不好，只得把他放了。商汤获释放之日，各方诸侯都到商都来表示祝贺，把这作为正义与邪恶斗争的胜利。据说那一天，带着礼物前来朝贡的有五百个国家，贺喜的人相望于道，络绎不绝。

> 历史文化百科 <

〔商代早期的蜀国都城〕

四川广汉三星堆遗址近年发现土质坚硬的城墙。城墙横断面呈梯形，墙基宽40米、顶部宽20余米。城墙局部发现用土坯砖垒砌，这是我国城墙建筑史上的最早创造。古城遗址东西长1600～2100米、南北宽1400米。

经测定，此处城墙是商代早期的蜀国都城，周围分布着许多文化古址，发掘出的遗物十分丰富。

剪除羽翼

夏朝周围大大小小的羽翼，商汤一个个把它们吃掉，并在探测大举攻夏的时机。

商汤攻灭了近旁作恶多端的葛国，又采用向荆伯送牛、教狩猎者讲仁德、为被杀的夏臣进行吊唁等手段，使很多诸侯国看出商汤的道德和品格，纷纷前来归附朝贡，使商汤的势力越来越大。但是，也有一些诸侯国政治腐败，执迷不悟，死心塌地跟着夏桀，充当夏桀的马前卒。对于这些国家，必须使用武力，把它们一个一个解决掉，然后才能进兵灭夏。

有洛、温国，夏朝帮凶

在洛水下游，接近汇入黄河之处，有一个小诸侯国，叫"有洛氏"，其地在今河南巩义市东北。有洛的国君与夏王朝有亲戚关系，因而得到夏王朝的庇护，有洛对夏王朝也言听计从，做夏王朝的帮凶。近年来，有洛氏的国君因贪图享受，大建宫室，还有供国君游乐的水池和养鸟兽的苑囿。由于滥用民力，奢侈浪费，百姓财物被搜刮殆尽，因而怨声载道。商汤闻讯，立即以解救人民苦难为名，出兵攻灭有洛，把势力深入到夏王朝的心脏地区。

过了几年，商汤出于同样的理由，又渡过黄河，攻灭了己姓的诸侯国温，其地在今河南温县西。温国被

> 历史文化百科 <

〔商代军队的编制、兵种和参战人数〕

为维护国内统治和对外防御战争，商代国家已拥有一支强大的军队，其兵员来源是从公社农民中征调。当时军事编制有左、中、右三师，每师约一万人。其下还有左、中、右三旅。

商代作战时有步兵，也有战车。步兵以十人为单位组成；战车每车三人二马，随车有徒兵十五人。每次作战用兵约三千至五千，有时达万人以上。士兵除作战外，还有长期在边疆戍守的任务。

攻灭，引起了己姓各国的恐慌。在今河南许昌一带的昆吾国，出兵伐商，被商击败。

景亳大会，再灭韦、顾

看到诸侯国中出现了一些动乱因素，商汤于昆吾伐商的当年，在景亳举行了一次诸侯大会。景亳的地点就在商都北面约五十里处。在这次诸侯大会上，商汤告示诸侯，商国一向与各诸侯国友好往来，攻伐的只是那些政治腐败、残酷剥削民众、死心塌地跟着夏桀的国家。经过这次诸侯大会，大多数国家稳定了情绪，愿意与商真诚合作。

景亳诸侯大会后，商汤又出兵攻伐长期与商敌对的彭姓诸侯韦国。韦国又称"豕韦"，其地在今河南滑县东，是夏王朝的同盟部落，充当夏王朝在东北方的爪牙。这次景亳诸侯大会，豕韦也不派人来参加。商汤的军队联合附近的诸侯国军，以迅雷不及掩耳之势攻占了韦国的都城，韦国来不及向外求援，就国君被俘，国家灭亡。

商汤乘胜向东进军，攻灭己姓的顾国，其地在今河南范县南。顾国也是一向敌视商国，是夏王朝的同盟国家，这次诸侯大会也不来参加。

征伐昆吾，攻破最后屏障

过了一年，商国再次向西进兵，攻伐昆吾。昆吾的国君相传是古帝火官祝融的后代，在夏朝末年迁到许，即今河南许昌一带，被封为"夏伯"，是夏王朝的诸侯之长。几年前因同姓诸侯温国被灭，曾出兵报复过商国。商国因昆吾的土地较大，实力较强，仅把来犯的昆吾军击退，没有采取进一步的行动。现在，夏王朝的爪牙诸侯国都已被灭，可以集中力量攻伐昆吾，以消灭夏王朝的最后一个羽翼，攻破夏王朝的最后一道屏障了。于是，商国联合附近的诸侯国，在昆吾的郊外与昆吾军发生激

战。商国的威武之师把昆吾军杀得大败，最后攻克昆吾都城，诛杀了昆吾国君。昆吾就此归入商的版图。

停止进贡，试探虚实

　　把夏王朝大大小小的羽翼势力全部攻灭以后，商汤准备大举攻夏了。伊尹劝阻道："且慢！夏王朝的实力究竟如何，现在还不得而知。不能轻举妄动！万一攻夏不成，后果不堪设想。我意请今年不向夏桀进贡，看他有何举动。"汤依其言，当年就不向夏桀入贡。夏桀听说商汤灭了他的同盟国昆吾，又不来朝贡，十分恼火，就下令东方的"九夷"起兵来伐商国。伊尹对汤说："彼夏桀还能命令九夷的军队前来讨伐，说明灭夏的时机尚未成熟，不如遣使向桀入贡请罪，作为缓兵之计，等时机成熟，再行攻夏。"汤采纳了伊尹之谋，准备了入贡礼物，

郑州出土原始瓷尊：瓷器的出现

1953年河南商代文物中发现中国目前最早的原始瓷器，其成分是高岭土，釉色施在器表和部分口沿内，以青绿色釉为主，少数呈褐色和黄绿色，胎骨细腻，以灰白色居多，质地坚硬，没有显著的吸水性，具有南方原始瓷器的特点。

写了请罪称臣的奏章，派使臣去夏都朝见夏桀。夏桀见了贡物和请罪奏章，和身边的佞臣们商议。佞臣们祝贺说："大王威震天下，谁也不敢反叛，连商侯也知罪认罪，可以让九夷之师退兵了。"于是，夏桀就下令罢兵。

　　第二年，商汤又不向夏桀朝贡。桀大怒，再次命令九夷之师前来伐商，但九夷的军队因为桀反复无常，不肯再听从调遣。他们又看出夏桀暴虐无道，众叛亲离，日子不会长了，所以不愿再当夏桀的马前卒。伊尹得知这种情形，就对汤说："现在可以伐夏了！"于是，一场摧枯拉朽的战争终于爆发。

商汤　果断
夏桀　勇敢
费昌
《尚书·汤誓》

人物　关键词　故事来源

〇八八

穷追不舍

一场攻灭夏朝的决战打响了。商军穷追猛打，从河南打到山西又追到山东，辗转千里，终于把夏桀擒获。

誓师讲演，鼓动人心

商汤出动战车七十辆，英勇善战的军士六千人，作为攻夏的主力部队。出发前，举行誓师大会。在会上，商汤发表了长篇讲话。他说："商国的民众和各方国的军士们，都认真地听我的话。不是我小子敢于随便作乱、以臣犯君，而是由于夏桀有许多罪恶，上天命令我去诛杀他。你们大家常说：'我们的国王不顾人民大众，荒废我们种庄稼的农事，毁坏了夏朝的优良传统。'你们大家都说，夏后氏有罪。我畏惧上帝的责备，不敢不出来进行纠正和讨伐。现在你们都在问：'夏桀的罪行究竟怎样？'我可以告诉你们，夏王一直滥用众民的力量，叫你们服沉重的劳役，为他修建豪华的宫殿、别墅。他把众民的财物和劳力都剥削光了。众民相率怠工，不与夏桀合作，发出悲愤的喊叹：'你这个太阳啊，什么时候才能命丧，我与你一起灭亡！'夏国的政治坏到这种程度，我下了决心一定要去讨伐他。"

接着，商汤宣布了这次征伐的纪律："你们大家要

妇好的佩饰：商代鸮鸮佩（左页图）
这是一件出土于商代女将军妇好墓中的佩饰。妇好是商王武丁的妻子，生前曾参与国家大事，从事征战。

〉历史文化百科〈

〔殷商得名之由来〕

殷商之名是如何来的？近年一些学者对此作了探讨。殷始祖契被封于陕西洛南商地，其主要河流是殷水。这是殷商发家的基地，故汤建国号叫殷，始祖为殷契。所谓殷得名于"盘庚迁殷"是不符合历史事实的。

商族的发祥地在今河北省中南部的漳河流域。漳水即商水，"商"名称的由来当源于此。因为殷的得名在前，故商亦可称殷，或殷商连称。

辅助我，把上天的惩罚加到夏桀的头上，我就要大大地赏赐你们。你们不要不相信我的话，我决不食言。假如你们不听从我的誓言，不根据我的不要求去做，我就要惩罚你们，把你们的妻子儿女都罚作奴隶，决不赦免。"出兵伐桀前商汤的这篇讲话，称为《汤誓》，收在《尚书·商书》中。当时，商汤英姿勃发，手里拿着斧钺，乘在旌旗飘扬的战车上，向大家问道："我很威武吧！"于是，大家就称他为"武王"。

战车飞驰，乘胜追击

商汤的军队浩浩荡荡地向西进军，几乎没有遇到什么阻力，就渡过洛水，攻克了在今河南洛阳市东的夏都斟寻。攻克斟寻后，商军渡过黄河，再往西向着夏朝的另一都城安邑，即今山西运城市东北挺进。夏桀的军队先在"有娀之墟"，即今山西运城市南，与商军交锋，夏师大败。于是，夏桀逃奔至安邑郊外的鸣条之野，想与商军决一死战。结果士兵纷纷逃跑，溃不成军，商军又获大胜。

商汤进攻夏桀时，为汤驾车的是费昌，他是后来秦国国君的祖先。费昌这一族人，都有一手绝好的驯马和驾车的本领。当夏商之际，费昌看出夏桀的昏庸孤立和商汤的深得人心，便决定弃夏归商。费昌做汤战车的驭手，使汤的战车飞奔疾驰，灵活地指挥作战，在有娀、鸣条等战场上立下奇功。在屡战屡败的情况下，夏桀带领残兵败将，向东逃跑。他们越过太行山，又渡过黄河，一直逃到三嵕(音宗)，今山东定陶县北。商汤的军队在后紧追不舍。

辗转千里，擒获夏桀

三嵕原是夏王朝的一个方国，与夏王朝关系较

1010

商

2000000

好。三㺇的国君见夏桀兵败逃来，立即出兵布阵以保夏桀。商汤的军队追来，见夏桀躲入三㺇城里，立即攻城。三㺇城墙矮小，不久便被攻破。三㺇军队带着夏桀又向东北方向逃窜，一直逃到郕，今山东宁阳县北。眼看再也无路可逃，三㺇军只得与商军交战，结果大败。三㺇国君被杀。与此同时，商军在焦门俘虏了夏桀。为表示商汤的宽大胸怀，商汤并没有杀掉他，而是把他流放到南巢，即今安徽巢湖市西南。夏桀心情忧闷，不久就病死在那里。

商汤攻夏，历尽艰辛，穷追不舍，跋山涉水，转辗千余里，终于把夏桀擒获。这是一场历史上少有的长途追击战。夏桀被商军擒获，标志着夏朝的灭亡和商朝的兴起。

通灵的工具：商代刻辞牛骨
商人占卜喜欢用新鲜的牛骨或龟甲，商人认为这样更容易通灵，其他也用羊、鹿、猪的胛骨。牛肋骨、牛距骨、鹿头骨也有所发现。在占卜时巫师先将龟甲或兽骨的背面钻、凿，然后在甲骨的背面用火烧炙，称"灼"，灼后甲骨的正面出现 "卜" 字形裂纹，卜者根据裂纹的形态定吉凶。占卜后，将所卜事项记刻于甲骨之上。

约公元前 1580－前 1090 年

前1580年
前1090年

世界大事记　埃及神庙建筑达到极盛时期。

〇八九

《尚书·仲虺之诰》
谦虚　正义　德政
仲虺　商汤

人物　关键词　故事来源

仲虺作诰

又一个贤人仲虺当了商汤的左相。他作了一篇诰词宣布天下，指出夏桀的腐败和商汤的英明。

在夏朝将要灭亡和商国将要兴起的时候，人们看到大势所趋，夏朝如日薄西山，商国如旭日东升，有很多志士仁人弃夏投商。仲虺（音毁）便是其中的一个。

投奔商国而成为"左相"

仲虺的祖先叫奚仲，是夏禹时候的"车正"，即管理制造车辆的官，相传是车的创造人。奚仲原来居住在薛，其地在今山东滕州市东南，是当地的一个氏族酋长。自奚仲当了夏禹的车正后，其子孙世代都在夏王朝做官。到仲虺时回薛居住，成为夏王朝在东方的一个诸侯。仲虺明察天下形势，看到夏桀暴虐，人民怨恨，诸侯叛离，感到夏朝的日子不会长了；他又看到商汤有仁德，人民拥护，诸侯归附，认定商汤必将取代夏桀而有天下。于是，他带了一些族人来投奔商国。商汤早就听说仲虺是个有才能的人，本想前往聘请，但又怕仲虺世代都是夏王朝的臣子，不愿助商灭夏。现在见仲虺主动上门，当然非常高兴。商汤问仲虺有何见教，仲虺告知现在正是天下大变动的时期。他鼓

具有世界意义的青铜人头像
在三星堆出土以前，世界青铜时代考古史中，只有埃及、希腊才有出土的真人大小的青铜人头雕像，如今中国出土的这些文物，具有世界性的历史和艺术价值。

励商汤积蓄力量，广泛联合诸侯，一步步壮大自己。商汤见仲虺有远见卓识，是一个有用的人才，立刻拜他为"左相"。从此，仲虺与伊尹一起，成为商汤灭夏兴国的左右手。

正义的事业不用担心和惭愧

仲虺佐汤完成各项灭夏的准备工作，如加强对各诸侯国的形势宣传，剪除夏朝的羽翼势力，刺探夏

> 饕餮是上古传说中一种吃人的怪兽，用它比喻贪吃的人。 209

朝内部的政治、经济、军事情报,一直到攻克夏都,穷追不舍擒获夏桀。在从三㚇回商都的路上,走到大坰(音窘)这个地方,商汤突然感到,自己攻灭夏朝,生擒夏桀,把他流放到南巢,这样的做法是否太过分了?后世会不会以此为口实,说自己以臣攻君,以诸侯流放天子,大逆不道呢?与尧舜比较起来,是否有些惭愧?仲虺在旁听了,觉得汤确实是一位仁德之君。他要开导商汤,阐明他所做的完全是正义的事业,根本用不到担心和惭愧。于是,作了一篇诰词,对商汤陈述道:

"啊!上天生下众民,有欲望而没有君主则天下大乱。于是,上天生下聪明贤达的人来治民众。夏桀昏乱,不顾下民,民不

兕觥的代表作

兕觥是盛酒或饮酒器。椭圆形腹或方形腹,圈足或四足,有流和鋬,盖做成兽头或象头形。这尊殷代的象头兕觥是其中的代表作。

聊生,天乃赐王勇智,正确治理万邦,继禹的功绩,循其法典,奉顺天命。

开始时,我商国在夏朝,如苗中的坏者,粟中的秕子,惟恐被锄治抛弃。你商王不近声色,不贪货财,德茂者任之以官,功大者给以厚赏,宽仁之德明信于天下。葛伯夺人送的饭食,就首先对他征伐。结果,东征而西面的人有怨言,南征而北面的人有怨言,他们说:'为什么把我放在后面?'商军所到之地,居民家家欢庆,说:'等待我君来,君来可苏息。'人民拥戴商王,一如其旧。贤德之人,为王辅佐;忠良之人,受到表彰;兼并弱国,攻击愚昧;夺取乱国,侮辱亡国;如此去做,国乃昌盛。道德日新,万邦来归,骄傲自满,亲朋乃离。我听说:能向圣贤学习者为王,说人都不如我者会亡。啊,要自始至终都保持谨慎态度;要封殖有礼者,覆灭昏暴者;要敬崇天道,才能永保天命。有什么可担心和惭愧的呢?"

君臣同议政治的时尚

仲虺对商汤的这一诰词,指出了夏桀的腐败和商汤的英明,商汤吊民伐罪,维护正义,谦虚谨慎,必将永保天下,长盛不衰。这一诰词,大大鼓舞了商汤的勇气。当时还有义伯、仲伯两位贤臣作《典宝》一篇诰词,议论国家最宝贵的东西是民众,是仁义,是德政。君臣同议政治,成为夏末商初的一种时尚。

> 历史文化百科 <

〔商代早期宫殿〕

河南偃师二里头遗址自1959年发掘以来,除出土一批陶器、铜器外,还发现一处规模宏大的宫殿基址。宫殿由堂、廊、庭、门等建筑组成。作为主体的殿堂,前后11米中间没有发现柱穴,说明其建筑技术已达到一定水平。

据考证,商汤的都城西亳就在偃师,因此这座宫殿很可能是商代早期统治者的指挥中心。它是我国迄今发现的最早的宫殿建筑。

公元前1595年

世界大事记

赫梯国王穆瓦苏尔一世占领巴比伦城，古巴比伦第一王朝灭亡。

谋略　商汤　伊尹

谎骗　灵感

《尚书·汤诰》《竹书·纪年》

人物　关键词　故事来源

〇九〇

黑龟写红字

为了巩固新生的商朝政权，汤大造舆论。他宣传，某地有一只黑龟爬出，写成红色大字：夏桀无道，商汤当取而代之。

创作歌颂胜利的乐曲

商汤讨伐夏桀大获全胜，回到商都，他的心情非常高兴。如今，功成名就，国家昌盛，百姓安宁，天下颂声四起。回顾十几年来的峥嵘岁月，历尽艰辛，艰苦的斗争终于换来了丰硕的果实，他的理想正在一步步实现。为了歌颂攻伐夏桀的胜利和蒸蒸日上的正义事业，商汤命伊尹主持作

乐，以示庆祝。于是，伊尹先创作了名为《大护》的音乐，又创作了一首题为《晨露》的歌曲。这些乐歌，曲调清新，气势宏伟，意境壮丽，使人精神振奋，充满信心。同时，伊尹又重新整理了旧有的一些优秀乐曲，如《九招》《六列》等，使歌颂的乐曲更加丰富多彩！

传谕各邦，保持诚实的美德

为宣传这次伐夏战争的胜利，商汤又作诰词，告谕四方的诸侯和民众。他说："啊，万方的众民，请听我一人的诰令。夏王灭德作威，肆虐于你们万方百姓。你们万方百姓遭其凶害，不堪忍受此苦毒，并向天神地祇报告你们的无罪。天之常道，保佑善人，惩罚恶人。现在天降灾祸于夏，以彰明其罪过。我小子执行天命明威，不敢赦其罪恶。我乃用黑色牺牲祭祀上天神灵，请治有夏之罪。于是，求有圣德之人，与他们同心协力，以为万方众民请命于上天。上天保佑下民，使罪人退伏。天命不差，罪人既除，草木荣生，兆民欢乐。天使我一人安抚你们的国家。我不知道此次伐桀，有没有得罪于天地，故战战兢兢，像要坠入深渊一样。凡我传谕的各邦，不要怠慢，不要反常，各遵守你们的常法，以承接天的美意。你们有善，我不敢遮蔽；罪当在我，不敢自己赦免。只有上帝的心能够明察。你们万方有罪，在我一人的道德有所不逮；我一人有罪，与你们万方无涉。啊！要保持诚实的美德，才能善始善终！"

宣扬神话，大造舆论

商汤的这篇诰词，名为《汤诰》。他申告伐桀的正义性，与万方百姓同庆这次胜利；他谦虚谨慎，如临深渊，不敢有丝毫骄傲怠慢。在发出这篇诰词后，商汤又继续做登王位、建立新朝的舆论准备工作。他宣传，当时有一个神仙牵着白狼，那白狼衔着钩来到商都。这是上天要汤做帝王，商朝要代夏统治天下的预兆。于是，商汤来到洛水旁，观看帝尧之坛，便沉璧玉于洛水而退至一旁，立刻看见两条黄的鱼跃出水面，又有黑的鸟飞至坛上停下，化为黑玉。又有一只黑龟爬出，写成红色的大字，言"夏桀无道，商汤当取而代之"。汤把这些编出来的神话宣扬到四方诸侯那里，他们都信以为真。四方诸侯互相传告，商汤要当天子乃是天的命令，神的意志。

话说中国

三千诸侯

在商王朝的成立大典上，有三千诸侯带着特产前来朝贺。商汤在诸侯们的盛情劝说下，登上王位。

朝贡盛会上谦虚登位

商汤攻灭夏朝，对四方诸侯已有极大的震动。现在，他又发布诰词，宣传神意，声威越来越大。各地的诸侯、方伯以及大大小小的氏族、部落酋长，知道新的天子即将登位，新的王朝即将诞生，都纷纷携带贡品前来朝贺，表示臣服。就连远居西方地区的氐人和羌人部落的头目，也都带着他们那里的畜牧特产，前来朝贡。一时间，聚会于商都的诸侯竟有"三千"之多，形成历史上又一次四方诸侯的盛会。当年夏禹在涂山大会诸侯时，史称"执玉帛者万国"。经过四五百年的兼并、融合，上万的诸侯变成了三千。当然，这三千诸侯所占的疆域和拥有的人口，肯定要比禹时的万国更加广大和众多。

在三千诸侯大会上，商汤谦虚有礼，向来朝贺的诸侯恭敬回拜。诸侯们都要求商汤坐到天子的席位上，汤却谦恭地说："这天子之位，只有德高望重的人

商代仲丁的国都：郑州商代城墙遗址
商代立国后曾八次迁都，在郑州发现的这座商代城市遗址被认为是仲丁所迁的傲都或是商汤所居的"亳都"。这座商代都城呈方形，城墙周长约7公里，城内东北部发现多处大型夯土基址，为官殿区，城内外分布有制陶、铸铜、制骨作坊及墓葬区。城内发现多处窖藏青铜器，成组的大件精美青铜礼器显然具有王者气派。

可以坐它。天下不应该为一家人所有，而应该为治天下有方的人所有。故天下，只有德才高超者治理它，只有德才高超者经管它。只有德才高超者宜久居天子之位。"商汤把位让给三千诸侯，不敢就坐。在诸侯们的盛情劝说之下，商汤才登上天子之位。

严词警告诸侯

商汤登上天子之位以后，过了几个月，他又来到亳的东郊，对四方诸侯发出诰词。他说："如果你们不勤劳地从事工作，对人民没有做出功绩，我将大大地惩罚你们，你们不要怨我。"又说："从前禹、皋陶久劳于外，有功于民，民乃安宁。东为长江，北为济水，西为黄河，南为淮河，这四条大河整修完毕，万民乃能安居。后稷教育人民，播种百谷。上述三位贤人都有功于民，故后人都建立了国家。从前蚩尤与其下属在百姓中作乱，天帝不保佑他，落得可耻下场，其罪状历历可数。所以先王之言，不可不进行自勉。"诰词中还说："你如果暴虐无道，则不让你在国中统治。遭此处罚，你不要怨我。"这些义正词严的诰词，都是针对诸侯国的。这是商汤灭夏后又一次对诸侯国发出的《汤诰》，其语气与前大不一样。

新王朝建立的例行更换

为了防止夏后氏贵族的反抗，控制四方的诸侯，商汤与伊尹商量后决定，把原来在今河南商丘市北的都城，迁到距原夏王朝都城斟寻相近的形势险要的地方，就是现在的河南偃师，都城名称仍叫"亳"，后世把这个都城称为"西亳"。

迁都以后，商汤又"改正朔"，即把一年开始和一月开始的时间进行改动。原来夏代"建寅"，即把

前1595年 公元前 1595 年 世界大事记 伊路买鲁建立古巴比伦王国第二王朝。

《逸周书·殷祝解》
《史记·殷本纪》

商汤　谦虚
伊尹　权术

人物　关键词　故事来源

甲骨刻辞：最早的装帧艺术

河南安阳曾出土商王帝乙或帝辛六年的一块记事肋骨，一面刻有记载帝辛将猎获的犀牛赏赐宰丰之事，一面刻兽骨、蝉纹和虺龙纹，并嵌有绿松石。可谓兼具阅读与欣赏功能，这也许是最早的书本装帧雏形。

冬至后二月作为一年开始的正月，商代改为"建丑"，即把冬至后一月作为一年开始的正月；夏代把初一日的"平旦"即天明作为一月的开始，商代则把初一日的鸡鸣时刻作为一月的开始。同时，商汤还"易服色"，即把官服的颜色进行更换，而以白色为最尊贵。经过这样的迁都，并在历法、服色等方面进行改动之后，一个新的商王朝就宣告正式建立了。

> 历史文化百科 ⟨

〔商代的三大类官吏〕

从甲骨卜辞中可知，商代官吏大体可以分为文职官、武职官和史官三大类。

文职官有尹、多尹、臣、小臣、多臣等。尹掌管国内政务，臣参与国王机要，也有管理地方事务。

武职官有马、多马、亚、多亚、射、卫等。马受令征伐，亚负责保王，射管弓箭手，卫负责守卫。

史官有卜、多卜、作册、史等，负责占卜、记录史事和管理祭祀。

旱情严重,百姓焦虑

商汤即位初年,遇上了大旱灾。持续七年,没有下过一场透雨,旱情严重。火辣辣的太阳照得大地干裂,井下没有水可提,洛水也干涸了。庄稼一片焦枯,颗粒无收。人民在饥饿的艰难困苦中挣扎。虽然商汤和伊尹曾教民打井开沟,引水灌溉,但因到处干旱,水源枯竭,这些措施都无济于事。商汤望着严重的旱情和百姓们焦虑、愁苦的面容,一筹莫展,心如刀绞。

祭祀祈祷,无济于事

当时的统治者认为,干旱是上帝发怒而降给人间的灾难。在商代甲骨卜辞中,有很多这样的贞问:"帝其降我旱?"意思是说,上帝会降旱灾给我们吗?"不雨,帝唯旱我?"意思是说,不下雨,是上帝要使我们干旱吗?因为当时盛行这种观念,所以旱情发生后,汤就在郊外设立祭坛,天天派人举行祭祀,以祈求上帝息怒而下雨。古代这种在郊外祭天的仪式,叫做"郊祀"。郊祀的通常方式是燃烧木柴,用牛羊猪狗这些家畜做祭祀的供品,叫做"牺牲"。

汤求雨感天动地

商汤初即位,遇上连年旱灾。他以身作质,为百姓请命。不久,中原大地方圆数百里下起了倾盆大雨。

旱情越来越严重,一天,汤命令史官们手捧三足鼎,鼎内盛有牛、羊等肉作为供品,烧起柴火,在郊外举行祭祀,向天地山川祷告。汤教史官们在祷告中作这样的申述:"上天发怒,不下滴雨,是不是我们君王的政事没有法度节制呀?是不是因为使人民受了疾苦呀?是不是因为我们的官吏贿赂公行呀?是不是因为小人的谗言猖狂攻击呀?是不是因为宫室营造滥用民力呀?是不是因为女人请托盛行干扰政事呀?为什么还不快快下雨呢?"史官受汤之命,作了六条检讨,以祈求上帝赐福降雨,但是雨还是没有降下来。

自告奋勇,作为牺牲

为什么这样祭祀、祈祷,上帝还是不肯下雨?于是史官们又进行占卜,得到的结论是:除了用牛羊做牺牲进行祭祀外,还要用活人做牺牲,贡献于天帝神

商龙纹觥:青铜觥的最早形式
山西石楼县出土的商代酒器,全器像牛角横置,以长方形圈足支撑。龙首与器身连铸,抬头张口露齿,龙角竖起,器口位于中后部,有圆形钮盖,盖面饰龙纹。龙首及器身边缘饰以龙纹、蜥蜴纹等纹饰的觥形酒器,传世仅存一件,是青铜觥的最早形式。

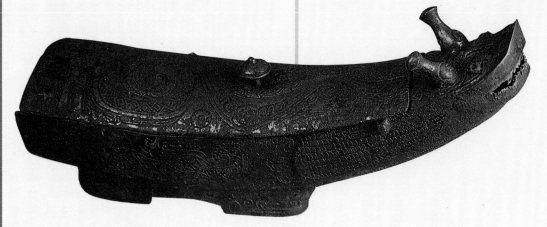

《吕氏春秋·说苑·顺民》《君道》

谦虚 机遇 谨慎
商汤 激动
史官

人物　关键词　故事来源

灵之前。商汤听说要求用活人祭祀天帝，就自告奋勇地说："我们所以要求雨，是为了民众百姓。如果一定要以活人来做牺牲，我请自己来担当。"

于是，汤洗了个澡，换上清洁的衣服，然后剃掉头发，剪掉指甲，以自己作为牺牲，在一片桑树茂密，叫做"桑林"的神庙中进行祈祷。他在祷词中说："我小子履，敢用玄牡，告于天地神祇。""履"是商汤的名字；"玄牡"是黑色的雄性动物，实际上是指牛羊等牺牲和汤自己。汤接着说："现今天下大旱，就在我履当政的时候，不知道我在什么地方得罪了天地神灵。我对有善行的人不敢隐蔽，对有罪恶的人不敢赦免，这些品德，只有你上帝的心里最为明白。万方有罪，都是我一个人的过错，就来惩罚我吧；千万不要因为我一个人的不敏事务，而使上帝鬼神伤害我百姓的性命。"

感天动地，顿作倾盆

商汤以自己的身躯做为祭神的牺牲，为百姓请命，要求惩罚他一人，而使万方百姓得救。这种精神感动了天地神灵，还没有等到他把话说完，天空中忽然乌云密布，在方圆数百里的中原大地上，下起了倾盆大雨。百姓欢呼雀跃，歌颂商汤为民请命的牺牲精

>历史文化百科<

〔殷商的三卜制〕

近年有学者对殷商的三卜制研究后指出：殷商武丁以降每每一事多卜，后"卜用三骨"渐成常制。甲骨文中有"元卜"、"右卜"、"左卜"即是三卜制。

三卜中以殷王的元卜占主导地位，同时又以"三"代表整个人世间与神灵沟通。三卜制是建立在信奉神灵和服从人王一致的观念上的。过去把三卜制视为周人创制，实是周人继承殷商占卜文化。

陶埙：远古余韵

商代出土的陶埙均为黑陶，平底，大腹，顶部有吹口，腹上有5个音孔，吹奏时按不同孔可发出不同音阶。埙吹奏出的音乐哀婉悠长，有远古之回声，是最早的吹奏乐器。

神给他们带来了生活的希望。

商汤以自己做牺牲，向天帝求雨而下了大雨，当然是一种偶然的巧合。久旱必有大雨，这大雨不是商汤感动了天地鬼神，而是天气变化的必然现象。但是此后的商统治者，因为看到这种求雨的效果，就在天旱时专门举行一种焚烧人的祭祀，叫做"烄"。天旱举行烄祭时，商王当然不会焚烧自己，而是用奴隶，特别是女奴隶来做牺牲品。在商代甲骨卜辞中，就有"其烄，大有雨"的记载，说明在举行焚烧女奴隶的祭祀后，也发生过下大雨的自然现象。到春秋时期，还有用焚烧女巫婆来求雨的祭祀。在人类社会的初期，由于科学知识贫乏，天旱不雨就举行各种劳民伤财甚至残害人命的愚昧的求雨活动。商汤自做牺牲、祷于桑林的求雨祭祀，只是其中的一个特例。

奇异的三星堆，众多的人头像

三星堆古蜀文化遗址位于四川广汉南兴镇月亮湾三星村，面积约12平方公里。马牧河南岸有三堆高出地面的黄土堆，像三颗金星，故称三星堆。青铜人头像形态多样，品类繁多，是青铜铸造中的精品。

话说中国

卞随与务光

两个思想迂腐、观念守旧的人，把商汤推翻腐朽的夏王朝看成是犯上作乱，大逆不道，竟投河自尽，表示清高。

守旧厌新的代表人物

社会由低级向高级不停地变化发展，但是社会上总有一些人，爱用老眼光看新事物。从夏末商初开始，改朝换代都要用流血的斗争来夺得。新兴的生气勃勃的诸侯或臣民，攻杀腐朽的倒行逆施的帝王，这本是推动社会进步的革命行动，但在某些人看来，却是为非作歹和大逆不道的。为了逃避和反对新生事物，他们或者隐居起来，或者以自杀了结一生。古今中外在历史转折的关头，都有一批这样的人。卞随和务光，就是夏末商初守旧厌新的代表人物。

对推翻夏桀统治神情冷漠

商汤准备伐桀的时候，曾经询问卞随此事应如何谋划才能取得事半功倍的效果。不料卞随冷淡地回答："这不关我的事！"商汤问："你看当今天下，有哪一位才能出众的人可以

与我合作，去完成伐桀灭夏的大业呢？"卞随又生硬地回答："我不知道！"表现出一种鄙弃的神情。商汤见卞随难以合作，便又去向卞随的朋友务光询问伐桀之事。务光的回答也与卞随一样冷淡，不是说："这不关我的事！"就是说："我不知道！"商汤克制住不快的情绪，又耐心地问："你看，伊尹这个人怎么样？"务光知道伊尹已经做了商汤的丞相，原来是有莘国随嫁来的奴仆，便直率地答道："这个人有很强的毅力，能忍辱负重，其他我就不知道了。"商汤从他的答话中认定伊尹是他完成大业的最好助手。

视商汤为不仁不义而投河自尽

当商汤取得大胜而推翻了夏王朝统治的时候，想试试卞随和务光是否

历史的痕迹：郑州商代城墙夯窝
郑州商代城墙系用版筑法筑成，这是夯筑的窝痕。

商代的武器铜钺
盘龙湾遗址位于湖北武汉，是一处商代居住区，出土了青铜工具和武器及青铜礼器，最大的铜钺长41厘米，刃宽26厘米，钺身刻有纹饰，中间镂一大圆孔。

> 历史文化百科 <

〔商代的刑法制度〕

商代的刑法制度是怎样的？有什么特点？过去学术界对此一直比较含糊。近年有学者根据大量资料，作了细致探讨。

商代法律具有神判、神罚的特点，神职人员参与审判定罪。罪行定名有不从誓言、颠越不恭、谣言惑众、不孝不臣、弃灰于公道等，据说有刑律三百。刑罚种类有族诛、对剖、脯醢等死刑，刖、宫、劓等肉刑，以及苦役、囚禁等徒刑。

甲骨刻辞：早期的成熟文字

甲骨文是占卜时刻在龟甲和兽骨上的文字，亦称卜辞，主要出土于安阳殷墟。甲骨文已具备了汉字结构的基本形式，是一种发展成熟的文字。此处的牛骨正反面刻满了卜辞，字内涂朱，内容是关于北方部族入侵、王命诸侯、田猎及天象等。

想当帝王，便先来到卞随的面前，说明把天子之位让给他的意思。卞随严辞拒绝道："君伐桀时要与我合谋，必以为我是喜欢杀人的贼；君战胜了桀要把天子之位让给我，必以为我是个贪心的人。我生在乱世，没有道德的人一再以羞辱的行为来玷污我，我不忍再听下去了。"说罢，就快速奔到一条名叫"洞水"的大河旁，投河而死。卞随把商汤伐桀的革命行动说成是"杀人的贼"，是"贪心"，是"没有道德"的"羞辱的行为"，可见他是如何的迂腐和墨守成规！

卞随投河自尽了，商汤又想试试务光。他来到务光面前陈述说："有智谋的人进行策划，有军事才能的人进行攻夺，有仁义道德的人居帝王之位，这是自古以来通行的法则。先生心怀仁义，道德高尚，我想立先生为天子，如何？"务光一听此言，脸色阴沉，

严辞指责道："废黜君主，是不义的行为；攻战杀人，是不仁的行为；别人冒险攻夺而我坐享其利，是不廉洁的行为。我听人说：'不是仁义的事，不做其官，不受其禄；不讲道德的世界，不闻其声，不践其土。'现在竟要尊我为天子，我怎么会接受呢？我不忍再见到这污浊不堪的世界了。"说罢，就跑到一条叫"庐水"的河旁，抱着一块大石头沉没于河中。

思想观念上的迂腐逻辑

卞随和务光，思想迂腐，观念陈旧，自命清高，是非不分。他们认为像夏桀这样暴虐无道的帝王是神圣不可侵犯的，而推翻腐朽的夏王朝统治则是犯上作乱，大逆不道。他们不愿见到这"污浊"的世界，竟投河自尽，了此一生。像卞随和务光这样的人，每个时代都会出现。在商末周初，当周武王攻灭暴虐无道的商纣王之后，就有伯夷、叔齐兄弟二人，出来指责周武王的"不仁不义"，他们不吃周粮，竟饿死在首阳山。

此表把夏商二代常见的古地名、国族、少数民族标明其现今的地理方位，互相对照，以便于读者查考。

夏商古今地名对照表

夏商古地名	今地理方位	夏商古地名	今地理方位
涂山	涂山，安徽怀远县东南，蚌埠市西	有易	河北易县一带
阳城	河南登封市东南的告成镇	葛	河南睢县北
丰水	陕西西安市西南	有莘氏	①河南开封县陈留镇 ②山东曹县北
梁山	河北省北部	荆	湖北省北部
龙门	山东河津市西北和陕西韩城市东北的黄河中	有洛氏	河南巩义市
颍	河南登封市东	温	河南温县西
三苗	(少数民族)湖南、江西二省大部分和湖北东南部、安徽西南部	昆吾	河南许昌市一带
英	河南固始县东北	景亳	河南滑县东
六	安徽六安市	韦(豕韦)	河南滑县东
茅山	(会稽山)浙江绍兴市东南	顾	河南范县南
防风氏(汪芒氏)	浙江德清县附近	安邑	山西运城市东北
有扈氏	陕西户县一带	有娥之墟	山西运城市南
甘	陕西户县南	三鬷	山东定陶县北
均台	河南禹州市	郕	山东宁阳县北
观	河南淇县、浚县一带	薛	山东滕州市东南
西河	①河南安阳一带②河南淇县	桐宫	河南偃师市西南
彭	江苏徐州市	嚣(隞)	河南荥阳市东北
斟寻	河南洛阳市东	邳	江苏邳州市西南
有穷、鉏	河南濮阳县西南	相	河南内黄县东南
穷石	河南偃师市	耿(邢)	河南温县东
帝丘	河南濮阳县	庇	山东鱼台附近
寒	山东潍坊市寒亭区	奄	山东曲阜市
过	河南太康县东南	应	河南鲁山县东
戈	河南杞县一带	殷(北蒙)	河南安阳市西
斟灌氏	河南范县北	敦	河南沁阳附近
斟寻氏	河南巩义市，后迁到濮阳县附近山东济宁市	舌方、鬼方	内蒙古西部和陕西、山西北部一带
有仍氏	山东济宁市	归伯	湖北秭归县
虞	①河南商丘市东南的虞城县②山西平陆	程	陕西咸阳市
纶	河南虞城县东南	义渠	甘肃泾川一带
有鬲氏	山东德州市东南	沬(朝歌)	河南淇县
越	浙江绍兴市东南会稽山附近	人方	黄河中下游以南
原	河南济源市西北	盂方	河南睢县一带
老丘	河南开封市东	林方	安徽凤阳一带
鲁	河南鲁山县	微	微子镇，山西潞城市东
有施氏	山东滕州一带	有苏	河南温县西南
有缗氏	山东金乡县东北	邯郸	河北邯郸市
岷山	山东金乡县附近	沙丘	河北平乡县东北
亳	①河南商丘市东南②河南偃师市	鬼(九)	河北磁县西南
鸣条	山西运城市东北	鄂(邘)	河南沁阳市
南巢	安徽巢湖市西南	黎	山西黎城
商	河南商丘市一带	牧野	河南淇县南
蕃	山东滕州市附近	濮水	河南范县南
砥石	河北石家庄以南，邢台市以北一带	霍太山	霍山，山西霍州市东南

〇九四

禹刑和汤刑

中国最早的两部刑法

夏、商二朝都有严酷的刑法来惩治腐败行为和违法乱纪者，可是后来都没能遏制帝王的享乐和王朝的覆灭。

人类进入有阶级的社会以来，统治者为了惩治阴谋叛乱的反抗者和破坏社会治安的犯罪者，同时，为了规范统治者内部的品德，惩治贪污腐化、争权夺利等丑恶行为，就要施行各种刑罚。为了施用刑罚有所依据，又必须制订统一的刑法。中国最早的刑法，就是夏朝制订的《禹刑》和商朝制订的《汤刑》，它们都是以这个朝代的第一位帝王来命名的。这两部刑法的全文虽然已经失传，但它的

的事，还要掠夺别人的美名；所谓"墨"，是贪污腐化，败坏官纪；所谓"贼"，是乱杀无辜，毫无顾忌。刑法规定，犯了"昏、墨、贼"三种罪行，必须处以死刑。相传这条刑法是皋陶制定的。从这条刑法的内容来看，它是针对统治阶级内部，即约束当官者的纪律而制定的。掠夺别人的美名、败坏官纪、乱杀无辜，只有当官者才有可能。由此可见，在阶级社会一开始，对于统治阶级内部的纪律约束是很严格的。

《禹刑》对于犯罪者据说采用五种刑罚，即：大辟、膑、宫、劓、墨。"大辟"是处死刑，"膑"是挖掉膝盖骨，"宫"是割掉生殖器，"劓"是割掉鼻子，"墨"是脸上刺字并涂以墨。这是《禹刑》内容的另一个方面。刑法中有处以大辟的罪二百条，处以膑刑的罪三百条，处以宫刑的罪五百条，处以劓刑、墨刑的罪各千条，所以后世有"夏刑三千条"之说。从这些刑法的条目之多和对身体摧残之烈，可见在初期的阶级社会中，刑罚是多么残酷。

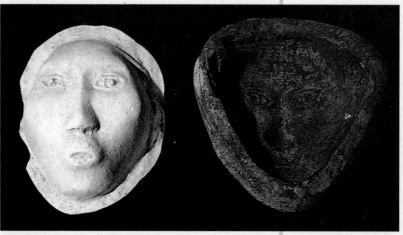

充满幻想色彩的人面陶器
商代人像雕塑中有很大一部分是充满神秘与幻想色彩的作品，表现了人的意识还处于幼稚、蒙昧阶段时对于人与大自然、人与自身的关系的认识。即使在今天看来，这些艺术品仍散射出质朴的魅力，令人浮想联翩。

有些条文还散见于许多古书中。从这些条文中我们还可以看到当时统治者制订刑法的用心和它的严厉程度。

严刑中又要注意慎重

《夏书》上关于刑法说："昏、墨、贼、杀。"这是《禹刑》内容的一个方面：所谓"昏"，是自己干了丑恶

> 历史文化百科

〔一组商代青铜器被抢救出来〕
1982年，北京市文物工作者在北京铜厂的数十吨废铜中拣选出一组商代珍贵青铜器，有鼎、簋、卣、觯、盘、爵、觚、尊、豆、戈、刀、勺等，有的一式两件，共28件。
铜器上大都有"举叔"的铭文，是作器者的族徽和名字。这组铜器据传出自山东费县，对研究商代这一家族和费县一带的古代历史具有很高的价值。

公元前 1550 年

世界大事记

古埃及先进的医学技术《埃伯斯氏古医籍》成书。

《韩非子·内储说上》

《墨子·非乐》

法制 果断

禹 汤

人物 关键词 故事来源

不过，统治者为了防止刑罚的滥用，还制订了一些使用刑法时的注意事项。《夏书》中有这样一条规定："与其杀不辜，宁失不经。"所谓"不辜"，是没有罪的人；所谓"不经"，是没有按常法办事，处理太宽大。这句话的意思是说，与其杀掉无罪的人，宁可因过于宽大而放掉犯罪的人。过于宽大，还可以补救；杀掉无罪的人，是无法挽回的。

遏制腐败和惩治不孝的条款

商汤为官府所订的刑法中传说有这样一条："在宫廷中长期歌舞作乐，是一种腐败的风气。要处以刑罚，每个官员出丝二遂。"商汤制定这条刑法，是为了接受夏桀的教训。夏桀奢侈腐化，终日在宫廷中观看歌舞，不理朝政，最终导致夏朝的灭亡。商汤为了后世子孙避免重蹈夏桀的覆辙，便制定了这一条刑法。丝绸在古代是很珍贵的，"二遂"是一个很大的数目，据说足以使人倾家荡产。

造型独特的青铜人面具

商代青铜人面具于 1986 年在四川广汉三星堆遗址二号祭祀坑出土。面具宽宽的额头，三角形的鼻子，长方形的耳廓，饰了云雷纹，耳垂穿了孔。制作精细，造型独特。

不过，这条刑法，到商代末期，并没有起到遏制腐败的作用。商纣王和宠妃们在一起，整天歌舞作乐，终于又重现了夏桀灭亡的悲剧。

《商书》中关于刑法的规定有一条这样写道："刑三百，罪莫重于不孝。"就是说，在商朝三百条刑法中，以"不孝"之罪判刑最重。商汤清楚地认识到：社会的细胞是家庭，子女孝顺父母是维护家庭稳固的基础；只有家庭稳固了，社会才能安定，国家才能繁荣昌盛。再从一个人的道德品质来看，只有孝顺父母的子女，才能尊敬其他长辈，才能尽忠于君王，报效于国家。因此，"孝"对社会和国家来说，是一种最基本最重要的道德品质。把"不孝"列为最严重的犯罪行为，是商汤高瞻远瞩的决策。

对破坏社会公德者严惩不贷

传说商汤的刑法中还有这样的规定："弃灰于公道者，断其手。"在公共场所丢弃烟灰、乱抛垃圾，看起来是小事，但它影响公共卫生，污染市容环境，有时还会引起邻里纠纷，打架斗殴。这种行为，是对社会不负责任的表现，是一种极坏的道德作风。商汤有鉴于此，规定给"弃灰于公道者"以"断其手"的严重刑罚，惩一儆百，对维护社会公德具有极大的震慑作用。这条刑法看上去似乎重了一些，但它是有长远的考虑的。

《禹刑》和《汤刑》是中国历史进入阶级社会以来最初的两部刑法。这两部刑法中的不少规定，对于今天的法制建设，也有很大的借鉴作用和参考价值。

记数甲骨文和甲骨文中的十进位计算法

商代甲骨文中已有从一到十和百、千、万等十三个记数单位，使用十进位制记数，出现四位数，较大的数字有三万。已有奇数、偶数、倍数的概念，当时已掌握了初步的运算技能。

伊尹放太甲

辅佐商汤长孙行政

商朝的开国帝王汤去世后，王位本来应该由长子太丁继承。太丁本已立为太子，可惜病魔过早地夺去了他的生命，没有活到汤去世就离开人间。于是，大臣伊尹就扶立太丁的弟弟外丙为商王。外丙也是个短命者，即位两年就去世了。伊尹再扶立外丙的弟弟仲壬继任王位。仲壬在位的时间也不长，只做了四年商王又匆匆离世。下面再没有弟弟，王位便由太丁的儿子太甲继任。太甲是商汤的嫡长孙，继位后自然由老臣伊尹辅佐行政。

谆谆告诫，苦口婆心

太甲从小失去父亲，缺少教养，任性贪玩。伊尹对太甲是否能当好国王，很有些担心。因此，他在太甲元年选了一个良辰吉日，以祭祀先王为名，把群臣百官召集起来，请附近的诸侯也来参加。在这次祭祀

祭祀南方的礼器：商代玉璋

玉璋是古代用于祭祀的礼器，这件玉璋出土于郑州，是商王权力与地位的象征。在周代玉璋作为礼器六器之一使用，《周礼·春官·大宗伯》载："以玉作六器，以礼天地四方：以苍璧礼天，以黄琮礼地，以青圭礼东方，以赤璋礼南方，以白琥礼西方，以玄璜礼北方。"据《周礼》记载，玉璋不仅是祭祀南方的礼器，而且在诸侯娶妻时也用玉璋。

商汤的长孙太甲继位时，仍由老臣伊尹辅佐行政。太甲任性贪玩，被伊尹放逐，令其改过自新。

典礼上，伊尹用商先王的成德来教训太甲。他说："啊！古有夏先王勉励其德，因而没有天灾，山川鬼神也都安宁。到其子孙不循其祖德，于是上天降灾，命我商王在鸣条将其攻灭。我商王布德于天下，以宽代虐，兆民信赖。今王继承其德之初就要谨慎，要立爱敬之道从亲戚长辈开始，然后及于国家，终治四海。啊！先王始修其德，有过则改，从谏如流，听从先民之言。当时在上者明于事理，在下者恪尽职守。他还制订官刑，以儆戒有位者。他说：'敢有经常在宫中歌舞作乐，这是腐败之风；敢有沉湎女色，整天游猎，这是淫荡之风；敢有远离忠直，亲近佞谀，这是逆乱之风。上述三风，卿士有一于身，家必丧；君主有一于身，国必亡！'唉，今王当怀念祖德，修治其身啊！上帝明察，君作善则降百祥，作不善则降百殃！今王修德，万邦欢庆；不修其德，则将坠失宗庙！"

伊尹的这次训讲，后来题为《伊训》，收入《尚书》中。这次讲话之后，伊尹又作《肆命》一文，陈述天命无常，要太甲修德，戒其坠亡。不久，再作《徂后》一文，陈述往古君主兴亡，要太甲以史为鉴，避免重蹈亡国的覆辙。伊尹在太甲继位后，一再发表讲话，撰写文章，其苦口婆心，令人感动！

公元前1600年－前1500年

世界大事记

埃及新王国时期产生了《亡灵书》，由金字塔铭文和石棺铭文发展而来。

伊尹　太甲

忠言　宽容

《尚书·伊训》《史记·殷本纪》

人物　关键词　故事来源

三年流放，悔过自新

然而自小任性放纵的太甲，对伊尹的讲话、文章、训导、劝戒，只当耳边风，根本听不进去。而且还认为伊尹多管闲事，想要篡夺他的王位。在太甲即位后的第三年，由于暴虐无道，残杀无辜，不遵守商汤制定的法令，伊尹以"保衡"大臣的权力，把太甲流放到桐宫。桐宫在商都的郊外，即今河南偃师西南。那里有商汤的离宫，商汤死后也葬在那里。伊尹把太甲流放到那里，是要太甲反省自己的行为，回顾祖父汤建立功业的辛劳，学习祖父谦虚谨慎、关心民众、严于律己、宽大为怀的品德，改邪归正，重新做人。在这三年里，伊尹就代理国王行政。

过了三年，太甲在桐宫悔过自责，认识到自己过去的错误，感谢"保衡"伊尹像祖父一样地关心他，给他一个悔过自新的机会。伊尹见太甲确实有悔改表现，就迎他回到朝廷。

重新登位，改邪归正

那天，伊尹穿戴整齐，手书一条字幅，上面写道："人民没有君主不能互相救助而生存，君主没有人民不能开辟四方。上天保佑商朝，使今王能修其德，实万世无穷之福。"太甲看了字幅，拜手行礼说："我小子不明于德，自致不善。我放纵情欲，毁败礼仪法度，以召罪于己身。天作孽，犹可避；自作孽，不可逃。我既违背师保的训导，不能修德在即位初年。现在依靠师保的匡救之德，只求其终能够圆满。"伊尹听了，勉励道："修其身，使有信德，合于群臣，就是明君。先王爱护穷困之民，使皆得其所，民心无不欣喜。今王以念祖德为孝，以不骄慢为恭，以高瞻远瞩为明，以听德行事为聪。我承王之福，至于无穷。"迎接仪式结束，太甲就重新登上王位。

桐宫三年，太甲好像换了一个人。他早起晚睡，接待诸侯朝聘，视察百姓疾苦。诸侯见太甲修德，待人诚恳，因而都来归附。百姓见君王关心人民，和蔼可亲，因而同心拥戴。伊尹见到这种情况，从心里感到高兴。他夸奖太甲的新生和政绩，又作《太甲训》三篇文章，以褒扬太甲。太甲死后，伊尹还为太甲的宗庙起了一个庙号，称为"太宗"。

先王老臣，忠心耿耿

伊尹放太甲的故事，表现了一位忠心耿耿的老臣如何教育先王的不肖子孙，使其改邪归正，保住了江山。伊尹的形象高大完美，感人至深。但史书中还有一种说法，称伊尹为篡夺政权、自立为王而流放太甲，后来太甲从桐宫逃出，杀掉伊尹，才重新登上王位。这种说法，与商代甲骨文中后世商王隆重祭祀伊尹的史实不符，很可能是后世好事者编造出来的。

工艺精湛的殷饕餮蝉纹爵

殷商时期的酒器除了实用功能之外，还具有很高的艺术价值。特别是商代晚期，随着青铜器制作工艺的完善，出现了大量繁复的装饰图案和纹样，饕餮纹和蝉纹是其中使用相当频繁与纯熟的艺术样式。

> 历史文化百科 <

〔商代人的饮食时间〕

商代人为两餐制，一餐是在上午进行，约当今7时至9时间，称为"食日"，也称"大食"；一餐在下午，约当今15时至17时间，称为"小食"，一般粗衣平民，每日常食，无非是稀粥烂饭粗羹而已。

著名的长寿者

商朝有几个长寿的人。传说其中有个叫"彭祖"的，姓钱名铿，是帝颛顼的孙子。他善于烹调，做的野鸡羹特别鲜美，任尧的食官受到赞赏，被封于彭城。后经历夏朝一直到商，在商朝做"大夫"的官。活了八百多岁，成为著名的寿星。不过，彭祖的事不见于正史，只见于神话小说中。他是否真有那么长寿，是很可怀疑的。商朝另一位著名的长寿者就是

殷墟：商王朝后期的都市文明

殷墟在河南安阳市西北郊的洹河南北两岸，以小屯村为中心，面积约30平方公里。商后期叫北蒙，又称殷，公元前14世纪盘庚迁都于此，至约亡国，共传8代12王，前后达273年。周灭殷后，曾封纣之子武庚于此，后因武庚叛乱被杀，殷民迁走，此地逐渐沦为废墟，故称殷墟。殷墟出土遗物非常丰富，其中经科学发掘出土的几批甲骨内容丰富，地层关系明确，价值很高。这些甲骨对研究商代社会历史有极其重要的意义。还有著名的司母戊鼎，也是在这里被发现的。

伊尹，他活了一百多岁，辅佐了五位商王，成为"五朝元老"。他的事迹和享寿见于各种正史，是真实可信的。

佐汤建商朝

伊尹原是有莘国被人遗弃的孤儿，后随有莘国君

五朝元老

伊尹活了一百多岁，辅佐了五位商王，在商朝传为佳话，受到后人的崇敬。

的女儿作为"媵臣"嫁到商国，被商汤赏识而举为"尹"，或称"阿衡"或"保衡"，就是后来的丞相。他先是辅佐商汤攻灭夏桀，建立商朝；后又帮助商汤治理国政，功劳卓著。一次，商汤问起："王者如何能把国家治理好？"伊尹答道："王者得贤才作辅佐，然后能治。否则，虽有尧舜之明而股肱不备，则主恩不流，教化不行。故明君在上，慎于择士，务于求贤。从前虞舜治国，左禹右皋陶，不下堂而天下治，这就是任贤使能的功效。"商汤对他的话十分赏识，便经常与他讨论国家大事，伊尹成为治国最得力的参谋。

辅太甲迷途知返

商汤去世后，因已立为太子的长子太丁早年病逝，太丁之子尚年幼，伊尹就立太丁之弟外丙继任王位。外丙命伊尹为"卿士"，其职位相当于尹。外丙即位两年就去世了。伊尹又拥立外丙之弟仲壬继承王位。仲壬也命伊尹为卿士，辅助行政当国。可惜仲壬的寿也不长，即位才四年即去世。因再无弟弟可继位，伊尹便拥立太丁之子太甲为商王。

伊尹辅助太甲，用力最勤。太甲一即位，伊尹

> 历史文化百科 <

〔盘龙城商代遗址〕

1954年在湖北黄陂盘龙城发现有古城遗迹，至1974年正式发掘，确定它是商代前期的古城。古城南北长约290米，东西宽约260米。城内有一组宫殿建筑，古城是围绕这组建筑群的宫城。在盘龙城附近的李家嘴等地还发现有随葬品异常丰富的墓葬，墓主可能是当地最高的奴隶主贵族。

盘龙城商代遗址的发现，说明殷商文化在长江南北有广泛的分布，对殷商史研究价值重大。

前1535年

公元前1535年

世界大事记

赫梯王铁列平即位,实行政治改革,确立王位继承法。

《史记·殷本纪》《帝王世纪》

太甲 伊尹
沃丁 商汤

忠言
尊贤

人物　关键词　故事来源

德高望重的元老。直到沃丁八年,伊尹才寿终正寝。伊尹的去世在当时成为一件大事。据说其时天空大雾三日,沃丁用天子之礼给伊尹送葬。在伊尹的灵位前,用特别隆重的"太牢",即牛羊猪三牲齐备作为牺牲,来进行祭祀。商王沃丁亲自主持丧事,行三年的丧礼,以报答伊尹对商朝的大德。伊尹的遗体安葬在国都亳的郊区,即今河南偃师市西北。当时的卿士咎单还作文阐扬伊尹的功德,文章题名《沃丁》。

对五朝元老的歌颂

伊尹辅佐了汤、外丙、仲壬、太甲、沃丁五位商王,是名副其实的"五朝元老"。有一首颂扬商朝开国历史的乐歌中这样唱道:"实维阿衡,实左右商王!"这就是歌颂伊尹担任着"阿衡"的重要官职辅佐商王功绩的。像伊尹这样的辅佐大臣,在商朝还有不少。如在太戊时有伊陟、臣扈、巫咸,在祖乙时有巫贤,在武丁时有甘盘,他们都在维护商朝政权的长治久安中起着重要作用。"五朝元老"伊尹是其中最杰出的一位。

早期人类活动的记载
安阳殷墟出土的一块牛胛骨正反两面有刻辞6条,共160余字,字内填朱。正面四条记载商王武丁时期的各种事件,背面记载天象情况。这片刻辞保存完整,对研究商代社会和天文气象价值甚高。

就在祭祀先王的大典上,发表长篇讲话,教导太甲要继承先王遗志,努力修治道德,勤于政事,以使商朝的江山永不坠失。他又做了许多文章,晓之以治国的道理。后因太甲对伊尹的训戒置若罔闻,伊尹乃毅然决然把太甲流放到商汤的葬地,位于商都西南郊的桐宫。直至太甲经过三年的反省,认识到自己过去的错误及其危害性,伊尹才接他回宫,把政权和王位交还给他。

功德无量,葬礼隆重

太甲去世由儿子沃丁继位时,伊尹仍然健在。沃丁任命咎单为卿士,但伊尹还时常关心朝政,是国中

作为社神祭祀的龙头柱
"龙形杖头"青铜器的器形实为"龙头柱",也就是"盘龙柱"或"神柱"。这与古代的社神祭祀有关。

〇九七

商朝出现衰败迹象

商王沃丁名绚，在位十九年，去世后，由他的弟弟太庚即位。太庚名辨，在位五年去世，由儿子小甲继位。小甲名高，在位十七年去世，由弟弟雍己继承王位。雍己名伷，在他当政期间，贪图享乐，不治朝政，专制暴虐，滥用民力，向诸侯和百姓搜刮大量财物，因而诸侯和百姓中产生不满情绪，有的诸侯不来朝贡，民众的生产也受到影响，商朝出现了衰败的迹象。

借植物怪象，促太戊善政

雍己在位十二年去世，由其弟太戊即位。太戊名密，他即位后就命伊尹的儿子伊陟为卿士，想仿效伊尹辅助汤的办法，使商朝复兴起来。同时命为卿士的还有臣扈。这个时期，宫廷出现了一件怪事：院中一棵桑树和一棵穀树合生在一起，二树合成了一树，而且长得很快，七天之内就长成了两人合抱的大树。两树合生，本是植物生长的偶然现象。但在植物学知识十分贫乏的当时，人们都把它当作妖怪，认为是天的惩罚。于是，太戊十分恐慌，便问伊陟。伊陟回答说："臣听说妖怪

朝廷生桑穀

一棵桑树和一棵穀树在宫廷院子中合生在一起了，大臣们都说是妖魔作怪，天的惩罚，以此恐吓商王太戊要行善修德。

胜不过德，大概是大王治理朝政有什么缺德之处，所以出现妖怪。如果大王善政修德，以德治民，妖怪自然消亡。"太戊又到汤庙中询问占卜者。卜者答道："臣听说妖怪是灾祸的先兆，而祥瑞是有福的先兆。见了妖怪而做善事，则灾祸不会来；见了祥瑞而做不善之事，则福气也不会到。"

太戊询问多人之后，心中恐惧减少了许多。他决定修德行善，来消灾弥祸。于是，他早起晚睡，勤于处理朝政；赈济穷困的民众，赦免偶然犯错误的罪人；到死者的家中进行祭奠，对有疾病的人进行慰问。经过一段时间的修德行善，这桑穀同生的大树慢慢地萎缩枯死了。伊陟、臣扈等卿士见到这种情形，便大肆宣传太戊的德政，并把这事告诉了负责祭祀的巫咸，请他在商都郊外举行一次隆重的祭祀山川仪式，以答谢天地山川的福佑。

经济发展，事业兴盛

自此以后，太戊善待诸侯，关心民众，成了一个道德高尚的人。商朝的经济也发展起来，实力大为增强。远方各国，纷纷派遣使者前来朝拜，据说来朝的使者多达七

商代作为礼器的爵
商代早期发现的爵，多为束腰、平底、短足、圆柱、无纹饰，在中期则没有明显束腰，三足也较长，铜礼器普遍有饕餮纹式圆圈纹等带状纹饰，晚期出现了雷纹、龙纹、蝉纹、鸟纹、蚕纹、龟纹等多种，礼器纹饰往往布满全器，有地纹、文体纹之分，具有很高的艺术价值。

> 历史文化百科 <

〔商族起源地的四种说法〕

商族起源于何地，学术界存在着四种说法：一说在北方，其地在今内蒙古的昭乌达盟一带；二说在东方，商族的祖居地在今山东；三说在西方，商族最早起源于今山西西南部；四说在今中原，即今河北西南部和河南北部的一大片平原上。

近年许多学者比较倾向于中、东二说，认为豫北冀南的漳河流域和黄河下游豫东鲁西是商族早期活动的两个中心地区。

公元前 1518 年

世界大事记

加喜特人建立古巴比伦王国第三王朝。

《史记·殷本纪》
《说苑·君道》
太戊　恐惧
伊陟　忠言

人物　关键词　故事来源

十六国。面对如此盛况，巫咸写了一篇文章题名《咸艾》，庆贺王家事业有成，天下达到大治。太戊又在宗庙中盛赞伊陟辅佐的功绩，请伊陟不必再称臣，伊陟谦让，又作文赞颂太戊的美德。商朝又出现了复兴的景象。

太戊在位七十五年，成为商朝历史上享国最长的一位帝王。太戊死后，大臣们为纪念他的功德，给他立了一个庙号，称为"中宗"。

利用灾异之变警告君王的方法

本来商朝到太戊时已经出现衰败的迹象，太戊原本也贪图享乐，治政不勤，宫廷出现桑榖合生的大

最早的青铜建筑饰件：郑州商代铜制建筑构件

这一建筑构件出土于郑州小双桥商代遗址。从其形状看，应是建筑柱头或梁头的包裹装饰件。正面装饰为饕餮纹，侧面为龙虎搏象纹。装饰线条流畅，纹饰繁缛，由此可见商王宫殿的奢华与威严。这件青铜建筑构件是我国目前发现时代最早的铜制建筑构件。

树后，他才害怕起来，早起晚睡，修德行善，终使商朝复兴。商朝统治者利用自然界的奇异现象作为灾祸预兆，对商王进行警告，使他弃旧图新，这种方法居然也很奏效。以后历朝的统治者也经常利用灾异之变来警告君王，使其改恶从善。这成为中国历史上一种特有的现象。

前1500年

公元前1500年

世界大事记

埃及出现熔炼金属时用的风箱和玻璃制作工场。

〇九八

河亶甲　仲丁　贪吝

祖乙　外壬　权术

《史记·殷本纪》《竹书纪年》

人物　关键词　故事来源

继承制弊病引发王室斗争

商朝君位的继承制度有一个明显的弊病：就是一个商王去世后，继承者可以是前王的儿子，也可以是前王的弟弟；而继承王位的前王之弟去世后，立前王的儿子还是立弟弟的儿子没有明确规定。因而每当一个商王去世，由谁来继立，都要经过一场激烈的斗争。有的商王为了避开内部派系的斗争，只有采取迁都的办法，把亲自己一派的势力迁往新都，以求得安宁和发展。这种叔侄之间或堂兄弟之间争夺王位的斗争，太戊以后变得更加严峻和激烈。

叔侄内讧导致夷人入侵，诸侯叛乱

太戊去世后，王位由儿子仲丁继承。仲丁名庄，他的继立，曾经过一番激烈的斗争。因此，他即位的元年。为了摆脱叔叔强大势力的干扰，就把国都从亳迁到"嚣"，有的书上作"隞"，其地在今河南荥阳市东北。东南方夷人中有一个叫"蓝夷"的部族，以为有机可乘，便来进犯，被仲丁击退。从此，商朝和东夷各部族之间又引发了长期连绵的战争。

仲丁在位九年去世，儿子和叔叔外壬之间展开激烈的斗争，儿子年纪小，斗不过叔叔，王位只好让叔叔夺去。外壬名发，他即位不久，东方又有两个诸侯国看到商朝内部统治不稳而叛变了。这两个诸侯国，一个叫"姺"，又作"侁"，一个叫"邳"。姺读音如"莘"，就是有莘氏，其地在今山东曹县北。有莘氏与夏族有

埋藏的国家权力：郑州商代窖藏青铜器出土情况
这是郑州商城一处窖藏青铜礼器出土时的状况。类似这样的成批埋藏青铜器的窖穴，目前在郑州共发现三处。青铜礼器是奴隶制国家政权的象征，这是商代政局动荡，商王迁都前所埋藏的国家重器。

九世乱

商王去世后，由弟还是由子继位没有明确规定。于是在商朝中朝，九代商王的叔侄和堂兄弟之间发生严重的内乱。

过婚姻关系，夏鲧就是娶有莘氏女而生禹；有莘氏与商朝也曾通婚，商汤曾娶有莘氏女而以伊尹作为陪嫁的奴仆。有莘氏虽然在商朝前期与商关系甚好，但到后期由于商朝的衰落而时叛时服。邳是夏禹时的车正奚仲居住的地方，其地在今江苏邳州市西南。汤建国后，封邳氏为诸侯。姺和邳离开商都都比较近，这两处叛变，对商朝的震动很大。后世人把这次叛乱与夏朝的武观和有扈氏，周朝的徐、奄相提并论，可见它曾使商朝统治者大伤脑筋。

河亶甲摆脱干扰，重振商朝雄风

外壬在位十年去世，王位由弟弟河亶甲继承。河亶甲名整，这次继位来之不易。他既要和外壬儿子的势力斗争，又要和仲丁儿子的势力斗争。在战胜两股侄子的势力后，河亶甲才登上王位。为了摆脱两股侄子势力的干扰，河亶甲把国都从嚣迁到了"相"，其地在今河南内黄县东南。在统治集团内部斗争得到缓解后，河亶甲准备征伐叛乱的势力，重振商朝雄风。他首先和东方的诸侯国彭伯联合，彭伯在今江苏徐州市，利用彭伯的力量攻克邳国后，河亶甲又在彭

〉历史文化百科〈

〔甲骨占卜，判断吉凶〕
甲骨占卜，指烧灼龟甲或兽骨，视其坼纹兆象判断吉凶。卜用甲骨在我国大部分地区都有发现，时间早到新石器时代早期偏晚阶段，夏商时代最为鼎盛，春秋战国以降是其末声。殷墟考古发现，晚商甲骨占卜盛极一时，骨料主要采用牛肩胛骨和龟背，有削、锯、切、错、刮、磨、穿孔等加工工序，还有钻凿灼等占卜方法。由于人主观认识事物的能力在提高，还出现人为控制兆坼变化的情况。

1700—1046 话说中国 BC2000—BC?

伯的协助下，出兵征服了蓝夷。姺侯看到邳侯被彭伯击败而归降，蓝夷又被河亶甲征服，形势对他十分不利，就去投靠一个叫"班方"的国家。河亶甲和彭伯、韦伯联合，乘胜征伐班方。班方被征服后，姺侯只得归降，亲自备了贡物，来到商都，向河亶甲请罪。

祖乙迁都，国势昌盛

河亶甲在位九年，去世后，由儿子祖乙继位。祖乙名滕，他的继位经过了更加激烈的斗争。仲丁的儿子和外壬的儿子在河亶甲去世时都在觊觎王位，但河亶甲在弥留之际委托大臣保驾，终于使祖乙的王位没有被堂兄们夺走。祖乙继位后，为了摆脱堂兄势力的威胁，又把国都从相迁到黄河北岸的"耿"，有的书上作"邢"，其地在今河南温县东。由于选都城的时间仓促，没有仔细勘察地形，新都的宫室还没有建成，就被黄河泛滥的洪水冲毁了。祖乙认为耿不是做都城的好地方，在即位后的第二年，又从耿迁到东方的"庇"，其地在今山东鱼台附近。这里和诸侯彭伯的所在地接近，自然条件较好，水源充足，有利于发展农业和畜牧业。祖乙任命巫咸的儿子巫贤为卿士，辅佐自己工作。此时，社会生产发展，人民生活安定，诸侯也都归顺，商朝又兴盛起来。

祖乙去世后，大臣们为纪念他的功绩，给他立一庙号，称为"中宗"。这个庙号，和太戊的庙号一样，这中间必有一个是错误的。据查甲骨文中有"中宗祖乙"的卜辞，看来显然太戊的庙号是被史家弄错了。

九世乱消耗实力

祖乙在位十九年去世，由儿子祖辛即位。祖辛名旦，在位十四年去世，由其弟沃甲即位。沃甲名逾，又称开甲，在位五年去世后，由沃甲之兄祖辛之子祖丁即位。祖丁名新，在位九年去世后，由其叔父沃甲之子南庚即位。南庚名更，为摆脱王室内部各派势力的明争暗斗，他只好又采用迁都的办法，把国都从庇迁到"奄"，其地在今山东曲阜。南庚在位二十九年，一说六年，去世后由他堂兄祖丁的儿子阳甲即位。

由于王位继承没有规则，每一任商王去世后，叔侄之间、堂兄弟之间的斗争几乎达到剑拔弩张的程度。从商王仲丁以来，中经外壬、河亶甲、祖乙、祖辛、沃甲、祖丁、南庚，直到阳甲，形成"九世乱"的局面，大大消耗了商朝的实力，促使商朝一天天走向衰落。这是值得引为教训的。

玉璋：巴蜀人的礼器
四川三星堆曾出土商代蜀地的礼器——玉璋，玉璋的形态源自戈、钺、戚一类兵器。此件器物为祭祀坑中遗物，当与某些宗教礼神活动有关，其形制类似中原同类器物，表明蜀文化与商文化的互相接近和交往。

公元前 1481 年

世界大事记 埃及与赫梯在美吉多城会战。

《史记·殷本纪》《尚书·盘庚》

善思 谋略

盘庚

人物 关键词 故事来源

〇九九

盘庚致力改革，决定迁都到殷

商王阳甲名和，在位十七年，一说四年。阳甲去世后，经过一番斗争，他的弟弟盘庚获得了王位继承权。盘庚名旬，是一位有作为的商王。他为了改变商王朝衰弱的局面，即位后首先努力平息王族内部的倾轧，使大家把精力集中到振兴国家的事业上来。他致力于发展农业和畜牧业生产，改善人民生活，同时搞好与各诸侯国的关系。到盘庚七年，有应侯前来朝贡。应国地在今河南鲁山县东，是商朝的一个小诸侯。应侯的来朝，说明盘庚的改革已在远近地区传扬开来。但潜伏的危机仍然存在：一些王族成员滋长了贪图安逸享乐的作风，对广大人民群众进行残酷的剥削和压迫，同时旧都奄处在洺水和泗水的交汇口，水害比较严重，而且北方的游牧民族时叛时服，难以控制。鉴于这些情况，盘庚决定迁都到"殷"，也叫"北蒙"，其地在黄河以北的洹水之滨，即今河南安阳市西。这里离旧都较远，迁都于此对王族内部的斗争可以有所遏制；殷的地势高爽，水涝灾害较少，有利于农牧业发展；同时从战略高度考

最后一次迁都

盘庚是商朝后期一位英明的君主，他把国都迁到今河南北部的"殷"，有利于发展生产和巩固国防。

虑，这里居高临下，位置适中，便于控制四方诸侯。

排除贵戚反对，做好各项准备

可是，这次迁都遭到王族中不少人的反对。他们在奄都占有大量财富，过惯了享乐腐化的生活，懒于迁动。他们散布流言蜚语，蛊惑人心，加以种种干扰。盘庚把那些贵戚、大臣召到朝廷上来，进行训话。他说："你们众大臣，我告诫你们，为的是要去掉你们的私心，使你们不致倨傲放肆，追求安逸。我们的先王总是任用世家旧臣，和他们共同管理政事。先王向群臣发布政令，群臣不敢隐匿先王的意旨而不下达。因此，先王对大臣们非常看重，大臣们也没有越轨的言论，人民也都跟着去做。现在你们大吵大嚷，编造出一些邪恶煽动的话来干扰迁都，不把我的善言向百姓宣布，这是你们咎由自取。你们的所作所为已经败露，这样只会害了你们自身。无论

> 历史文化百科 <

〔商代的别都〕

郑州商城是商代何王的都城？朝歌是不是殷末的都城？对于这些问题，学术界一直有不同意见。近年有学者提出，这些是商代的别都。别都设立于首都之外的战略要地，考古发现的郑州商城是商前期的别都，而朝歌是商晚期的别都。

自商代设立别都制度后，西周初的成周，春秋时楚国的陈、蔡、不羹，齐国的即墨、莒和燕下都，都是受商代影响而设立的别都。

三千多年前的精湛青铜工艺

斝是青铜礼器的一种，盛行于商周时期，也可温酒。凤柱斝制作精良，两柱顶端各置一高冠凤鸟，正在举目远眺，寓意着生命的活力，具有很强的装饰效果。腹部纹饰为云雷纹组成的饕餮纹。此类青铜器纹饰多为线雕，凤柱斝上的凤鸟则是圆雕，在这类酒器中颇为罕见，反映了三千多年前商代青铜造型艺术的高深造诣。

中国大事记

商王南庚继位后，为摆脱王室集团斗争，把国都迁到奄，即今山东曲阜市。

亲疏，我都一视同仁：用刑罚惩治罪恶，用赏赐表彰善行。从今以后，你们必须努力做好职分内的事，不许乱说乱道。你们必须长久地居住在新都，勤奋地贡献你们的力量。或行或止，都要听我的谋划。"

盘庚的话使那些怀有二心的贵戚大臣受到极大震动，他们不敢再进行干扰。迁都要渡黄河，盘庚就制造了一些船只。但是，一波刚平，一波又起。这时盘庚又听到不愿渡河的人发起牢骚来。于是，他又把许多臣民叫到王庭，讲了一番至诚的话。他说："你们要好好听我的劝告，不要轻忽我的命令。过去上天曾将大祸降给我国，先王为了人民的利益而迁徙。你们为什么不想想先王所做的事?我这样呼吁你们到新邑，也正是为了你们。迁徙的计划是不会变更了，你们应当体谅我的忧虑，同心同德按照我的意见行事。假如你们行为不善，猖狂放肆，违反法纪，胡作非为，我就把你们杀掉，绝灭你们的后代，不让他们在新邑里生息繁衍! 去吧，去寻求幸福的生活吧，我将在新邑重建你们的家园。"

统一搬迁行动，安定百姓新居

经过盘庚苦口婆心做了大量的说服动员工作，并

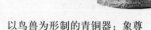

以鸟兽为形制的青铜器：象尊

象尊系象形青铜酒器，是商、西周青铜器中的鸟兽形器物中的一种。象呈站立状，四腿粗壮有力，长鼻上卷。整个形体圆浑饱满，制作精美，背有口和盖，鼻中空，与腹部相通。

用刑罚、灭种加以威胁，才终于统一了行动。盘庚首先安定广大民众的住地，其次明确宗庙宫室的方位。为稳定广大臣民的思想情绪，盘庚再一次召集大会，他告诉大家说："现在我要推心置腹地把我的想法全告诉你们。你们责问我为什么要兴师动众，让无数臣民进行这么大的迁徙，这是因为上帝将恢复我高祖成汤的大业，我当然要恭谨地根据上天的意见拯救臣民，让我们永久地居住在新邑。啊! 各位诸侯，各位大臣，各位官员，你们都应该各自考虑自己的责任。我将要视察你们的工作，看你们是否听从我的命令，恭敬地治理民事。不贪婪地聚敛财货，努力为臣民的幸福建立功勋，广布德教于人民之中，一心使我们的国家繁荣昌盛! "

盘庚迁殷是商朝的最后一次迁都，此后的商朝帝王一直在殷地统治，再没有迁往他处。

〉历史文化百科〈

〔商代赋税制度〕

商代的赋税制度是怎样的，历来很少有人论及。近年有学者提出：赋税最早出现于原始社会晚期，到夏代已形成一套完整的赋税制度，商代则进一步加强。

商代赋税基本有三种：一是力役，以商王室为首的奴隶主阶级驱使平民和奴隶为其无偿耕种土地、做工和守边打仗；二是实物，收取各种财物还有奴隶；三是货币，主要是贝。

前1500年 公元前1500年

世界大事记

印度现存一部最古的诗集《梨俱吠陀》约在此时编订。

〈竹书纪年〉
识才尊贤
武丁甘盘

人物　关键词　故事来源

一〇〇

武丁拜师

商王武丁早年被父亲安排到社会上去闯荡。他访贫问苦，巡察贤人，使他即位后治国有方，商朝又兴盛起来。

小乙重视对下一代的培养

盘庚在位二十八年，他去世后，由弟弟小辛继承王位。小辛名颂，缺乏治国的才能，因而殷朝又出现衰落的迹象。百姓思念盘庚，就把盘庚当年如何动员迁都，以及迁都后的建设过程记录下来，作了《盘庚》上、中、下三篇文章。小辛在位三年就去世了，由他弟弟小乙接位。小乙名敛，他就是使殷朝中兴的名王武丁的父亲。小乙虽然在治国方面没有盘庚那样卓有成就，但他注意到要保住先王们创下的江山，必须重视对下一代的培养。所以他对太子武丁的培养下了一番工夫，并取得了成功的经验。

太子闯荡社会，了解风土人情

当武丁长大成人后，为了让他了解人民生活的艰难，以及他们对商王的态度，了解诸侯的动向以及如何使他们归顺的策略，同时为了使武丁学到更多的本领，将来成为一个善于安邦治国的君王，小乙决定让武丁隐瞒身份，到社会上去闯荡。武丁先是隐居在黄河边。他经常在黄河沿岸走动，观察人民的生产和生活情况，接触农民和奴隶，和他们亲切交谈，了解他们的思想感情。有时，武丁还和这些所谓"小人"一起参加农业劳动，体会种庄稼的艰难。由于这样，使得他在即位后能关心人民的疾苦，受到人民的拥戴。在都城外闯荡的日子里，当然也使他了解天下形势，各地的风俗人情，为他后来的继位治政，打下坚实的基础。

明察暗访结识贤人，拜甘盘为师求学问

武丁在民间隐居察访的日子里，他不但访贫问苦，了解生产第一线的农民和奴隶，而且还经常留心民间有没有道德高尚、学问渊博、善于分析形势和治理国家的贤人。有一次，他来到虞这个地方，就是现在的山西平陆一带。听说离黄河岸边不远的一个村庄里，住着一位很有学问的人，此人名叫"甘盘"，就亲自登门拜访。甘盘在和武丁的交谈中，看出这个青年谦虚谨慎，知书识理，胸怀大志，不是一般的人。甘盘早就听说今王小乙有个太子，隐居于民间，巡回察访，便问武丁是否知道此事。武丁为了向甘盘讨教治国之道，只能挑明了身份，以实相告。当甘盘知道自己面前就是当今的太子时，兴致勃发，滔滔不绝地讲述了商朝自成汤建国以来，经历了二十一王，三百余年的兴衰历史。对于如何治国，甘盘也讲得头头是道。武丁听了很受启发，决意拜甘盘为师，要求经常向甘盘讨教有关的问题。甘盘见武丁年轻聪明，有远大抱负，就答应了武丁的要求，十分乐意用全力辅佐武丁。

巴蜀文明中的鸟崇拜

在三星堆出土的大量以鸟作为题材的雕塑品中，这种鸟头状的柄勺造型颇为生动，体现出鸟儿引颈向前、振翅欲飞的样子。它表达了商代巴蜀文化中鸟图腾崇拜的特征。

请入宫中为卿士，悉心辅佐兴商朝

武丁即位元年，就把甘盘请入宫中，命为卿士，成为辅佐商王的最高官员。武丁当太子时察访得贤人甘盘而拜他为老师，即位后得到甘盘的悉心辅佐而使商朝又兴盛起来。武丁和甘盘的亲密关系，成为历史上明君识贤臣、贤臣佐明君的一则佳话。

中国大事记

盘庚为摆脱王族内部的派别斗争，发展农牧业生产和控制四方诸侯，他再一次迁都至殷，在今河南安阳市西。

三年不说话

按古代规定，君王死后，儿子要守丧三年才能即位。商王武丁在守丧三年中，干脆一言不发，在国内引起震动。

令人焦急的沉默

商王武丁即位后，曾经发生过一件奇特的事，史书上说他“三年不言”，也就是三年中没有说过一句话。他不接待诸侯的朝贡，不访问百姓的疾苦，不上朝听取大臣的汇报，不发布指令。在这三年里，他的饮食十分菲薄，不讲究衣着，真是粗衣淡饭。对于这种情况，大臣们都非常焦急。他们苦苦思索：君王一言不发，不知他究竟在想些什么，叫我们如何行动？如果遇到紧急情况，比如诸侯叛乱、发生灾荒、官吏贪污、人民骚动等，君王还不说话，那怎么办？

原来在古代，有一个规定：君王死后，新即位的儿子要守三年丧才能继承王位。在这三年里，新王不上朝，百官听命于“冢宰”，也称“宰”或“太宰”，是辅佐君王的最高官职。新王要居住在守丧的房屋内，这个房屋叫“凶庐”。新王守丧时要披麻戴孝，脸上要露出哀伤的愁容，不能笑，更不能唱歌跳舞，要一心想着父王的恩德，尽一个孝子的义务。新王在凶庐中守丧，有一个专门名词叫“谅阴”，又叫“亮阴”、“谅暗”或“梁暗”。武丁在谅阴期间，为了做一个孝子，干脆一言不发，成为历史上的一个奇闻。

暗中观察，深思熟虑

武丁守丧三年不说话，实际上是有他自己的打算的。有的书上讲他在“默以思道”，就是说在默默地考虑如何治理国家的策略。事实正是这样，既然古来就有三年守丧、不理朝政的规定，何不利用这段时间好好盘算一下安邦治国的事呢！于是他干脆不讲任何话，不发任何指令，暗暗观察各种人事，

有卜辞的兽骨

1899年在殷墟出土的遗物中，以此种刻有象形文字的兽骨最为珍贵，如图是商朝后期的遗物。巴黎杰罗斯美术馆藏。

> 历史文化百科
>
> 〔宗法制度源于殷代〕
>
> 历来都认为宗法制度产生于西周的分封制。宗法制度规定以嫡长子为宗子，以血统关系的亲疏远近来确定贵贱等级。这是西周创立的上层建筑。
>
> 近年有学者提出：甲骨文有“大示”、“小示”，如同周代的大宗、小宗；又有“多子”、“小子”，是商王小宗；商代有“帝”、“介”，类似周代的嫡庶。这表明商代已有宗法制。

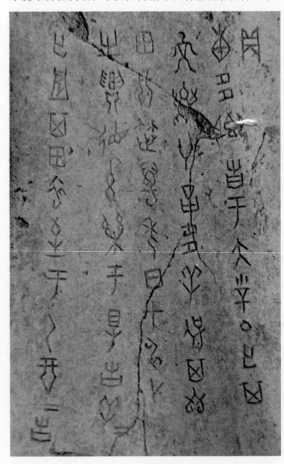

前1450年

公元前1450年 ＞

世界大事记

讲印欧语的希腊人进入希腊半岛建立自己的国家，迈锡尼是其中最强大者。

《国语·楚语上》

善思　谨慎

武丁　三年不言

人物　典故　关键词　故事来源

威风的黄金虎

三星堆遗址出土的虎形金饰，浇铸的虎昂首挺胸，威风凛凛。从这些最早的黄金制品看，商代已掌握了浇铸黄金的技术。

思考三年守丧结束后怎样平息王族内部的派别斗争，怎样发展农牧业生产，怎样使天下的诸侯顺服，怎样任贤使能，使国家各方面的工作蒸蒸日上，大大小小的事他差不多都思考到了。

三年后，当人们问他为什么在这样长的时间内不说话时，武丁答道："要以我一个人的话来指导四方的工作，我恐怕言之不当，所以不说。"这是确实的，一个君王刚即位，各方面的情况还不熟悉，如果在这时乱出主意，乱发号令，往往会出差错，造成不良的后果。武丁三年不言，先听听广大臣民的意见，经过深思熟虑后再作决定，提出自己的看法，这未尝不是一种治国的良策。

聪明的治国谋略

武丁三年不说话，并没有在国内引起大的波动。这是因为他当太子时走访民间，联络诸侯，对国内的

与巫师有关的铜人祭器

三星堆出土文物中有一铜人头，其面部方正，顶部平展。其面部表情粗放，双眼圆睁，阔鼻，鼻梁突起，双唇紧闭，双耳垂穿孔，并以云雷纹为饰，脑后铸有长辫，形象与蜀人中的巫师有关。

形势了解深透。民众和诸侯们都知道，武丁是一位聪明而有智谋的帝王，他的不言，必定有深刻的谋略在胸，所以不敢有什么越轨的行为。武丁的三年沉默不语，也是一种策略。他使大臣、诸侯、民众猜不透他葫芦里卖的究竟是什么药。国王三年不说话，一定会在天下产生一种悬念，成为全国关心的热点。一旦说话了，就会造成轰动效应，举国瞩目，万民欢腾。他说的每一句话大家都会非常重视，在振兴国家的事业中发挥重要作用。从这一点来看，武丁还是一位十分聪明的君王。

> 历史文化百科 ＜

〔商代铁刃铜钺〕

1972年在河北藁城台西村发现一件铁刃铜钺，可以确认是商代的遗物。经有关部门全面鉴定，认为铁刃中没有人工冶铁的大量杂物，而仍保留有镍、钴层状分布，可以确定铁刃不是人工冶炼的铁，而是用外星飞来的陨铁锻成。

这个发现以实事求是的态度，证明我国在三千多年前的商代就已认识铁的特性，将陨铁锻打加于铜器刃部，其加工技术已相当成熟。

＞ ：陶制的。235

公元前 1250－前 1192 年

中国大事记

武丁早年在民间察访，即位后，就把贤者甘盘请入宫中，命为卿士。

前1250年
前1192年

一〇二

奴隶丞相

武丁在闯荡社会时，发现有个奴隶贤惠有才。当他继承王位后，寻此奴隶进宫，成为一代名相。

太子山间察访识奴隶

商王小乙为了培养接班人，要儿子武丁隐瞒身份走出国都，到各地去察访。有一天，武丁来到虞山，其地在今山西平陆北。在一个山岩之下，他看见许多人在那里用木板夹住泥土，然后打夯筑墙。这些人身上穿着深褐色的囚徒衣服，脖子上都用绳子拴着，五个人或十个人连结成一串，以防止他们逃跑。一看就知道这些人都是奴隶，当时人称"胥靡"。武丁问一个在旁指挥的小官，这里修筑土墙干什么？那小官说为了保护下面通往邑中的大道不被洪水冲毁，所以在这里修筑一道土墙将水挡开。武丁说他想知道这些胥靡的情况，要找一些人谈谈。小官见他有些来头，只好叫了几个胥靡来见武丁。

武丁详细询问了几个胥靡的家世和劳动、生活情况。其中有一个叫傅说(音悦)的人，特别引起武丁的注意。从傅说的谈话中知道，他祖上原来是平民，当过基层的小吏。由于性格耿直，得罪了一位大官，那大官借故报复，把他们全家罚作胥靡，那时他年纪还小，也成了官府的奴隶。傅说从家世谈到政治。他认为要振兴国家，首先国君要任贤使能，奖励有功者，惩罚怠惰者，

把那些富有聪明才智、对工作勤勤恳恳、能为国家办实事而又廉洁奉公的人选拔为官吏，才能使国家的经济发展，繁荣昌盛。武丁十分同情傅说的遭遇，又佩服他的思想和才能，便暗下决心，在自己登上王位后要把傅说解救出来，请入王宫，辅佐自己。

武丁托梦寻傅说

商王小乙去世后，武丁就继承王位。在三年守丧不说一句话的日子里，武丁就想着如何把傅说请来。他考虑：如果无缘无故把一个奴隶请进宫来，任以大官，肯定会被人耻笑，他的威信会大大降低；而且这事还会成为王族中对立派攻击武丁的材料，造成内部哄乱，其后果不堪设想。经过再三思索，武丁终于想出了一个妙法。

三年丧期结束，武丁开始说话了。他在宫中一开口，

中国早期的炊具：妇好扁足方鼎

妇好扁足方鼎，是商代后期的炊器，1976年在河南安阳小屯出土，高42.4厘米，口横长33.3厘米，是我国较早的炊器。

> 历史文化百科 <

〔武官大墓：商代奴隶社会的真实反映〕

河南安阳武官村在1950年发掘得一座商代大墓葬。墓室上口南北长14米、东西宽12米，自口至底深7.2米。墓内殉葬人数达79人，另有马28匹以及其他禽兽19只。墓中出土一批精美的铜器、玉器和陶器等。

这座墓葬表明，墓主人生前在政治、经济方面拥有很大力量，对某些人有生杀予夺之权，是个奴隶主贵族。它是商代奴隶社会的有力证明。

商

约公元前1500—前1400年

世界大事记　印第安人创造查文文化。

识才　尊贤
谋略

武丁　傅说

《史记·殷本纪》
《帝王世纪》

人物　关键词　故事来源

就向大臣宣布："昨天晚上我做了一个梦，梦见上天赐给我一个贤人。这个贤人穿着胥靡的衣服向我走来，口中说道：'我姓傅，名说。天下有得我者，岂徒然也哉？'这个胥靡，年纪较轻，面目清秀，谈吐不俗，举止文雅。我醒来后推想：这个人叫傅说，'傅'是辅相的意思，'说'是欢悦的意思。天下当有傅说这个人出来辅佐我而使民欢悦了！"于是，武丁假装在朝廷的百官中寻找有没有像傅说这个人的，朝廷百官中自然没有。武丁便请画工把傅说的形象画下来，到处张贴，说商王要寻觅这位贤人。武丁故意把事情张扬出去，闹得满国风雨，仿佛傅说是一位神仙。

振兴商朝的一代名相

不久，在虞山下的岩石间，果然找到了一个叫傅说的胥靡，他穿着囚徒的衣服，头上套着绳索，正在服苦役，其形象与画工所描绘的一模一样。官吏们认定，这正是商王要寻觅的神人。于是便把他带入宫中，请武丁辨认。武丁见傅说来了，喜出望外，说："这正是我在梦中见到的天赐的贤人啊！"武丁便立刻任命他为丞相，并要求傅说"朝夕规谏"，即从早上到晚上随

时随地对商王进行规劝和谏诤。武丁语重心长地对傅说申述："比如我是一把金属的刀剑，用你来做磨砺的石头。比如我的面前有一条大河挡住了前进的路，用你做船去渡过。比如我是一棵庄稼的苗遇上了天旱，用你做霖雨来滋润。开启你的心扉，来浇灌我的心田。如果药不厉害，那么病就不会痊愈；如果赤脚行走而不看地面，那么肯定会受伤害。"武丁对傅说寄予无限的深情和希望，而傅说也真的全力辅佐武丁，使商朝经济发展，政治清明，呈现出一派欣欣向荣的景象。

因为傅说为商朝的兴盛作出了巨大的贡献，成为商朝的一代名相，人民把傅说原来在那里服苦役的山岩称为"傅岩"或"傅险"，把傅说曾经在那里栖身的岩洞称为"圣人窟"。商王武丁举用奴隶傅说为丞相，并使商朝有了明显的改变，这在中国历史上是个奇迹。

神秘怪诞的纵目面具

青铜纵目面具堪称"面具之王"，是"纵目"的蜀人先祖蚕丛偶像，长达1.42米，形制朴素奇诡，神秘怪诞，令人顿生敬畏之心，不但反映了丰富的社会内涵，同时验证了巴蜀青铜艺术的风格与内容。

商王武丁有三个正妻

商朝社会，名义上实行一夫一妻制，但统治阶级的贵族往往三妻四妾。在许多妻妾中，社会规定，只有一个是正妻，其他的都是妾，俗称"小妻"。历代商王除了一个正妻为王后外，还有不少妃子。王后死后，可以再立一个王后。原配正妻和后来续为正妻的，死后都要在宗庙中列位供奉。后人祭祀先王时，有的配以正妻同祭。祭祀时称正妻为"先妣"。从商代甲骨文看，武丁的正妻在祭祀卜辞中有妣戊、妣辛、妣癸三个。这说明，武丁除了原配正妻外，至少以后还续配了两个正妻为王后。据史书记载，武丁在位五十九年，他的寿命有"百岁"。这样长寿的帝王，有三个王后是很自然的。

长子孝己立为太子

武丁的原配正妻生有一子，因为是己日生的，所以叫"祖己"。祖己为人诚恳慈厚，特别孝顺父母。父母的饮食起居、冷暖病痛，他都挂在心上，精心照顾。传说他一晚上要起来五次，看看父母睡得好不好。因为他的孝行感动了父母长辈和亲戚朋友，所以大家又给他起了个名字，叫"孝己"。

商代的礼器
爵，是我国古代的饮酒用器，相当于后世喝酒用的杯，青铜爵是青铜礼器中的重要器物。这个爵前有倾酒用的流，后有尖状的尾，旁有鋬，口沿上有个柱，腹下有三个足。制作精美，线形流畅。

孝己的冤屈

长寿的武丁在原配正妻去世后又续立一正妻做王后，此王后对武丁前妻之子孝己百般诽谤，终于使其被流放而猝死。

古代祭祀祖先时，往往用受祭祖先的子孙一人来充当死去的祖先，接受人们的礼拜。这充当祖先的人，叫做"尸"。孝己因为老实厚道，亲戚长辈都喜欢他，而且他又是武丁的长子，所以王族祭祖时，经常叫孝己当"尸"。当尸的人祭祀前要洗去身上的污垢，换上清洁的衣服，同时要不吃荤腥，不饮酒，戒除一切嗜好，在一间清洁的房屋中住上三天至七天，这叫做"斋戒"。孝己对于当尸和斋戒，总是乐呵呵地听从亲戚长辈的安排，从

不可多得的艺术品

商代妇好墓出土的象牙杯是用象牙根段制成，形状像觚。杯身一侧有与杯身等高的夔龙形把手。杯身有雕刻精细的花纹，具有相当的装饰性，饰有饕餮纹，镶嵌有绿松石。采用了浮雕、线刻、镶嵌等多种手法的这件象牙杯，是不可多得的艺术珍品。

无二话。由于受到王族中大多数人的喜爱，武丁早年就立孝己为太子。

继母加害，父亲昏庸致恶果

可是，孝己的母亲在孝己正要成年时突然去世了。父亲武丁在原配正妻去世后，不久又续立了一位正妻做王后。孝己对于继母，虽然格外地尽孝，但继母时常在武丁面前说他的坏话。武丁的后妻也生有一子。为了使自己的儿子成为太子，后妻不惜采用捏造事实、恶意

> ### 〉历史文化百科〈
>
> 〔商代阶级结构的探讨〕
>
> 根据学者们的研究，商代奴隶社会中存在着奴隶主贵族、平民和奴隶这样三大阶级。
>
> 奴隶主贵族是商代的统治阶级，由商王及其家族和众官吏组成。他们享有特权，过着奢侈生活。
>
> 平民包括公社农民、族众和手工业者，他们参加劳动，遭受剥削，但也有参加祭祀和当兵的权利。
>
> 奴隶大多是战俘，他们被强迫从事农业、畜牧等劳动，祭祀时被杀戮作为人牲。

> ### 〉历史文化百科〈
>
> 〔郑州商城：商代重要都邑〕
>
> 1952年以来在河南郑州市旧城及四郊约50平方华里的范围内经过发掘，发现有古房基、墓葬和铸铜、制陶等手工业作坊，以及夯土城墙等遗迹。特别是1974年在西郊杜岭发现两件器形很大、形制庄重的商代铜鼎，引起人们浓厚兴趣。
>
> 郑州商城规模很大，堆积丰厚，专家们认为这里是商代的重要都邑。它的发现对研究商代前期文化提供了十分宝贵的资料。

中印文化的结合

在三星堆人头鸟身的饰物中，其羽翼的纹样与中原的很相像，而人面鸟身的神鸟也使人们记起了印度神话中爱情鸟的故事，仿佛这一饰物是中印文化的结合物。

诽谤的办法来加害孝己。武丁在后妻不断的谗言蛊惑下，狠了狠心，把孝己流放到远处。孝己是个意志脆弱的人，他受不了如此的冤枉和虐待，在流放之地吃不下饭，睡不着觉，没有多久，便因忧愤过度猝死在野外。

前妻之子早年丧母受到继母的虐待，父亲因为听信后妻谗言而迫害前妻之子，这本来是一场相当普通的家庭纠纷，但是，孝己之死却牵涉到王位的继承问题。孝己懦弱老实，只有以死来表明自己的清白无辜。武丁昏庸，听信妇人之言，造成了不可弥补的错误和损失。这种行为，自然受到王族亲戚、大臣和人民的指责，在武丁的一生行事中，留下了一个不小的污点。

鬼神兴妖作怪的迷信

商朝的统治者特别讲究迷信，遇到什么奇怪的事情，就认为是鬼神作祟。有人曾总结说："殷人尊神，率民以事神。"统治者率领人民一起祭祀鬼神，使政治生活笼罩在一片迷信的阴霾中。商王太戊时，宫廷的院子中出现桑树和榖树生长成一木的怪事。统治者认为这是鬼神兴妖作怪，大大惊恐了一阵子。到武丁执政时，又有桑和榖两种树木合生在朝廷旁，很快长得又高又大。武丁问贤臣祖己，祖己说："桑榖是野木，野木生于朝廷，意味着国家要灭亡了。"武丁听后十分恐慌。他倾身而立，不敢面对天神。此后加紧修德，检点自己的行为，一心实行先王之政，明确养老的礼节。

中兴商代的武丁

武丁，子姓，名昭，商王小乙之子。他在位59年，在位期间不断向外扩充领土，四出征伐，使国力得到进一步增强，出现了商代历史上最繁盛的局面，历史上称为"武丁中兴"。

> **〉历史文化百科〈**

〔武丁：商代后期威震四方的著名君王〕

商代后期著名君王。相传少年时其父让他久劳于外，生活在民间体察民情，因而深知小民疾苦。即位后能重用傅说、甘盘等贤臣，励精图治，国力渐强。他不断对西北和东南叛乱的少数民族进行征伐，南至江淮，北至河套，西达渭汭，扩展疆土，威震四方。

武丁当政五十九年，是商王朝最为强盛的时期。他在位年数之长，在中国历史上也是很少见的。

野鸡立鼎耳

因祭礼时有一野鸡站在鼎耳上鸣叫，大臣们以此告诫武丁要励精图治，修政行德。

据说这样做了三年，桑榖合生之树竟自生自灭了，远方之君经过辗转翻译闻讯武丁之德，来朝致敬者就有六国。近处百姓和诸侯的归顺欢悦，更不用说了。

由于商朝特别迷信，因而祭祀的仪式特别隆重。除了用大量的牲畜作为供品外，还要杀掉许多奴隶作为祭祀的供品，叫做"人祭"。为主持祭祀鬼神的仪式，用龟甲和牛骨进行占卜，以贞问鬼神的意向，商朝统治者还专门养了一批史官，其中管理占卜的称为"卜人"或"贞人"。这批史官和贞人都世袭任职，王朝中的大小事务都由这些人操纵谋划。

祭祀隆重，野鸡光临

武丁任用傅说、甘盘、祖己等贤人辅政，政权逐渐得到巩固，诸侯归附，生产发展，人民安居，国家昌盛。统治者把这些成果，都看成是上帝的赐福、祖先的保佑，因而祭祀比前代更加增多，礼仪更加讲究。按规定要连祭两天，第一天祭后，第二天继续祭，称为"肜(音融)"，祭的日子称为"肜日"。

商朝当时还是地广人稀，都城郊外有茂密的树林，树林中鸟兽很多。大概是祭祀时太庙中演奏的音乐悦耳动听，陈列的食物、果品香味芬芳，引得树林中鸟兽也纷纷光临。一天祭祀成汤，正当进入高潮时，突然有一只野鸡从树林里飞到太庙的广场上，在空中盘旋了一圈后，停落在一只大方鼎的鼎耳上站立不动，然后伸长脖子鸣叫起来。武丁大惊失色，在场的其他官员也都恐慌

起来，以为是先祖有何不满而降此妖孽来进行谴责。

贤臣乘机训戒，武丁深刻反省

武丁忙问贤臣祖己这是怎么回事？应该如何处置？祖己回答说："大王不必惊慌。遇到这种事，首先

> 历史文化百科 <

〔商代的履制〕

商代在沿袭赤足的同时，作为一种时代进步形态的鞋履开始使用，并且形成了一套与等级制服饰紧密相联系的履制。高级贵族穿皮制履，一般贵族穿丝制或布帛制履，中下层贵族穿麻、葛制履，平民穿草、麻、树皮制履。

要端正王心，修善积德，再就是要改正治理中的缺点，多做些为国为民的好事。"接着，祖己又对国王训戒道："上天考察下民，主要看他是否按照'义'行事。上天赐予人的年龄有长有短：对于短命的人，不是上天有意夭折他的生命，而是他自己的行为不合于义而造成的。臣民中有人不遵循道德行事，又不认识自己的罪过，上天便惩罚他以端正他的德行，他却说'该怎么办'，不是太糊涂了吗？唉！王啊，要恭敬地对待你的臣民，他们都是上帝的后代。祭祀的时候要按照常规，不要对有的祭祀供品特别丰盛，而有的祭祀供品失之菲薄。"祖己的这一番话，是有感而发的。特别是武丁听信后妻的谗言，流放了前妻之子孝己，以至其受迫害致死。这种缺德的行为，引起百姓和诸侯的不满。祖己正好借野鸡立在鼎耳上鸣叫之事，对武丁进行训戒。

经过祖己的训戒，武丁进行深刻反省。他洗心革面，励精图治，修德行善，使国家的面貌大为改观，殷朝又复兴起来。到武丁的儿子祖庚即位后，贤臣祖己为颂扬武丁以野鸡为戒，修政行德，使殷朝复兴，特地为武丁建了一座祖庙，在庙前立号名"高宗"。又作《高宗肜日》一文，记述武丁在肜祭成汤时，野鸡飞上鼎耳鸣叫的奇事，作为后世的教训。

造型各异的人物立像
三星堆青铜人物造像大体可以分为立人、人头和人面像三类。其中青铜立人像数十尊，形态与服饰各不相同，这表明，早在3000多年前，我国的青铜冶铸业已很发达。

> ：商代早期。 241

占卜求丰年

商代迷信盛行，遇事都要用龟甲和兽骨进行占卜。武丁时期留下的卜辞特别多，内容大多是贞问农业和畜牧业的。

向上帝鬼神贞问和祈求的卜辞

商朝迷信鬼神，遇事都要进行占卜，问个凶吉。占卜用的是龟甲和兽骨，上面用青铜锥钻出一个小孔，放在火上烧烤，根据其裂纹以定事情的吉凶。卜官把占卜的全过程写在甲骨上面，这种记录占卜的刻辞，称为"卜辞"。卜辞有的是向上帝鬼神贞问年成的丰歉、雨水的有无、畜牧的兴衰、战争的胜败；有的是直接祈求上帝鬼神保佑。

问年景，求丰收

武丁时期留下的卜辞特别多。这些卜辞大多是贞问年景的好坏和祈求农业的丰收的。年成的好坏，与雨量多少有密切的关系，因此武丁卜辞中又有很大一部分是占卜上帝会不会降雨的。如："今一月，帝不其命雨？""今二月，帝命雨"；"今三月，帝命多雨"，等等。下的雨能不能使庄稼有好收成，这也是武丁所关心的，所以卜辞中又有："帝命雨弗(不)其足年？帝命雨足年。"所谓"足年"，就是雨水多而使年成丰足。此外，武丁卜辞中还有"求年"，即祈求上帝神祇、祖先神灵保佑年成好，庄稼丰收；"受年"，即希望上帝神灵给人们授以好的年成，丰足的谷物。武丁卜辞不但祈求"今岁受年"，而且祈求"来岁受年"，即明年的好收成；不但祈求"今岁商受年"，即商王畿地区有好的年成，而且祈求东土、南土、西土、北土"受年"。

除了不断地祭祀、占卜，祈求好收成外，武丁也经常视察农田生长情况。卜辞中有记载说："王立黍受年"；"王立稷若"。这就是武丁亲自立在种黍和种稷的农田中察看，企盼着作物的好收成。武丁还常派大臣到农村田野去督促农业生产，卜辞中称为"省田"或"省鄙"，鄙就是城市四周的野外。为了引起百姓众人的重视，武丁更不时地下达耕田、播种的命令。武丁卜辞中有一条这样记载："王大令众人曰：劦田。其受年，十一月。"所谓"劦田"，就是协力耕作。

> **历史文化百科**

〔商代祀门神的制度〕

门神可保佑平安无灾。上古时期官方及民间皆十分流行祀门神礼俗，有的熏燎屋子，有的跳傩戏，即化装戴假面具跳舞驱鬼逐魔，还有向门神奉献祭品。殷墟小屯宗庙建筑群体营造过程中有一种安门仪式，是在大门的内外左右，埋葬成人和犬。所谓人牲，身份都是武士，佩带刀戈。

只有齐心协力耕田，才能"受年"获得好收成，在年终十一月向上帝、祖先神灵报祭。

视察牛羊，关心畜牧

武丁对畜牧业也十分关注。畜牧业生产的大牲畜，除了供食用外，又是驾车、负重运输的工具，祭祀天神、出征作战也少不了它们。因此，武丁经常占卜各地畜牧业的情况，还要亲自到一些畜牧地区进行视察。武丁卜辞记载："王往省牛"；又说："王往省牛于敦"；"于敦大刍。"敦是商王朝的一个畜牧区，其地在今河南沁阳附近，武丁经常去那里视察牛的饲养情况。由于武丁的关心和督促，在敦地出现了"大刍"，即水草丰盛、牛羊苗壮的欣欣向荣的景象。在武丁的关心和重视下，商王朝所属各地的畜牧业都繁荣发展起来，各地向商王朝进贡的牲畜也相当多。据武丁时期的卜辞记载，各地有"致牛"、"致马"、"致犬"、"致豕（猪）"的。所谓"致"，就是进献的意思。在这些进献的牲畜中，以牛为最多，有

> 历史文化百科 ＜

〔商朝人与象关系密切〕
晚至西周中叶以前，中原地区尚保存着大片茂密的森林，又有广大的草原沼泽，气候温暖湿润。殷墟商王邑曾出土有象的化石。商代贵族用象祭祀祖先，间或也服务于战争，还将象牙象骨制成各种用品，而且当时不但有野生象，还有经过驯化并自行繁殖的象存在。

殷商时流行以幻想的神话动物作为装饰

商代青铜器上的装饰纹样虽然也有直接取材于现实的动物的，但是流行饕餮、夔龙、夔凤等幻想的神话动物装饰。夔龙、夔凤都是侧面形象，大多只表现一只脚，所以冠之以"夔"字。夔凤文卣是商代的酒器。文卣的盖子表面装饰着饕餮纹，圈足则装饰着鸟纹，这是商代流行的装饰样式。

的一次就"致牛四百"。武丁时期畜牧业的兴旺，可以从这些卜辞中充分反映出来。

从卜辞看经济发展

武丁关心农业、畜牧业的发展，用占卜祈求上帝神灵的保佑，并亲自进行督察。因此，武丁时期人民衣食丰足，国家积累了大量的财货。这为武丁征伐周围不服从的各部落、方国，打下坚实的物质基础。

充满神秘色彩的人面钺
商代后期的人面钺出土于山东益都苏埠屯，饰有饕餮纹。遍身的饕餮纹使人面钺充满浓厚的神秘色彩。

商王朝周围，有许许多多的方国。甲骨文中明确记载某方的就有几十个，还有几百个地名，虽无"方"字，也是一个小国。这些大大小小的方国、部落，大多数臣服于商王朝，成为商王朝的属国。但也有一些方国，不服从商王朝，时常前来侵扰。根据甲骨文的记载，武丁时期常来侵扰的，是地处西北的舌方、土方和鬼方。

歼灭游牧部落

在西北方有个叫舌方的游牧部落经常来侵扰掠夺，武丁经过十几年的征战，终于将其击溃歼灭。

方骚扰掠夺愈演愈烈

舌方是一个较大的方国，其地域在今内蒙古南部和陕西、山西北部一带。武丁时期，舌方还是一个游牧部落，人数多，活动范围广。其势力逐渐发展壮大，开始向南游动，一部分舌方人已经到达商王畿的西边。为了获得某些生活资料，他们经常到一些经济发展较先进的地区去掠夺。舌方邻近有一些小方国是商王朝的属国，因为经常遭到舌方的骚扰和掠夺，无法抵抗和还击，就经常向商王武丁告急。武丁在军事力量不足的情况下，只得天天占卜贞问："舌方其出？"祈求上帝和祖先神灵保佑"舌方弗出"。但这对舌方的侵掠行为，根本不会起什么作用。

由于商王畿农业、畜牧业的发展，舌方的掠夺活动逐渐扩展到商王畿内部。据武丁卜辞记载，舌方侵入王畿的活动十分频繁。某月七日己巳那天，长地的长双角来报告说：舌方有七十五人，从西边侵入王畿内的农田进行抢掠。某月五日丁酉那天，

有关通信的甲骨文
殷墟出土的有关通信活动的甲骨文。骨中刻文通报："九日辛卯，允有来鼓自北。"此是指传递情报的人。从中可知商代已经出现有组织的通信活动。

直内铜戈曲内铜戈銎内铜戈：形制各异的铜戈
商代步兵的标准，一是用于进攻的短戈，一是用于防御的盾，当时称之为干，步兵一手持戈，一手握盾，便于短兵相接时交战。"干戈"后来被用来泛指武器。此处的商代铜戈分为直内铜戈，曲内铜戈，銎（斧子上安柄的孔）内铜戈三种，戈的长度相当于人体身高的一半。戈上均有纹饰。

> 历史文化百科 <

〔商代祭祀场中的人牲〕
河南安阳小屯村西北在1976年发掘出一个商王室的祭祀场，在已揭露的5000多平方米范围内包括200余个祭坑中，掩埋人牲已达1330人之多。死者大多砍去头颅，也有捆绑后被活埋的。
殷人崇尚鬼神迷信，祭祖、求雨或其他重要活动，多用人畜作为牺牲。奴隶主对人的生命恣意摧残，说明奴隶制是人类历史上最野蛮、最黑暗的制度。

又有人报告说：土方进入商的东郊，抢掠了两个邑的财物；舌方也侵入商的西郊，抢走田中的粮食。在某年七月己丑这天，长地的长双化又来报告：舌方进入商郊的丰地抢掠财物。一次，有人报告说：舌方抢掠了祺、夹、方、网四个邑。还有一次，舌方抢走了某方国向商王朝进贡的五十头牛。舌方经常不断地到商王畿内部来抢掠农田和财物，使武丁大伤脑筋。在积累了一定的物资和军事力量后，武丁决心征伐舌方。

征调兵力，予以沉重打击

武丁征伐舌方的战争，持续了很长时间。除了用常备军之外，武丁还随时征召兵力，以应保卫边境、出征追击之需。有一条卜辞说："登人三千呼伐舌方。"说明在一次征伐过程中，武丁临时征兵就达三千人。有

商王的礼器：商代铜圆鼎
这件圆鼎与铜方鼎同出一窖穴，是商王用于祭祀的礼器。

一个武将名"禽"，经常奉武丁之命，率领□舌方。他有时乘在战车上指挥作战，有时单□军深入敌区。每次征伐，舌方都不能抵抗，纷纷溃退，逃得无影无踪。在一段时间里，没有人来报告舌方的消息，卜辞就记载说："舌方无闻。"这样，商王畿和西北边境就暂时得到安宁。

在征伐舌方的过程中，武丁曾多次下令要西北面受舌方侵扰的各族首领起来自卫，也曾命驻在西部地区的武装部队出击作战。为了集中兵力打击舌方，武丁还从东面调集力量去支援西部。有时，为弥补兵力的不足，武丁还动用了许多由奴隶和仆人组织起来的武装。卜辞中有好几条这样记载："呼多臣伐舌方"；"呼多仆伐舌方"；"呼仆伐舌"。所谓"多臣"、"多仆"，其身份虽然是奴隶、仆人，但一旦参了军，他们的地位便改变了。这批由奴隶、仆人组织起来的军队，因为其身份地位的提高，打仗时十分勇敢。

游牧部落终于被歼灭

经过大约十几年大大小小无数次的征战，武丁终于把舌方平服了。这些游牧部落的人员，一部分逃往远处，与其他部族融合；一部分被杀死，变成了祭祀的"人牲"；一部分当了俘虏，成为商朝贵族的奴隶。由于舌方部落的被歼灭，商王朝在西北边的统治势力因而得到巩固并大大扩展。武丁以后，再也没有见到舌方部落的出现。

> 历史文化百科 <

〔商代的旅舍和驿传制度〕
殷商时代，在中心统治区内的干道上，王朝直接建有官方旅舍，专供贵族人员过行寄宿，甲骨文称之为"羁"。殷商王朝与外地的消息往来传报，已逐渐建立起驿传制度，当时的驿传，不似后世节级传递，而是由专人一次送抵的。

征伐鬼方

北边的游牧部落还有土方和鬼方。武丁经过长期苦战，终于将他们一一征服，商朝声威大振。

集中兵力打击，使土方归顺

舌方部落的被歼灭后，武丁就着手对北边另一个游牧部落土方采取军事行动。土方的人数虽没有舌方多，势力也不如舌方大，但它距离商王畿较近，因而骚扰和抢掠对商王朝的危害也不小。据卜辞记载，一次，土方进入商王畿的东部地区，对两个邑进行了抢掠。不但抢走了两个邑的财物，而且还虏掠人口，一次就绑架十几个人，拉去当奴隶。这使武丁十分恼火，他决心像征伐舌方那样，把土方也解决掉。

武丁征伐土方的时间没有征伐舌方那么长，战争的次数也不如征伐舌方那么多。他是采取集中优势兵力打歼灭战的方法，在较短的时间里就把土方攻灭了。武丁卜辞这样记载："登人三千呼伐土方"；"王共人五千征土方"。这里的"登"和"共"，都是征召的意思。可见武丁在征伐土方时，除了国家的常备军外，又一次征召了三千名士兵，一次征召了五千名士兵，对土方进行毁灭性地打击。在武丁猛烈的进攻下，土方首领被杀，大批土方人当了俘虏，成为商的奴隶。一些安分的土方人归顺了商王朝，成为商的国民；土方族居住的区域也归入商的版图，成为商的"北土"。土方成为商王朝疆域的一部分之后，武丁对那里人民的生产和生活也十分关心，经常去视察。武丁卜辞中有"王省土方"的记载。这样，武丁在与北边游牧部族土方的斗争中，又取得了很大的成功。

深入西北地区，与鬼方艰苦战斗

由于征伐舌方和土方的胜利，使武丁逐渐滋长了好大喜功的思想，他想到西北边远处还有一个"鬼方"国从来不向商王朝纳贡，还时常进行骚扰，何不派一支军队向北挺进，对鬼方来个突然袭击，使鬼方也成为商的属国或商朝疆域的一部分？武丁说干就干，当即派出一支上万人的队伍，向今山西、陕西北部和内蒙古南部一带进军。

然而，鬼方也是一个游牧民族，居处不定，来去迅速，其民众都有高超的骑射本领，很难在短时期内把它制服。武丁只得令部队暂时在荆地扎营，以探察鬼方行动的规律。这是一场艰苦的战斗。商军由于地形不熟，不习惯西北多变的气候条件，反而常常受到

自然神祇的青铜兽面

这是商代晚期的作品，兽面呈方形，头上的莲花状剑锋呈叉状，剑锋较窄，兽面下颌处有两夔相对将兽面拱起，龇牙咧嘴，形象诡谲。青铜兽面等可能是蜀人崇拜的自然神祇。

《周易·既济·未济》《竹书·纪年》

果断　谋略

武丁　震

人物　关键词　故事来源

鬼方突如其来的袭击，造成不小的损失。武丁听说征伐鬼方的部队出师不利，便继续派出增援部队并调运物资进行支援。

周族小分队配合，征伐取得全面胜利

这时，在今陕西中部活动的周族，听说商王朝正全力进剿鬼方，十分高兴。由于鬼方也常侵扰周族，因而周族很想趁此机会对鬼方进行报复。于是，派出一支由震率领的小分队前往支援商军，与商军共同讨伐鬼方。这支周族的小分队，机动灵活，他们探察地形，诱惑敌人，常常配合商军把敌人引向死地，给以毁灭性的打击。

商军经过三年的苦战，在周族的支援配合下，终于使鬼方屈服投降。鬼方答应对商王朝称臣服从，定期向商王朝进奉纳贡，成为商王朝的藩属。在今陕西西部和甘肃东部一带的氏族和羌族，听说鬼方被商王朝征服了，都派使者前来朝贺。以震为首的周族小分队，由于在征伐鬼方的战斗中立有大功，受到武丁的嘉奖和赏赐。

武丁晚年征伐鬼方，又取得了重大的胜利，使商王朝的疆域进一步扩大，但是，由于连年征战，劳民伤财，因而也给商朝的经济带来不利的影响。

原始生活的延续：商代绳纹陶鬲
这件陶鬲是典型的商代早期的陶鬲。夏商两代尽管建立了国家，但由于材料技术的局限，仍然延续着古已有之的生活方式，商王宫殿仍旧是茅茨土阶，在使用青铜器的同时，日常生活中仍然在使用着原始社会已经出现的陶制器皿。

公元前 1 1 9 1 - 前 1 1 4 8 年

前1191年
前1148年

一〇八

中国大事记

祖甲早年流落民间，即位后能施惠于民，受到人民的衷心拥戴。

追捕逃亡奴隶

根据卜辞记载，商朝奴隶经常逃亡，奴隶主就派人追捕。奴隶并进行反抗和暴动，发生了一场场惊心动魄的斗争。

受尽苦楚的奴隶 成群结队逃亡

武丁时期虽然经济有了发展，人民的生活有所改善，但是广大奴隶仍受着残酷的剥削和压迫，他们担负着繁重的劳动，吃的是猪狗之食，穿的是破衣烂衫，稍有不慎，还要受到奴隶主的鞭打和监禁。在忍无可忍的情况下，奴隶们开始用逃亡来反抗奴隶主。在商朝奴隶主贵族的卜辞中，经常有这样的记载："卜贞，众作藉，不丧？"这是贵族们在用占卜来贞问，作为奴隶的"众"人，驱使他们去耕作农田，会不会逃跑？这类占卜说明奴隶逃亡是经常发生的事。

根据卜辞记载，当时逃亡的奴隶有刍、羌、州臣、午臣、夹臣、仆等，其中有畜牧奴隶，也有农业奴隶；有官府奴隶，也有私家奴隶；还有其他少数民族的奴隶等。有一条卜辞如此写道："癸丑那天进行占卜，名争的卜人贞问：'本旬内

商代的跪式玉人
1976年河南安阳殷墟妇好墓出土。有人认为这件抚膝跪坐的玉人就是妇好的形象。不管此玉人是妇好本人形象还是妇好用人形作为佩饰和镶嵌之物，它都不失为研究商代人衣、冠、发式和人物形象的珍贵资料。

没有灾祸吧？'王看了卜兆后判断说：'有鬼作祟，恐有灾祸。'卜问的次日甲寅那天，果然发生了不吉利的事。一个名左的人来报告：'有刍从益地逃跑了，一共逃跑了十二个。'"刍，就是畜牧奴隶。这条卜辞比较长，记录的事情也比较完整。它告诉我们：奴隶逃亡不但经常发生，而且还成群结队，一次逃跑就是十几个。

费大力追捕回来加刑处死

有奴隶的逃跑，就有奴隶主的追捕。有一条卜辞

商

> 历史文化百科 <

〔妇好墓：商代王室的重要墓葬〕

1976年在河南安阳小屯村西北发掘出一座商代重要的王室墓葬。墓内出土随葬品达1928件：其中青铜礼器200余件，器形种类齐全，制造精致，不少器物都有铭文；青铜兵器130件，精美玉器755件。

据考证，墓主人是商王武丁之妻妇好，其身份十分明确。它对商代后期社会生产和生活的研究，具有重要的学术价值。

杀伐之器
三星堆出土的青铜兵器——戈，数量达几十件，长度一般在20厘米左右。这种冷兵器有利于在实战中增加刺杀效果，这说明蜀地区当时的兵器制造业已有较高的水平和一定的规模。

记载："在癸酉日那天，一个名亘的人占卜贞问：'逃跑的奴隶能抓到吗？'王看了卜兆后判断说：'要抓到逃亡奴隶，得等到逢甲或乙的黄道吉日。'第二天甲戌日，逃亡奴隶的船陷在河泥里，可是没有人报告，还是让他逃跑了。一直过了十五天，到十二月的丁亥日，逃亡奴隶才被抓到。"另一条卜辞记载："在癸巳日那天，一个名厉的人占卜贞问：'逃亡奴隶抓到了吗？'王看了卜兆后高兴地说：'大吉大利！抓到逃奴，就在逢乙、逢丁的吉日里。'后来得知，在七天前的丁亥日，逃奴已被抓住。"以上两条卜辞，记的是同一件奴隶逃跑而被抓回的事。奴隶的逃跑使统治者大为惊恐，他们一面派人追捕，一面不停地占卜，希望得到好兆，在吉日将逃奴抓住。逃亡的奴隶被抓回来，当然不会有好结果：有的被当作箭靶被乱箭射死；有的被处以刖刑，砍掉腿变成终身残废；有的被杀掉当作"人牲"来祭祀祖先。结果虽然不同，但惨酷野蛮是一样的。

奴隶胸中怒火：焚烧仓库、监狱暴动

奴隶主的残酷迫害并不能消灭奴隶们胸中的怒火，相反的，只能激起奴隶们更大的反抗。他们用焚毁粮食仓库和在监狱里暴动的方式，来发泄他们的愤恨，显示他们的威风。有一条卜辞记载："在癸巳日那天，有名争的卜人贞问：'本旬内不会有什么灾祸吧？'王看了

卜兆后判断说：'有鬼作祟。在曼、光两个地方看来会有危难。'待到六日之后的戊戌那天，果然出现了变乱：奴隶们薅草后，在夜里焚烧了三个仓廪。"还有一条卜辞叙述："王看了卜兆后判断说：'有鬼作祟，将有大祸。'果然不多时，在衬地监狱羌奴暴动了。"

奴隶的逃亡、反抗和暴动，虽然屡屡遭到镇压，但毕竟会削弱商王朝政权的力量。故自武丁以后，商王朝就开始走向衰落时期。

> 历史文化百科 <

〔商代精美玉器〕

1976年发掘的妇好墓中，出土大批精美的玉雕制品：其中十件玉雕人像把各种人物及其服饰都作了细腻的刻画；一批玉雕的动物形象把各种动物刻画得栩栩如生；还有许多龙、凤、怪兽等玉雕，形态飘洒而流畅。

这批精美玉器表明商代的琢玉工艺已达到相当高的水平。玉器在商代平民墓中极少见到，说明它们只是少数奴隶主贵族享用的奢侈品。

公元前 1347年

世界大事记

埃及将领霍连姆赫布取得政权，着手恢复神庙。

武丁 善良德政
祖庚 法制
祖甲

〈尚书·无逸〉〈竹书纪年〉

人物 关键词 故事来源

一〇九

第三王后之子谦逊明理

祖甲流落民间

祖甲是武丁续立第三个王后的儿子，他不愿看到同父异母兄弟间的互相争斗残杀，乃出走到民间生活。

武丁先后有三个正妻立为王后，甲骨卜辞中称为妣戊、妣辛、妣癸。第一个王后生祖己，也称孝己。因为生母早死，武丁听信续立的第二个王后的谗言，将祖己流放到远处。祖己抑郁不平，忧闷而死。第二个王后生子祖庚，她生下一子后，不幸也早死。于是武丁续立第三个王后。这第三个王后又生一子，名祖甲。

原来，祖己已被立为太子。因生母早逝，他的太子地位遂被废黜，并遭流放。祖己死后，武丁改立第二个王后之子祖庚为太子。现在，祖庚的生母也去世了。武丁在老年又立了第三个年轻的王后，当然更加宠爱。武丁听信年轻王后的话，欲故伎重演，废黜祖庚的太子地位，改立现今王后之子祖甲为太子。祖甲从小懂得礼义，明白道理，有是非观念。他知道同父异母的大哥祖己的不幸遭遇，认为废兄立弟不合商王朝的制度，是不义的行为。他不忍心废掉祖庚而由自己来当太子，重演祖己的悲剧。他更怕因此而引起王室内兄弟争位的矛盾，自相残杀造成政局的不稳。于是，他偷偷地离开王都，到当年他父亲生活过的平民百姓家中去，把王位继承权让给同父异母的兄长。祖甲觉得，他这样做心安理得，武丁因为年老力衰，也不想去干涉儿子自己的选择。

祖甲亲近人民，出现太平盛世

不久，武丁去世，王位由祖庚继承。祖庚名曜，他在位时，没有什么作为，只是做了一篇题为《高宗之训》的文章，表面上为他的父亲歌功颂德一番。祖庚在位时间不长，只有十一年。

祖庚去世后，同父异母的兄弟祖甲始继王位。祖甲名载，由于一度流落民间，长期在下层人民中生活，亲身体会到劳动人民的疾苦，因而他当商王后，能对小民施以恩惠，特别是对鳏寡孤独者给以照顾，得到人民的衷心拥戴。他在位期间，诸侯来朝，远近纳贡，百姓安居乐业，成为商王朝历史上一段太平盛世的年代。他的享寿也很高，在位的时间有三十三年。

惩处贵族贪婪，重修祖宗刑法

祖甲末年，为了防止国内奴隶主贵族对人民过分地剥削和压迫，贪得无厌地向邻近方国索取财物，他下令重新修订《汤刑》这部祖宗的刑法。在这部刑法中，他加进了贵族官僚因贪婪剥削而引起诸侯不满和人民反抗的，也要加以惩处的规定。但是这样一来，反而使有些高层贵族对祖甲离心离德，在统治集团中产生了矛盾。贵族官僚内部互相闹意见，故意拆台，于是商王朝又出现了衰败的迹象。

以"龙"为装饰（左页图）
商后期装饰品渐多，殷墟出土的玉龙呈墨绿色，另一面微呈褐色，是一圆雕作品。龙身蟠卷右侧，两短足前屈，各有四爪，张口露齿。同期出土的玉龙共九件，说明龙开始成为一种装饰品。

车兵的先声
三星堆发现的青铜车轮形饰物，直径在1米左右，青铜车轮饰物的出现，这说明长于机动作战的部队——车兵的出现已经是眼前的事了。

公 元 前 1 1 9 1 - 前 1 1 4 8 年

前1191年
前1148年

中国大事记

祖甲晚年重新修订《汤刑》，加进惩治
贪官污吏的内容。

武乙射天

商王武乙在征服了一些不服王命的方国后，态度狂妄，竟用皮袋装满牛羊血挂在木杆上，仰天而射，侮辱天神。

祖甲去世，儿子廪辛继承王位。廪辛名先，有的古书上写作"冯辛"，他只知田猎游玩、纵情享乐，是个短命的商王，在位只有四年就病死了。死后，因儿子年龄尚幼，王位由弟弟康丁继任。康丁名嚣，古书中多误写为"庚丁"。因"康"与"庚"字形相似，而庚字又常出现在商王的称号中。其实，"庚"是干支，"丁"也是干支，商王中没有把两个干支合在一起作称号的。康丁也是一位只知享乐的商王。甲骨卜辞中，有大量关于他田猎游乐的记载。在位仅仅八年，也因纵情过度而过早地结束了生命。

扩充军队，讨伐四方叛乱国族

康丁去世，儿子武乙继承王位。武乙名瞿，即位后，决心整顿军队，加强武备，用武力去征服那些敢于叛乱的方国。他曾经用重兵去征伐西部以旨方为代表的叛乱国族。据卜辞记载，武乙征伐旨方，一次就俘虏了二千人。除了对西部的叛乱方国进行征伐外，武乙还向南方讨伐过地处今湖北秭归的归伯。由于武乙的武威，周围各方国都平服下来，商王朝的统治暂时处于稳定状态。

周族发展壮大，仍要朝贡进献

武乙时期，商王朝与西边周族的关系有了进一步的发展。还在武丁征伐鬼方时，周族就曾派出以震为首的小分队协助配合，立了大功，受到武丁的赏赐。当时周族早已臣服于商，经常要勤劳王事，向商王进贡龟甲、牛和女奴。武丁妃子中有一个叫"妇周"的，就是周族进献的美女。武乙时期，周族首领公亶父迁居到岐邑，开始发展壮大。武乙为了笼络周族，命公亶父为诸侯，"赐"以岐邑之地。武乙后期，周

族在公亶父之子季历的领导下，发展生产，加强军事训练，进一步强大起来。商王武乙为表示对周的恩宠，特授给周侯季历征伐大权。

季历在商王的支持下，曾经向东伐程，其地在今陕西咸阳市。周军经过小战，一举把程攻克。过了几年，季历又北征义渠，其地在今甘肃泾川一带，又取得大胜。周军活捉了义渠首领，又获得很多俘虏和战利品。周国在西北的声威大振。季历对商王也不敢怠慢，武乙晚年，带了贡物来朝见商王。此时武乙已把国都由殷即今河南安阳市迁到沫，后来称为"朝歌"，就是现今的河南淇县。武乙对季历来朝给以隆重的接待。为回报季历，特给季历赐地三十里，贵重玉器十件和马八匹。双方关系进一步改善。

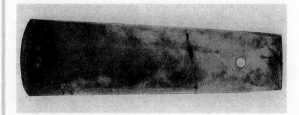

身份的象征
三星堆出土的玉斧是商代具有代表意义的礼器，是墓地上男性等级、地位和身份的象征和标志。

> 历史文化百科 <

〔商代精良的青铜武器〕

1987年，陕西城固县发现一批青铜器，总计达500多件，品种有20多个。一件半月形钺，器身有精细的龙纹，制作技巧高超。一件带柄弧形武器，长达66厘米，类似的有40多件。

据考证，这批青铜器约制作于商代武丁以后，距今有3000多年。它证明商代势力已达汉中盆地，并开始大规模开发西南地区。

《史记·殷本纪》
《竹书纪年》

武乙 季历

武乙射天
昏庸 愚蠢

人物 典故 关键词 故事来源

阴阳玉人：商后期高超的玉雕技艺

殷墟妇好墓曾出土一玉制装饰品，玉人为浅灰色，裸体，作站立状，一面为男性，一面为女性，是一浮雕式的人像，可能是某种神像。玉器线条流畅，反映出商后期玉雕艺人高超的技艺。

羞辱"天神"，"射天"流血

武乙依靠军事力量征服了西部地区不服王命的方国，周侯在战胜周围的一些方国、部落后仍不得不向商王朝贡。武乙不觉滋长了骄傲狂妄的情绪，以为自己十分能干，而上帝天神没有什么了不起。他为了打破对上帝天神的迷信，加强自己王权的专制，便命令工匠雕刻了一个木偶，称之为"天神"。武乙把这个木偶安置在宫廷中，要与他进行投掷游戏的比赛。木偶不会投掷，就请人代为进行。那代投的人怎敢与商王比高低，只有乱投认输。这样，"天神"在游戏比赛中连连败北，武乙就命人当众羞辱他，甚至用竹条、木棍抽打他，以示天神的笨拙无能。在旁的贵族官吏吓得面如土色，只敢

在心中责骂这个"无道之君"。

一不做，二不休，武乙又命工匠缝了个皮革袋，里面装满牛羊血。皮袋挂在宫廷外广场一根很高的木杆上，自己就拉起弓箭，仰天而射。武乙把这个行动称为"射天"。当然，皮囊很快被射破，鲜血从皮囊中直淌下来。武乙便在下面拍手大叫："看，天也被我射得流血了。可见天神不中用！"在场的人看着他狂妄的行动，敢怒而不敢言，只能当面赞赏，暗地里骂他是"疯子"、"傻子"。

兴奋狂奔而被雷击死

武乙自从当众羞辱作为"天神"的木偶后，更加肆无忌惮。就在周侯季历来朝、武乙赏赐给他宝玉骏马的第二年，季历击败了西落鬼戎，俘虏大小头目二十个。捷报传来，武乙兴奋不已，率领一队人马向西打猎，以示庆祝。他越跑越远，一直跑到了今陕西境内的黄河和渭水之间。有一天，武乙正在一座山上打猎，忽然下起了雷阵雨。武乙的衣服都淋湿了，还没来得及躲避，就被一个暴雷击中，当场死亡。

武乙专横跋扈，炫耀武力，竟做出侮辱"天神"和"射天"的行动。一些有迷信思想的人都说，武乙被雷击死，是他侮慢天神的报应。这当然是没有科学根据的说法。

> 历史文化百科 <

〔殷人的书刻工具和习惯〕

殷人契刻甲骨文字的工具，是青铜制的刻字刀，间或有用玉的。甲骨文书刻的惯例是：(1)先竖后横。(2)上下结构的字，一般都由上而下契刻完成的。(3)左右结构的字，先左后右，中轴对称的字，则在先直后横、先上而下、先左右的原则下，先契刻中间部分，再从左而右刻完全字。大部分和后世的书写笔顺惯例相同，先竖后横是为了方便刀笔使用。

文丁害怕周族壮大，迫害季历致死

武乙被雷击死后，他的儿子文丁继承了王位。不少古书把文丁误作"太丁"，这是因为"文"与"太"字形相近，容易认错。文丁名托，他即位后，周季历依旧对商称臣纳贡，征伐得胜后也仍向商王报捷，并献上部分俘获的财物。文丁就任命季历为"牧师"，即地方长官，掌管西部地区的征伐之事。过了几年，周季历征伐翳徒之戎。这次征伐，俘获翳徒戎的三个头目，取得大量战利品。季历不忘向商王报捷，并献上掠得的贵重财物。

季历来朝贡献捷，文丁表面上装作高兴，予以嘉奖，并赐给他用美玉雕制的盛酒的"圭瓒"和用上等粮食精心酿造的香酒"秬鬯"。这种玉壶和香酒只在隆重的祭祀典礼时才使用，对季

帝乙嫁妹

因为害怕周国发展壮大，商王文丁设计迫害周君季历致死。文丁之子帝乙为缓解矛盾，乃嫁妹给季历之子。

历说来是极高的奖赏了。同时，文丁又几次任命季历为"伯"，即西部地区的诸侯之长。但是，文丁的内心却另有盘算，周季历征伐了西部地区许多戎人部落，并其土地，掠其人口，夺其财物，势力越来越强，大有向东蚕食、逼近商王畿的趋势。如果任其发展，总有一天会打到商王朝的头上，其局面将不堪收拾，不如趁早采取行动。就在季历将要回周的时候，文丁突然下令将季历囚禁起来，关押在称为"塞库"的监狱中。季历想不到文丁会下此毒手，悲愤交加，气死在塞库。史家称这次事件为"文丁杀季历"。

帝乙以嫁妹缓解矛盾

季历死后，儿子昌继承为周侯。昌一上任就决心为父报仇，他就是后来的周文王。过了两年，文丁也病死了，由儿子帝乙继承王位。文丁在位十三年，他恶化了商周关系，使双方矛盾变得异常尖锐。

帝乙名羡，他继位后最头痛的问题是，周侯昌正在处心积虑地准备伐商，为父报仇。同时，处在东南地区的各方国，如黄河中下游以南的人方，今河南睢县一带的盂方，今安徽凤阳一带的林方，都趁商周交恶之机

神秘的金面青铜人像
三星堆出土的金面铜人头像，由铜头像和金面罩两部分组成。青铜人头像与金面罩紧密吻合，造型、大小均与人头像相同。显得神态怪异，令人顿生神秘之感。

〉历史文化百科〈

〔商代星象石岩画〕
江苏灌云县大伊山卧龙岗近年发现"星象石"、"观星石"、"日月石"等岩画古迹有6处，圆形凹窝近200个，最大的直径22厘米，最小的直径3厘米。经鉴定，为商代祭祀天地的星象画，距今已有3000多年的历史。

这次重大的考古发现，对研究我国沿海地区的天文、气象、民俗、农业生产等的变化，具有很高的价值。

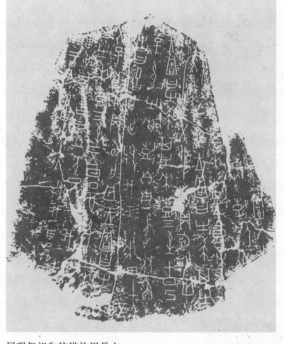

展现祭祀和狩猎的甲骨文
商王武丁时期的牛胛骨记事刻辞,骨片巨大完整,正反两面刻辞,共有160余字,反映了当时祭祀与狩猎的情况。

纷纷叛商。帝乙感到他已处在两面受敌的困境之中。帝乙觉得首先应该稳住西方,因为气死季历是他父亲所为,自己与周侯昌没有什么仇隙,是可以通过一定手段进行和解的。稳住了西方,再来全力对付东方,局势就会迅速好转。

帝乙有个妹妹,生得美丽端庄。帝乙心想,通婚是搞好双方关系的一个极有效的方法,若把妹妹嫁与周侯昌为妻,一定会博得昌的喜爱,双方的怨仇也可烟消云散。于是帝乙遣使入周,首先对父辈所做的事表示歉意,然后说明愿嫁胞妹之意。周侯昌虽然做了一定的伐商准备,但对讨伐掌握全国政权的商王,毕竟没有把握。现在,既然帝乙表示道歉,自己又可与大国联姻,就欣然同意了。

正式迎娶的那天,渭河两岸到处披上盛装。人数众多的乐队吹奏着欢快的迎亲乐曲,优美的旋律在渭河上空回荡。用船搭成的水中浮桥,像在渭河上架起了一道彩虹。帝乙之妹打扮得如花似玉,好像是天上的仙女;周侯昌穿着新郎的整洁礼服,亲自来到渭河边上迎娶新娘。整个婚事办得隆重热烈,体面大方。有人还作诗歌颂这桩婚事是"天作之合",意思是上天作成的完美的结合。

全力征伐东南方的叛乱

帝乙以胞妹的婚姻,勾销了其父造成的商周的怨仇,巩固了双方的友好关系,这样,便可腾出手来,全力解决东方的叛乱问题了。根据甲骨卜辞和铜器铭文的资料,帝乙征伐东南面叛乱的人方,前后进行过两次。一次是在帝乙十年九月,这次征伐,大约用了一年多时间。商朝的正规军,加上东南地区一些诸侯军的协助,把人方打得大败,向南分散逃窜。过了五年,人方在东南地区叛乱,帝乙再次出征,俘获了人方的一些大头目,焚烧了几处村落聚邑。在此期间,帝乙还征伐过盂方。由于盂方离商王畿较近,势力也较小,帝乙在征伐人方的间隙,略加武力就把它解决了。这样,商朝的东南方暂趋平稳。

> 历史文化百科 <

〔商代人祭人殉的牺牲者〕
人祭是杀人来祭祀天神和祖先。商代人祭牺牲者历来认为是战争中的异国俘虏,但近年研究表明有很多是本族沦落的奴隶。人祭的目的是求得上帝的保佑,使祖先神灵享受奴隶的服侍。

人殉是奴隶主贵族死后杀其他人来陪葬。人殉牺牲者固然有服役的奴仆,但也有墓主的近亲、侍妾和卫士,他们的身份不一定是奴隶。人殉是想死后也得到生前一样的享受,并非劳力过剩。

立小儿为太子：糊涂之举

如果说，帝乙嫁妹给周侯是他的一步高棋，那么他传位给小儿子，就是他的一步失着。原来，帝乙有两个妃子：正妃生有三个儿子，长子名启，次子名仲衍，小儿子名辛，又名受德；庶妃生有一子名箕子，年岁比启小一点，而长于仲衍和受德。帝乙十分喜欢长子启，因为他知书识理，为人仁爱厚道，尊敬长辈，办事稳重，是一个能治理天下、守住家业的人。帝乙很想把王位传给他。其次喜欢的是箕子，他和启一样，也很懂道理，善于思考问题，遇事沉着冷静，也是一位贤人。对于小儿子受德，帝乙觉得，他虽然智慧聪颖，思路敏捷，而且身材高大，勇

小儿子登王位

按照迂腐的礼法，帝乙让小儿子受德做太子。这一错误，竟断送了商朝的天下。

力过人，能只身与猛兽格斗，但为人不老实，喜欢说谎，生性骄傲，目中无人，不尊敬长辈，不友爱兄弟，脾气又暴躁，听不进半点不同意见。因为自己年事已高，管不了那么多，也就听之任之。

确立太子的那天，朝廷中召开了高层贵族官僚的会议。帝乙宣布，决定立启为太子。然而，负责礼法的太史据理力争说："不可！因为启和仲衍出生时，他们的母亲还没有立为妻，只是一个妾；只有到受德出生时，其母已正式成为帝乙之妻。太子，只有妻之子才能当，决不可立妾之子为太子。因此，君王要立太子，只能立受德。如果立启，是违反祖宗成法，要受到众人和后代的耻笑。"帝乙听了太史的话，想想确实如此。启虽然是长子，但出生时他母亲还是妾，立启为太子是有些名分不正；受德生时他母亲已经为妻，受德虽是小儿子，但立为太子在名分上是没有问题的。启出生时其母是妾，只能说明启的命薄，不能当太子是命中注定。受德出生时其母为妻，说明受德的命好，当太子也是天命的安排。想到这里，帝乙没有和太史争辩。就这样，受德确立了太子的地位。

启作为长子而不能成为太子，

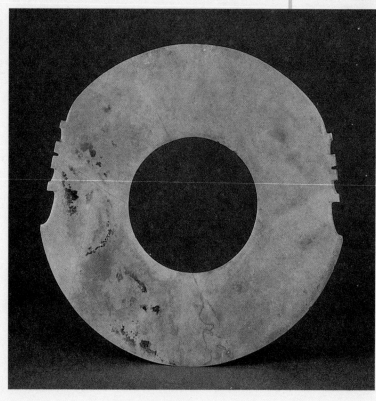

戚者，王者之器
商代玉戚，1986年于四川广汉三星堆遗址一号祭祀坑出土。佩身扁平带弧，上端呈三角形，中上端有一个圆孔，下端是"烟荷包"形，圆弧刃，两侧刻出对称的五齿。戚是古代王者掌握的兵器，将玉戚作成佩饰，不是祭祀礼器，就是王者的饰物。

前1280年 公元前1280年

世界大事记

为争夺对叙利亚的统治权，埃及与赫梯进行长期的战争。

《吕氏春秋·当务》
《史记·殷本纪》

帝乙　启　帝辛

法制　专制　残忍

人物　关键词　故事来源

有屋顶形盖子的商兽面纹方彝

彝是青铜礼器的共名，这类盛酒器的形状都呈方形，故名方彝。这件商代彝器口略大于腹及圈足，上有屋顶形盖。器体每面近底部均开一长方形口，四隅及中间有狭长棱脊，腹面及盖面均饰大兽面纹饰。

> 历史文化百科 <

〔建国后出土的商代卜辞——小屯南地甲骨〕

1973年在河南安阳殷墟的小屯村南地，出土甲骨4511片，是建国后出土甲骨最多的一次。出土甲骨的灰坑共58个，少者一片，多者数百上千片，可能作为废物遗弃或有意贮存。

这次所出甲骨时代分布很长，卜辞内容相当丰富，包括祭祀、田猎、征伐、王事等，特别是出现了新的贞人、称谓、方国、军旅编制，为研究殷商史提供了新的宝贵资料。

帝乙觉得，委屈了他。为弥补启精神上的创伤，帝乙给了启一块封地名"微"，其地在今山西潞城市东。他封地的爵级为"子"。于是，启就被称为"微子"或"微子启"。他的封地现今仍名"微子镇"。

帝辛专制暴虐，胡作非为

帝乙去世后，由立为太子的受德继承王位，号为"帝辛"。帝辛上台后专制暴虐，胡作非为。有一次，他看见一个人涉着冰冷的水过河，觉得此人有特殊的御寒本领，就把那人叫来，割开他的小腿视其骨髓，看有没有与常人异样的地方。又有一次，他看见一个孕妇肚子特别大，他想要观察胎儿是如何在孕妇腹中生长的，就叫人把孕妇的肚子剖开。如此作孽的事，帝辛还做了许多。消息传开，天下人无不义愤填膺，给帝辛起了一个绰号，叫"纣"。因为从字义上讲，"纣"的意思是残杀无辜、损害正义。于是帝辛便被天下称为"商纣王"或"殷纣王"。

一念之差，丢了天下

帝乙原来要立仁爱厚道、办事稳重的长子启为太子，但太史却以启母原来是妾为理由力争。天下人对这位太史的迂腐也表示愤慨，他们斥责道："如此用法，不如无法。"帝乙在选择太子时，没有坚持自己的主张而迁就了太史的意见，一念之差竟丢掉了商朝的天下。这个教训是极其深刻的。

前1147年
前1113年

公元前 1147－前 1113 年

中国大事记

武乙为破除迷信，用皮囊盛血，高挂起来，仰天而射，称为"射天"。

一二三

两个惊人相似的末代帝王

宠妃妲己

受德就是商末代王纣，他一上台就搜罗美女，特别宠爱妲己。为博得妲己一笑，纣想出对犯人施炮烙之刑。

大凡一个专制残忍、无恶不作的暴君，往往又是好色之徒。帝辛登上王位后，就大肆搜罗美女，充实后宫，供他玩乐，就是这样还不满足。夏桀那个亡国之君是因为迷恋上宠妃妹喜而终日不问国事而被商汤攻灭的，商纣这个商朝的末代君王也是因为迷恋上宠妃妲己而走上亡国之路。夏商这两个中国最早的奴隶制王朝的灭亡，有着十分惊人的相似之处。

迷恋妲己，有求必应

为了满足自己的私欲，掠夺得更多的财物和美女，商纣很早就想对外征伐，只是还没有选定目标。在商王畿附近有一个小小的属国有苏，其地在今河南温县西南。有苏因为土地狭小，人口不多，资源有限，没有丰

玉器在祭祀中的重要作用
玉器自古以来被认为是凝聚了山与水的精华，在宗教祭祀和日常活动中都充当着十分重要的角色。这件制作精良的三星堆舌形玉器是商代晚期礼器的典型代表。

>历史文化百科<

〔商代贵族的婚娶仪式：议婚、订婚、请期、亲迎〕
议婚为纳采、问名之礼。订婚为纳吉、纳征之礼。商代议婚已含有订婚的意义。取女之卜，卜以求吉，还要告知宗庙。请期是择婚姻吉日之礼。商代择吉日不必非由当事男方家族选定，通常以势力强盛一方择之，有时可由女方家族选定。如商王室嫁女，总是先行占卜灾祥和婚期。亲迎为迎亲、结婚之礼。商王室娶女，遣使者出迎，而商王室嫁女，则"婿亲迎"；因为政治上尊卑有别。婚后还有长辈见新妇之礼。

富的剩余产品，故无法交纳商朝规定的年年增加的贡赋。纣认为有苏是故意对抗，便率军前往征讨。有苏哪里抵挡得住商纣的进攻。万分危急时，有苏国王想到商纣最喜欢的是美女，便从国中挑选了一位最有姿色的佳丽，名叫妲己，进献给商纣。商纣见了十分中意，便立刻命令退兵。

商纣自从有了妲己，像掉了魂似地整天伴随在她身边，形影不离，有求必应。妲己首先感到商都城内宫殿太小，不够气派，于是商纣就在郊外修起了豪华壮丽的离宫别馆。除了朝歌郊外的一处外，又在北面的邯郸(今河北邯郸市)和沙丘(今河北平乡县东北)建了两处，供妲己游玩娱乐。这些宫馆，都修建得富丽堂皇，甚至用美玉来装饰，因而有"琼室"、"玉门"等雅名。尤其是

息国遗物：商代鸮卣
这件器物出土于河南信阳罗山县蟒张乡后李附近的商代墓地，这一墓地共发掘有近二十座墓。墓中出土的许多器物上有族徽文字，这些文字被释为"息"字，证明这是一处商代南方的方国——息国贵族的墓地。息国在甲骨文中有记载，其地域在现在河南的东南部，曾与商王室通婚，起着沟通商朝与南方文化的桥梁作用。

商

公元前1250年 ｜ 前1250年

世界大事 希伯来人离开埃及，在西奈高地的旷野中定居下来。

《古列女传·殷纣妲己》《国语·晋语一》

昏庸 荒淫 残忍

商纣 妲己 炮烙之刑

人物 典故 关键词 故事来源

沙丘的苑台，修得宏大开阔，商纣把从各地搜集来的珍禽异兽置于其上，耗费了大量的民力、财力。

在妲己的要求下，商纣还请来名叫涓的乐师，让他住在宫馆里，创作软绵绵的乐曲，演奏淫荡的靡靡之音，教跳妖艳的"北里之舞"。商纣和妲己就终日沉浸在这样的歌舞之中。

惨不忍睹的炮烙之刑

特别令人不能容忍的是，商纣对妲己千依百顺，竟以妲己的好恶作为赏罚的根据。妲己喜欢和赞赏

商纣王因酒色而亡国

商纣王荒淫无度，沉湎于酒色。其兄微子启，不忍看到弟的末日，以作《微子》来劝诫。不过这一番苦心却未能起作用，江山还是断送在商纣王的手里。

铸有商代氏族徽记的商爻斗

爻斗的用处是从盛酒器中舀酒，然后注入饮酒器中。此处杯为敛口，近底处连铸一条柄，长度相当于杯的5倍多，杯饰直条纹，柄饰横条纹，柄背面有铭文"爻"字，是商代氏族徽记。

的，就给他升官，予以奖励；妲己憎恶和贬斥的，就驱逐他，诛杀他。当时由于商纣和妲己的作为，引起了百姓的怨恨和诸侯的反叛，商纣就把那些敢于口出怨言的人抓来，施以刑罚。商纣想出了一种"炮烙之刑"，即把一根铜柱横起来放，上面涂些滑溜溜的膏，下面放一个炭火熊熊燃烧的大炉子。商纣令抓来的犯人在铜柱上行走。因为铜柱烧得太烫，又十分滑，犯人一走上去，就很快掉入炭炉中烧死，发出凄惨的叫声。妲己看了这惨状，丧心病狂地大笑不止。商纣看到妲己笑，心中也是乐滋滋的，丝毫不觉得伤天害理，灭绝人性。

展现几何美学与铸造工艺的青铜透雕

商代的青铜铸造已经达到了很高的境界，这款三星堆出土的透雕牌饰可以作为明证。整个设计布局以"S"镂空为主体，左右对称，体现了流畅而均衡的几何美学。

> 历史文化百科 ‹

〔商纣王不是暴君〕

史书均谓商纣王为暴君，近年有学者提出异议。纣王沉湎于酒，恰恰反映了当时农业的大发展；荒怠祭祀，正说明他思想解放；斥逐贵戚，是其坚持革新的标志。

纣为暴君说始于战国时代，后世附会杜撰，愈演愈烈，然而在真正的殷周史料中，均未见纣王失道、滥杀无辜等罪状。纣为暴君说的根源在于后王极言前王之恶，使师出有名，民心归往。

商纣　妲己　箕子　《韩非子·说林上》
酒池肉林　荒淫昏庸　《史记·殷本纪》

人物　典故　关键词　故事来源

征收田地养宠物

自从有了妲己之后，商纣整天和妲己在一起，不问朝政。他们不是在宫廷里观赏歌舞，就是到野外去打猎游乐。为了满足打猎游玩的需要，纣把商都附近的田地统统征收为商王的苑囿，把农田荒废，让禽兽在野草丛生的农田中自然生长，成为天然的动物园，以供自己和妲己狩猎取乐。农田被征收后，农民无田可耕，无家可归，社会问题越来越严重。

建造仓库搜钱粮

商纣终日游宴享乐，对粮食和钱财的需要量自然日益增长。为了满足贪得无厌的欲望，商纣指使一帮谀臣拼命搜刮人民的钱财和粮食。田租和市场的税收不断加码，有时甚至对人民的钱粮实行公开的抢夺。官吏们巧取豪夺，搜刮来大量的钱财和粮食。于是，商纣命人在朝歌城中，造了两个巨大的仓库：一个叫"鹿台"，周围有三里长，高一千尺，专门存放钱财；一个叫"巨桥"，面积和高度与鹿台相似，专门储藏粮食。鹿台和巨桥两个大仓库被大肆搜刮来的钱财和粮食装得满满的，而广大的人民却在贫困和死亡线上挣扎。

酒池肉林中丑态百出

有了两大仓库的钱财和粮食，商纣和妲己更可以过穷奢极欲的生活了。他们想出各种方法挥霍和浪费，为所欲为。他们在沙丘离宫的院子中造了一个池子，里面装满了酒，又把许多熟肉挂起来，像是一个林子。这就是有名的"酒池肉林"。商纣和妲己召集了许多青年男女，让他们裸露着身体在酒池肉林中追逐游戏。渴了喝酒，饿了吃肉。夜以继日，通宵达旦。商纣和妲己终日观赏着这些青年男女的各种丑态，有时甚至自己也

酒池肉林

商纣和妲己为寻欢作乐，召集许多青年男女，让他们裸露着身体在酒池肉林中追逐游戏。

加入到玩乐的人群中去。

忘记日子装糊涂

由于日日夜夜在酒池肉林中玩乐，商纣竟不知道当天是什么日子了。他问左右的随从人员，左右的人也都记不清了。于是，商纣派人去问他的庶兄箕子，因为他知道箕子的头脑最清醒。箕子听说纣派人来问现在是什么日子，就对他的徒弟说："纣作为天下的君主而忘记了所过的日子，天下将面临危险了。一国都不知道日子而独有我知道，我也将要有危险了。"箕子恐怕纣因为他头脑清醒而加害于他，所以也假装喝醉酒的样子，对纣的使者支支吾吾地说："我也不知道今天是什么日子！"

刻干支表牛骨：干支记日法
安阳殷墟出土的牛骨记录了商代的干支记日法，干支法起源于夏代，商周沿袭，商代的干支是用于记日的，一直沿用到近代。干支法是中国古代独创的，也是世界上使用最久的一种记日法。

> 历史文化百科 <

〔盘庚：商代后期迁都至殷的贤明君王〕
商代后期贤明君王。由于自仲丁至阳甲九代君王不断发生争夺王位的内乱，商代国势日渐衰落。盘庚即位后，为摆脱政治困境和避免自然灾害，乃从今山东曲阜的奄迁都至殷，即今河南安阳。《尚书》有《盘庚》三篇记录其事。

自盘庚迁都至殷后，政治稳定，社会生产发展，商代国威日盛，一直至纣灭亡273年再不迁都。盘庚奠定了商代后期发展的基础。

——五

鬼侯遭殃

为了富贵升迁，鬼侯把女儿进献给纣。但鬼侯之女厌恶纣的玩弄，商纣便把鬼侯及其女儿一起杀了。

为求荣华富贵把女儿扔进火坑

商纣王专制暴虐，胡作非为，为了巩固政权，就拉拢一批势力做爪牙。当时商纣任命西伯昌、鬼侯、鄂侯为"三公"，这是商纣宫廷中最高的官职。"西伯"就是周侯。商纣继续任命周侯昌为西伯，当西方诸侯之长。鬼侯有的书上记载为"九侯"，其诸侯国的位置在今河北磁县西南，就在商王畿的北边。鄂侯有的书上作"邘侯"，其诸侯国在今河南沁阳市，位于商王畿的南边。

鬼侯当了商王朝的三公，喜出望外，受宠若惊。鬼侯有个女儿，生得如花似玉，十分美丽。他知道商纣喜欢女色，为了讨好商纣，竟把自己的女儿进献给纣。一个父亲，为了自己的荣华富贵，把亲生女儿往火坑里推，这样的人，不但失去了做父亲的起码道德，其结果往往也不会有好的下场。

不愿苟合招来杀身之祸

果然，商纣看见鬼侯的女儿眉开眼笑，立刻就想动手动脚。鬼侯的女儿早就听说商纣玩弄女性的种种行径，对商纣有一种憎恶的情绪。后来又听说商纣与妲己整天泡在一起，在酒池肉林中做乌七八糟的勾当，心中更增添了厌恶的感情。现在见到

繁纹重饰：商代"祖辛"铜卣
商代后期的青铜器往往饰以两层或三层纹饰，追求极度的繁缛，显示商代统治者的富足与权威。这件器物以云雷纹为地，饰夔纹或鸟纹。上腹部有竖瓦纹，提梁两端饰兽头。盖内及器底均铸"祖辛"二字铭文。庄重的造型配以华丽的纹饰，使整个器物充满浓重奇诡之感。

公元前1300年－前1200年

前1300年
前1200年

世界大事记　埃及爆发伊尔苏领导的农民起义。

鬼侯商女纣　残忍　《史记·殷本纪》《帝王世纪》

鄂鬼侯侯　专制

人物　关键词　故事来源

商纣又要来糟蹋自己，便躲闪回避，公然表示不愿干那种事。这一来，惹怒了商纣。当时，妲己正好来到商纣身边，见鬼侯女儿容貌美丽，商纣喜新厌旧，不禁醋性大发。她一边哭泣，一边编造谎言，说鬼侯的女儿早已与一男青年私订终身，有了关系。商纣一听此言，更加怒火中烧，立刻命人把鬼侯的女儿拉出去斩了。商纣又想到，鬼侯竟把这样的女儿进献给自己，岂不存心使自己难堪！于是，命人把鬼侯也一起杀了，并处以醢（音海）刑，即把他的尸体剁成肉酱。

替好友辩解被晒成肉干示众

与鬼侯一起做三公的鄂侯，平时与鬼侯感情甚好，他听说鬼侯因为进献女儿惹出祸来，就立刻来到商纣面前进行争辩。鄂侯对好友及其女儿的被杀表示万分悲痛，哭述鬼侯对商王本是一片忠心，他的女儿也是一个忠贞纯洁的少女，从来没有半点不轨的行为；鬼侯效忠商王得到如此下场，这在大臣中将会产生什么影响！鄂侯的感情激昂慷慨，哭诉声、争辩声越来越大。商纣感到鄂侯态度蛮横，对自己不尊重，于是，命人对鄂侯处以脯刑，即把鄂侯杀了后晒成肉干示众。

> 历史文化百科 <

〔商代的商业发展与货币经济〕

对于商代的商业发展与货币经济如何估计，近年有学者指出：商代不仅有官营商业，又有民间私营商业，商人的政治地位相当高。商王十分关心商贾的活动，都市已有固定的市场。

商代的贝已用于赏赐、交换，它既可作为财富贮藏，又可作等价物流通。商代墓中随葬贝，可见货币经济已浸透到幽冥世界。除广泛使用贝币外，商代已开始使用金属货币。

商纣一怒之下杀了三人，斩了鬼侯的女儿，把鬼侯剁成肉酱，把鄂侯晒成肉干，其手段之残忍令人发指！商纣如此残无人道，天下的诸侯和人民都对他咬牙切齿，恨之入骨。他的名声和处境越来越坏。

商代大家族的礼器

河南安阳出土了商代晚期的一系列青铜酒具，现均藏于上海博物馆。各器形状各异，纹饰独特："亞次"觚造型修长优美，器身饰满各种龙纹和兽面纹。史觯（左二）颈部饰鸟纹，圈足饰龙纹。兽面纹尊颈、腹均饰兽面纹，丁字形三足。羊首兽面纹尊（右一），肩部饰三个立体羊首，腹部饰三组兽面纹。兽面纹尊（左一）肩上饰三个立体牛首，肩部、腹部及圈足各饰雷纹组成的兽面纹，线条平整繁密，突出双目纹饰的神秘性。"夭"祖乙尊（右二）腹部有两组外卷角的兽面纹，此尊也称觚形尊，但器体较觚粗壮。这些青铜器多是商代某些大家族的礼器。

前1112年
前1102年

公元前 1112－前 1102 年

——六

〈左传〉
昭公十
四年
和昭公
十一年

贪婪
怨愤

商纣
东夷
首领国族

人物　关键词　故事来源

中国大事记

文丁十一年，周侯季历来朝，献上他攻伐西戎所得的战利品。

纣伐东夷

东夷各国不满纣的搜刮而反叛，纣派大军和象队进行镇压。

胁迫诸侯增加贡物的新招

穷奢极欲的商纣，为了搜刮更多的财物以满足他奢侈生活的需要，策划召开一次诸侯大会。在这个大会上，他要宣布各诸侯国增加贡赋的命令。他把召开诸侯大会的地点选择在黎，就是现在的山西黎城，其地在商都的西北面。

举行诸侯大会的那天，纣派出他的精锐部队首先来到会场，在场上和四周布置岗哨，把会场弄得戒备森严，一派临战气氛。在各地诸侯陆续来到之后，纣就命令举行"大蒐"礼。所谓"大蒐"，就是军事演习，有以捕捉野兽的形式进行练兵活动的，也有操练军队以进行备战的。纣在诸侯大会时进行大蒐，其目的是要向各诸侯国君示威，胁迫他们增加进贡的财物。大蒐活动过后，纣便向各诸侯方国宣布这次大会的目的和具体实施方案。大部分诸侯国君在纣武力威胁下，不得不点头表示照办。但是有一部分东夷国

行施巫术的黄金杖

三星堆出土的黄金王杖，用纯金皮包卷而成，杖的上端有平雕纹饰图案，刻有鱼、鸟，从图案来看，金杖大约是具有巫术原理的魔杖。

族的首领对纣贪得无厌的做法深感不满，他们没有等到宣布散会就提前溜了回去，而且公开举起叛旗，不但不增加贡赋，甚至连先前规定的贡赋也抗拒不交了。

调动大军和组织象队讨伐叛乱

纣十分恼火。他决定讨伐东夷，以镇压违抗王命者。他调动全国的众多军队，并征集附近各诸侯国的武装，亲自率领，浩浩荡荡地向东南进发。这次征伐，以人方为重点，同时连及周围的许多方国。

与往常不同的是，纣在征伐东夷的过程中，别出心裁地组成了一支威力极强的象队。这些大象，原来生长在中原地区，被捉住后经过驯养，用来作为驮运的工具。这次征伐东夷，纣把一大批象调运到前线，不但用以驮运战略物资，而且用以毁坏敌人的房屋和防御设施，还可以践踏和摔死敌人。这些象力大无比，成了进攻的有力武器。象队所到之处，敌人望风披靡。在纣的大军和象队的猛烈进攻下，东夷各部族纷纷投降，愿意加倍纳贡。纣俘虏了许多夷人，掠夺了大量财物，得意地班师回朝。

为镇压东夷而削弱了西北地区的边防

东夷是一个叛乱的多发地区。在进行大规模征伐之后的一段时间里，东夷的大部分国族表示顺服，向商王朝称臣，定期进贡财物。但不久以后，形势略有变化，他们又会抗命反叛。为了长期安定东夷的局势，纣将大批军队留在东夷地区戍守。这样做，固然对东夷地区政治的稳定和经济的发展带来有利的效果，但由于商朝的军队大量集结于东南，因而削弱了西北地区的边防，使周人得以不断蚕食商王畿西部的属国，最终攻克商都，推翻商王朝的统治。

公元前1300年－前1200年

前1300年 前1200年

世界大事记：地中海东岸的腓尼基人创造世界上最早的字母文字。

——七

商纣 祖伊 王子比干

昏庸 残忍

《尚书·西伯戡黎》《史记·殷本纪》

人物 关键词 故事来源

周国大军压境，商纣自恃有天命

正当商纣迷恋宠妃妲己，在酒池肉林中大搞淫乱活动，又滥施酷刑，杀戮无辜的大臣、百姓之际，被命为"西伯"的周侯昌正在不断壮大自己的力量，并向商王畿的西部地区进攻。当时西伯昌已自命为"王"，立志以推翻殷王朝为己任。

一次，西伯的军队攻伐到靠近商朝西部属国黎的边境，黎即今山西黎城，就是当年纣召开诸侯大会的地方，此地离商都朝歌只有二百余里。商朝大臣祖伊闻讯十分惊恐，急急匆匆赶到商都把这件事向纣王报告。他说："王啊！上天已经终止了我们殷国的大命。那深知天命的圣人，用大龟来占卜殷的命运，始终没有遇上吉兆。这不是先王不保佑我们这些后人，只是因为王沉湎于淫乱的游戏之中而自绝于先王啊！故上天抛弃我们，使我们不得安宁，发生了饥荒。这都是因为我们不遵守先王的法典所造成的啊！现在我们的人民没有哪一个不想我们早些灭亡的，他们说：'上天为什么还不降下威力来进行惩罚呢？'天命无常，殷命难保，现在君王你想怎么办啊？"

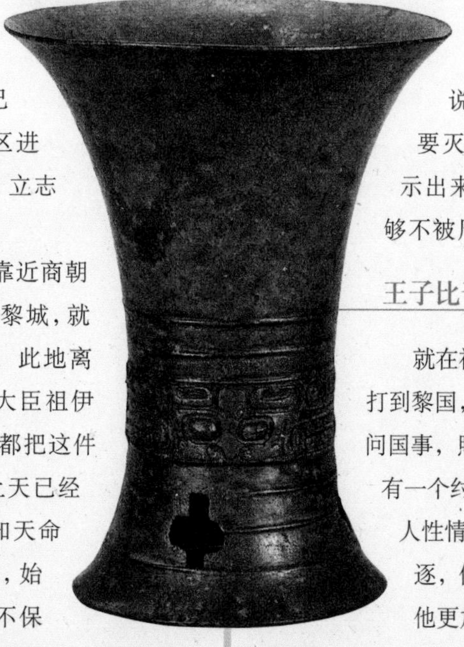

商代早期青铜器的典型代表兽面纹觚（上图）
觚兼有酒器和礼器的功能，这种上下喇叭形的筒状造型，留有原始彩陶器具的形制特征，而下半部兽面的文饰，则具有美学与宗教的双重含义，同时也反映出商代早期青铜制作工艺的圆熟。

剖王子比干心

为劝说纣改邪归正，王子比干直言进谏。纣竟令卫士剖开比干胸膛，挖出心来观察。

商纣听罢祖伊的报告和陈述，哈哈大笑起来，说："啊！我的一生不是有命在天吗？其他人能把我怎么样！"祖伊退出宫廷，回到住地，不禁感慨道："唉！他的许多罪行已经记录在天，而他却说从天上接受大命。殷朝马上就要灭亡，这从他的所作所为就能显示出来。纣已经不愿再听劝谏！他能够不被周国所杀戮吗？"

王子比干直言苦谏，竟被剖胸挖心

就在祖伊向纣报告时，西伯的大军已经打到黎国，殷朝危在旦夕。但是商纣依然不问国事，照常过他荒淫无度的生活。这时，有一个纣的亲戚，人称"王子比干"的，为人性情耿直，屡次对纣劝谏，都遭到斥逐，但他仍不灰心。看到局势的危急，他更加心急如焚，当众发誓说："主有过不谏，非忠也。畏死而不言，非勇也。有过则谏，不用则死，忠之至也。为人臣者，不得不以死争。"

王子比干来到纣寻欢作乐的地方，向纣痛陈国家的危难，君王应当机立断，杜绝荒淫的生活，施行德政，关心民众疾苦；善待诸侯，使四方都来归附；训练军队，保卫王畿和属国领土。但商纣对比干的进谏不理不睬。比干一连进谏三天，站在那里不走，翻来覆去诉说进谏的话。商纣听得不耐烦了，大怒道："我听说圣人心有七窍，你就是这样的圣人吗？"说罢，就下令卫士剖开比干的胸膛，挖出比干的心来观察。王子比干，就像夏桀时的忠臣关龙逢那样，直言极谏，最后竟被商纣剖胸挖心，用极其残忍的手段处死了。

微子逃亡

纣的长兄微子启因不忍看到纣的残暴、殷的灭亡，而逃亡隐居于民间。

死谏或逃离，哪条路更好？

纣的长兄微子启没有当上太子，继承王位，他总认为自己的命不好，因而常常忍气吞声，得过且过。但他对自己小弟的所作所为和殷朝国运的兴衰，还是十分关心。当他得知西伯昌灭了黎国，殷纣拒绝祖伊的劝谏回答说"我有命在天"时，微子知道殷朝很快就要灭亡。

摆在面前的有两条路：一条是逃离殷朝宫廷，一条是以死净谏纣，使其醒悟。两条路究竟走哪一条呢？微子拿不定主意，便和他的好友太师、少师两位乐官商议。

微子说："太师、少师啊！我们的先祖成汤过去为建立国家，成就了许多伟大的功业，而今天我们的国王却沉湎于酒色之中，败坏了我们国家的道德作风。殷国

世界大事记

西亚赫梯帝国受到越海而来的欧洲人的攻击，都城被毁，帝国崩溃。

《史记·殷本纪》
《尚书·微子》
微子启
少师
周武王
谦虚
太师
屈辱
犹豫

人物　关键词　故事来源

大小官吏，都不遵守法典，随便行事，为非作歹，鱼肉百姓。对那些犯罪的，不逮捕法办。小民忍无可忍，正在起来反抗。殷国将要沦丧了，好像正在涉渡大水，茫茫无际，找不到能上的岸。太师、少师啊！我要么回到我的封地，以死向国王劝谏，要么装扮成一个糊涂的老人，遁避于荒野之中。我究竟应该走哪条路呢？"

溜出商都藏匿，不作无谓牺牲

太师听了微子这番话，无限感慨地对微子说："王子啊，上天降下灾祸给我们殷国，使我们的国王沉湎于酒色之中，不怕上天的惩罚，违逆年长德高的大臣的忠告。如今殷国的小民，甚至去盗窃祭神的牲畜贡品，这是因为他们衣食无着，无路可走。我们的国王大肆搜刮民财，已经引起人民的强烈反对，而他仍不悔改。这些罪恶都是国王一个人干出来的，小民受尽疾苦却无处申告。国家现在有灾难，我们首先受其害。现今国家若能治好，我们即使身死也没有怨恨；但若死去也不能治好国家，那么死又有什么意思呢？还不如离开这里，逃到别处去。"微子觉得太师的话有道理，但他对商朝都城还是十分留恋，这是他从小生活的地方，下不了出逃的决心。

过了一段时间，微子听说王子比干因为直言极谏被纣剖胸挖心，死得好惨，就发表议论说："父子有骨肉之情，君臣只是以义相处。父有过错，做儿子的三谏不听，只能跟随其父在一旁哭泣；做臣下的三谏君不

华丽神奇的龙凤虎纹绣罗（左页图）
龙凤虎纹绣罗禅衣出土于湖北江陵市马山一号墓。这件龙凤虎纹绣罗禅衣袖有两个对称的花纹单位组成菱形图案，沿四边用褐色和金黄色丝线各绣一龙一凤，中央绣对向双龙和背向双虎，整个图案表现出龙飞凤舞的环境和猛虎穿行其间的景象，给人以华丽神奇的感觉。

殷商时的酒器饕餮文尊
尊为古代的酒器，兽面纹在商代多称做饕餮纹。饕餮是商代祭祀的形象，也是氏族的远祖，系殷代受帝命进行降雨并带来丰收的神，地位仅次于帝，或为帝的后裔。为此，在商代将其放在青铜器的主要位置上，如方彝、尊、瓤都放在器体正面的主要位置上。饕餮纹到西周中期后逐步消失，变得不重要了。

听，则义不能合，就可以离君而去了。"太师、少师听了微子的话，也劝微子赶快离开。于是，微子便打点行装，悄悄从商都溜出，朝着他封地的方向走去。他并没有到微城，而是在附近的民间藏匿下来。

武王伐纣胜利，微子自缚请罪

没有多久，周武王伐纣，攻入殷都朝歌。微子得到这个消息，赶忙从隐居之地回到殷都。他手里拿着祭祀祖宗的礼器，直奔周武王驻地的军门。他解开上衣，袒露右面的胸肩，表示向武王请罪；又把全身和面部用绳子捆绑起来，表示自己是敌国的上层贵族，听候武王的处置；同时他左手牵着一只羊，右手拿着一把草，表示永远如羊一样的驯服。

周武王早就听说纣的长兄微子启为人忠厚仁爱，因不忍看到纣的残暴、殷的灭亡而逃亡民间。现在，武王见到微子捆绑着自己前来请罪，就立刻命人解开其绳索，把他请到前面来，待如上宾。

作为礼器的而非实用工具的玉斤
在三星堆出土的玉制工具如斧、铲、斤等，它们与著名的蜀国玉璋一样，早已失却了其作为实用工具的使用价值，而是作为礼器被保存下来。在商代晚期，它们是主人身份与地位的象征。

箕子装疯卖傻

纣的另一庶兄箕子为逃避纣的迫害而变得蓬头垢面，假装疯子，但还是被纣囚禁起来。

见微知著，忧国忧民

箕子是纣的庶兄，为帝乙的庶妃所生，比纣年长几岁。因为他有一块封地在箕，今山西太谷东北，封为子爵，故人称"箕子"。他的名字叫什么，现在已经不清楚了。箕子对纣当殷王能否治理好国家十分关心。他头脑灵敏，能见小知大。有一次，纣吃饭要用象牙筷子，箕子就开始感到不安。他感叹道："用象牙筷子吃饭，那么盛饭菜和饮酒的器具一定不会用粗陋的土器，而必将用犀牛角或美玉做的杯子；用象牙筷、美玉杯一定不会吃普通的饭菜，而必将吃旄象肉、豹子胎这些珍奇美味之物；吃旄象肉、豹子胎的，一定不会穿粗布短衣住在茅屋之下，而必将锦衣九重而建筑广室高台，出门时驾起豪华的马车。奢侈浪费、滥用民力之风从此开始，发展下去将会怎样呢？令人忧虑啊！"果然不多时，纣开始大建宫室，造起酒池肉林，挥霍财物，纵情享乐，不顾百姓的穷困和国家的危亡。对于纣的所作所为，箕子也作过劝谏，但纣根本不放在心上，我行我素。

不忍逃离而装疯子

等到王子比干因直言极谏被纣挖心处死，纣的长兄微子启听说如此惨祸逃亡失踪，有人劝箕子也远走高飞，以避灾难。箕子冷静地分析说："知道君不会听你的话还要去劝谏，这是愚蠢的行动；但如果当臣下的因谏君不听而逃亡出去，这是彰明君主的罪恶而自己取悦于小民，我也不忍去做那样的事啊！"箕子知道谏纣无用，又不肯逃亡而使君的罪恶在民间流传，于是就披头散发，假装疯子，混在奴隶中间。这样，一方面可以使别人认为箕子精神错乱，能够原谅他不去劝谏；一方面可以使纣认为箕子是精神病患者，而不加害于他。

箕子虽然蓬头垢面，装疯卖傻，内心却十分痛苦。他经常隐藏起来，独自一人弹奏三弦琴，嘴里哼着他自己编的小调，神情抑郁悲伤。后来人们把他编的小调唱词搜集起来，成为一本文集。因为箕子虽然怨恨失意，犹守礼义，心胸坦然，不改其贞操，所以把这本唱词文集题名叫《箕子操》。可惜这本凄楚动人的唱词文集后来散失了，没有流传到今天。

三个亲戚的不同品格和表现

箕子装疯卖傻的行为并未能逃脱纣的惩罚，纣闻讯箕子的表现十分奇怪，还是把他囚禁起来，关在一间牢房里，限制他的行动自由。但当时人们却给了箕子很高的评价说："箕子尽其对君主的忠心，见到比干的惨死，为免遭其祸而伪装如此，真是既仁且智，到了极点！"纣的三个亲戚，王子比干、微子启、箕子，在纣作恶多端、国家危难之际，各有不同的表现和遭遇，也显示了各人的思想品格和临事决断的个性。

商人饮酒的见证：商代云纹铜提梁卣（右页图）
在中国历史上商代人饮酒是出了名的。史传商纣王曾造酒池肉林，日夜寻欢，最终导致亡国。从考古发掘所出文物来看，商代出土的酒器最多，计有卣、爵、觚、尊等十几种，从中也可证明商人饮酒之盛。

> 历史文化百科 <

〔商代王权与神权之争〕

商代王权与神权的关系如何？近年有学者揭示，在商代前期，王室和贵族崇拜神权，贞人在政治生活中举足轻重。他们利用神权左右王朝军政大事，限制王权的发展。

但到后期，贞人由王室人员担任，王权得以加强。商前期王前加祖、康等美称，后期王则冠以上帝的帝号，如帝乙、帝辛，说明王权已与神权结合。王权与神权之争最后以王权取胜。

商

《韩非子·说林上》
《韩诗外传》卷六

善思　逆境

箕子

人物　关键词　故事来源

前 1200—1040

话说中国

中国大事记　帝乙率军征伐东南面叛乱的人方、盂方，取得大胜。

商朝末年是一个大动乱的时期：一方面，商王纣大量搜刮民财，建筑豪华宫殿，过着穷奢极欲、荒淫无耻的生活；另一方面，纣的许多亲戚看不惯纣的作为，有的因极谏而被处死，有的逃出宫廷而藏匿民间，有的装疯卖傻而暗自悲伤。还有不少官吏和百姓，他们也分别采取行动，表示对纣的不满和反抗。

申徒狄抱石自沉

有一个士人因看到大难日益临近，国家即将覆亡，便抱了一块大石跳入深渊中，想以死来促使纣的醒悟。

太史令向挚带着图书历法离商奔周

当时商朝的太史令名"向挚"，有的古书写作"向艺"，平时负责天文历法的研究，画制了很多日月星辰的运行图和历法制订的图表；他还负责宣布君王的命令，

尹、伊、殷、燮、灸五字初文及其取象：卜辞中的医药记载关于疾病的原因，甲骨卜辞有记载，以往认为卜辞中看不到药物治疗的记载，而近人以为有象形的字，如有学者就认为"尹"字的甲骨文像手执针之状；"伊"字像执针刺人背部之状；"殷"字像执针刺腹之状；"燮"字似反映火针治疗，"灸"可能为炎字，像在人股周围灸灼之状。

记录上层贵族的史事，管理朝廷的礼法制度等。在殷末兵荒马乱的年代，向挚看到纣的荒淫无耻，暴虐专制，人民都反对他；而西方的周国在西伯昌，就是后来的周文王的统治下欣欣向荣，日益壮大，不断攻克商王畿西面的属国，将来必定是周国的天下。为了弃暗投明，向挚毅然带着他的图书历法、记录典册，驾着马车，在夜色朦胧中悄悄驶出商都，直奔周国。周文王得知殷太史令向挚来奔，十分高兴，亲自出来迎接，并向诸侯宣告说："商王大乱，沉酗于酒，疏远箕子等忠臣，而爱近妇人，妲己左右政治，赏罚无方，没有法律制度，乱杀无辜之人，民大不服。守法之臣，纷纷出奔，来到周国。"文王以此大造舆论，激发诸侯和商朝人民的反对情绪。

太师、少师携礼器乐器向西疾驰

在纣惨杀王子比干、微子启出逃、箕子装疯混入奴隶中间以后，原来劝微子出逃的太师、少师两乐官，看到商朝越来越乱，而周国的势力日益逼近，心中也在盘算自己该采取什么行动。他们觉得，死守在商都待周人来攻而当亡国奴太不值得，于是带着商朝宫廷

> 历史文化百科 <

〔中国奴隶社会的阶级斗争〕

斯大林曾经说："奴隶革命把奴隶主消灭了，把奴隶主剥削劳动者的形式废除了。"近年有学者认为，这一论断是不符合事实的。综观中国奴隶社会的历史，绝不见有如斯大林所说的事情。

推动奴隶社会向封建社会转变的，不是奴隶反对奴隶主的阶级斗争，也不是新兴地主阶级以暴力革命夺取政权，而是奴隶社会内部各等级之间的斗争，导致权力下移和地主阶级的发展。

商

约 公 元 前 1 2 0 0 年

世界大事记

欧亚大陆进入铁器文明时代，各地经济迅速发展。

《吕氏春秋·先识览》
《淮南子·说山训》

少师 向挚 善思
师申徒 果断
徒狄师

人物 关键词 故事来源

兵器中的佳品

带有图案的青铜戈出土于山东邹城市邹城镇。铜戈援宽直而较长，前锋钝尖。内饰兽面纹，纹饰作正方形，兽面的眉毛、眼睛、鼻子、嘴唇栩栩如生，形象具体，具有强烈的写实感。整个铜戈造型秀丽精巧，制作规整，范铸精细，工艺娴熟，是商代晚期青铜兵器中的佳品。

中祭祀祖宗的礼器和举行祭祀典礼时演奏的乐器，驾着马车迅速向西疾驰，投奔周国。当时周文王已死，周武王正在准备大举伐纣。太师、少师两乐官带着许多器物来奔，受到周武王的热情欢迎和接待。他们为周国的兴起和商朝的灭亡又添了一把催化剂。

申徒狄以死进谏抱石自沉

殷朝末年还有一个士人叫申徒狄，他看到纣不顾亡国之祸，便想用死来作为劝谏的手段，促使纣的醒悟。同时，他不忍看到大难的日益临近，自己国家的惨遭灭亡，便走到一个深渊边，抱了一块大石跳入渊中。因为这个渊很深，在旁的人无法救他。于是，申徒狄抱石自沉于渊的新闻便传播开了。申徒狄如此自杀，说明了人们对商纣政权已经彻底绝望。

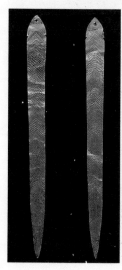

装饰奇妙的黄金鱼

黄金鱼饰件是商代晚期的作品，这种器物是挂饰，形状似鱼，中间有一小圆孔，两侧各开一缺口。这种饰件也好像细叶，金光灿灿，装饰奇妙。

〔商代道路交通制度〕

商代道路交通状况如何？有什么管理的制度？这些问题历来很少论及。近年有学者研究认为，商代由于对领土统治和周边征伐的需要，其交通自中心统治区向四方推进，形成一套制度。

一、在干道设立军事据点，控制王都周围地区；

二、在干道专设供贵族人员过往食宿的"羁舍"；三、建立消息传报制度，由专人送递。这些制度上承夏代，并在西周得到进一步发展。

富有神秘感的商戈罍卣

器盖为双罍首，器身为双翼双足联体罍形，相背成器，两侧有环，连接绳纹提梁，器身纹饰华丽精美。这件盛酒器形态特殊，造型和谐而富有神秘感。

〈韩非子·外储说左下〉
〈逸周书·克殷解〉

商纣
周武王

前徒倒戈

愚蠢
屈辱

人物　典故　关键词　故事来源

人心惶惶，怪事迭出

商纣无道，天怒人怨，当时出现了许多奇怪的现象。据说在故都亳，天上连接下了十日土；都城朝歌，有妇妖晚上出来作怪，有鬼在半夜里吟唱；在商朝各地，有女人变为男的，有天上下起血和肉块的，宽大的国道中还生出了荆棘。这些怪现象，其实，有的是把人当妖，有的是民众的讹传，但反映了当时的人心惶惶。

好事者趁机造谣惑众，说城角上有一只麻雀生了一只乌鸦。商纣听说此事，忙请人占卜。卜者为讨好纣，造出卜辞说："凡以小生大者，国家必福，王名必盛。"商纣听后自喜，以为商朝将永保江山，天下将长治久安。

前徒倒戈，一败涂地

就在商纣醉心享乐、梦想天下无事的时候，忽闻下属来报，周武王的军队已经沿着黄河向东进发，与周军

瓷器的鼻祖：商代原始瓷尊（左页图）
这是中国目前发现时代最早的瓷器。它用高岭土作胎，上施釉，烧成温度大约在1200度，它的年代在距今3500年的商代早期，由于质地还不够坚密，我们称它为原始瓷器。

＞历史文化百科＜

〔商代含贝握贝的葬俗〕

死者口中含以物的敛葬习俗，古称含，也称玲，文献中则有"饭玉"、"含玉"、"饭含"等，指放入死者口中的珠玉贝谷米之类东西，若以谷米食物，一般称为饭，若以贝玉，一般称玲，但也可混用。商代平民阶层流行的饭含葬俗，其原初的含义，是不虚死者口实，口含谷米食物。口含玉蝉、玉鱼，希望死者能像蝉那样蜕化更生，像鱼那样自由游弋，尸体不腐而灵魂出窍再生。

宣室自焚

周武王的军队向东进发，在牧野决战，商军一败涂地。纣逃回都城，在一间藏着贵重财宝的秘室中，自焚而死。

同来的还有西北和西南的一些小国军队，不久便可到达商都。商纣知道这次周军来者不善，马上集合所有的亲军、卫队迎战，又将王畿内从事各种劳役的奴隶集中起来，编为军队，发给武器，共得七十万人，同时再命人往东夷调集驻军前来支援。

商纣的军队在朝歌南郊的牧野与周军相遇，双方短兵相接，展开激战。商纣把奴隶军放在前面打先锋，把自己的亲军、卫队放在后面压阵。然而出乎纣的意料之外，前面的奴隶兵发起了倒戈，他们与周军一道向商纣的亲军、卫队杀来，一时势不可挡。这就是历史上有名的"前徒倒戈"事件。商纣眼看大势已去，急忙驾车飞也似的逃跑，一口气逃回到朝歌宫廷。

想起往事，懊悔不已

纣在逃回来的路上，想起了一件往事，使他懊悔不已，那就是他没有听从臣下费仲的劝告。有一次，费仲对纣说："西伯昌贤，百姓都拥戴他，诸侯都归附他。

青铜兵器中的佳品
商代晚期双面兽面纹青铜戈出土于山东邹城市邹城镇。戈援宽直而较长，前锋钝尖，脊呈直线至前端汇聚并直达锐锋。戈的内部饰有兽面纹，兽面的眉毛、眼睛、鼻子、嘴唇栩栩如生。整个铜戈造型精巧，制作规整，范铸精细，工艺娴熟，是商代晚期青铜兵器中的佳品。

对这样的人，不诛必为后患。"纣回答说："依你的话，西伯昌是个义主，怎么可以诛杀？"费仲又劝说道："帽子虽然破旧，必戴于头；鞋子虽有五彩花纹，必踩在地。西伯昌是臣下，他修义而为人拥戴，不是要爬到君上的位置吗？他名为'昌'，是寓意要必然昌盛啊！他最终要成为天下的忧患，不可不诛。况且君主诛杀臣下，有什么过错？"纣仍然觉得诛杀西伯昌没有道理，又说："仁义，是君上劝勉臣下的，现在西伯昌好义，怎么可以诛杀呢？"后来，西伯昌因故而被纣囚禁，费仲再次劝说把他杀掉，但是西伯昌的下属送来许多美女、财宝、骏马，纣大喜之下，又把西伯昌放掉了。现在，真是万分悔恨，当时如果听从费仲的话把西伯昌杀掉，怎会落得今天如此悲惨的下场。

与宝玉财物同归于尽

纣想到周军马上就会追来，再也无路可逃，便来到专门储藏财宝的鹿台，看到长期搜刮来的那么多宝玉、财物，他不愿这些财宝都落到周人手里，便走进一间秘室，称为"宣室"，里面藏着更贵重的宝物。纣把这些珍贵的宝玉、财物，都堆在自己四周，穿上宝玉镶嵌的衣服，然后放火焚烧起来，把自己与大量财宝付之一炬，同归于尽。骄横一世的商纣王就这样结束了自己的一生。

> 历史文化百科 <

〔迄今出土的最大青铜器——司母戊鼎〕
1939年在河南安阳武官村出土一件商代晚期的巨型青铜鼎。该鼎呈长方形，有四足，通高133厘米，长110厘米，重量达875公斤。鼎腹内有铭文"司母戊"三字，说明是商王为祭祀其母戊而作。

司母戊鼎是迄今出土的最大的青铜器。在三千多年前的商代要铸造这样的庞然大物确非易事，它充分反映了商代铸造业的高度发展水平。

周武王的军队很快攻入商都，武王见纣已烧死在鹿台的宣室内，便用大斧砍掉纣的头，把它挂在一面大白旗上，枭首示众。同时，又在宫廷中找到了妲己这个祸国殃民的女妖，还有商纣的两个宠妾。这三人得知商纣已自焚于宣室，周军即将攻入，自己也没有生望，都上吊自杀了。武王也斩下这三个女人的头，悬挂在另一面小白旗上，与挂纣头的大白旗并列示众。商朝就在纣残暴无道的统治下宣告灭亡。

商代王权的象征：商代铜方鼎
这种铜方鼎，造型简洁大方，腹部的饕餮纹与乳丁纹呈带状排列，表现出一种庄重与秩序。这件铜鼎所显现的美学风格无不透出商代王权的神秘与威严，这是国家权力至高无上的形象诠释。

商纣身边有许多佞臣、谀臣和奸臣,他们或者向纣虚报天下太平,使纣长期沉湎酒色;或者出谋划策,帮助纣抢掠美女钱财;或者挑拨离间,陷害忠良。纣的昏庸残暴,全靠这些人为虎作伥,充当爪牙。随着商朝的灭亡,这些人也得到了他们应有的下场。

飞廉和恶来

商纣身边有两个宠臣:恶来是大力士,被周军杀死;飞廉是飞毛腿,常出差办事,闻纣自杀,伤心而病死。

对助纣为虐者斩首示众

谀臣费仲,是商纣的执政大臣。他经常出点子,教纣如何搜刮财物;又在纣面前拨弄是非,告诉纣哪个诸侯和大臣是危险人物,应加防范和诛杀。对西伯昌,他就曾经唆使纣囚禁过,并多次劝说纣加以诛杀。还有一个佞臣左强,也是纣非常宠幸的人物。他经常教纣如何物色美女,纵情享乐,如何对忠臣施以酷刑,对诸侯施加压力。武王攻入商都,当即把这两个助纣为虐的奸臣斩首示众。

太阳神鸟
"扶桑"神树每个枝头上立着的鸟,不是一般意义上的鸟,而是一种代表太阳的神鸟。这可能与古代的金乌的说法有些渊源。

创作靡靡乐舞者投水身亡

有一个乐官名师延,最善于制作靡靡之乐。纣喜欢在靡靡之乐的伴奏下看美女跳舞,这些靡靡之乐大都是师延创作的。他一面创作和教人演奏靡靡之乐,一面训练舞女进行各种妖冶的舞蹈,以满足纣的淫欲。纣终日沉醉在音乐舞蹈里,不理朝政。有人称师延创作的音乐是"亡国之声",创作的舞蹈是"亡国之舞"。师延得知商朝兵败,便向东逃到濮水,在今河南范县南。他心想自己的一生都为纣寻欢作乐而创作靡靡之音、绵绵之舞,臭名昭著,周军肯定要惩罚他,活着还有什么意思?他便自投濮

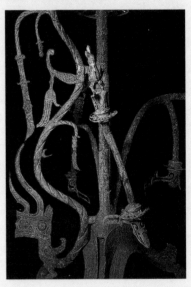

历史文化百科

〔商周时期的铜矿开采〕
江西瑞昌县近年发现商周时期的铜矿遗址,现已发掘出竖井27口,井深大都在8米以上。发现的采矿遗物有:用来照明的竹签、开掘用的青铜斧、凿、翻土用的木锨,装载用的竹筐,提升用的木辘轳,供20余人食用的大型陶鬲。

此处铜矿遗址的发掘,再现了商周时期采矿的真实情况,为研究我国的矿业史提供生动例证。

前1075年
前1046年

最早的青铜铭文：商代饕餮纹铜罍

罍是盛酒或水的器皿，这件铜罍的独特之处在于它的颈部有三个"龟"形图案，对这一图案的解释有两种观点，一种认为这应是族徽，另一种意见认为是铭文，释为现在的"黾"字，若后一种观点成立，这应是最早的青铜铭文。

水，溺水身亡。据说自师延投水身亡后，濮水上经常传出靡靡之音，闻此声者就有亡国的危险。这当然是出于后人的编造，但由此可见师延作乐编舞，在促使商纣灭亡中所起的作用。

父子帮凶的可耻下场

商纣还有两个宠幸的大臣，名叫飞廉和恶来，他们父子俩都是后来秦国国君的先祖。飞廉是个飞毛腿，行走特别快；恶来异常有力，一人可以抵挡数人的搏击。这样，飞廉就当了纣的通讯员，恶来当了纣的保镖，经常出入在纣的身边。恶来喜欢说别人的坏话，有不少诸

侯和大臣因为恶来的诋毁而受到纣的惩罚，因此积怨很多。周武王伐纣时，恶来狂妄不服，周军很快把他杀死。其时飞廉在北方为纣置办石棺，好让纣死后躺在坚固的石棺中。办好差事回来，纣已自杀，他就在霍太山，即今山西霍山上建了一个祭坛，向纣报告办事经过。据说，飞廉在霍太山上得到同样一口石头棺材，上面刻有字说："上帝命令处父不参加殷乱，赐你石棺以华耀氏族。"刻字中的"处父"是飞廉的别号。飞廉被上帝赐死的故事，当然是编出来的。实际情形是，飞廉得知儿子恶来在战争中牺牲，自己又不能再回到朝歌，十分伤心。不久就病死了，死后就葬在霍太山上。飞廉和恶来，这一对父子帮凶，同样没有好结果。

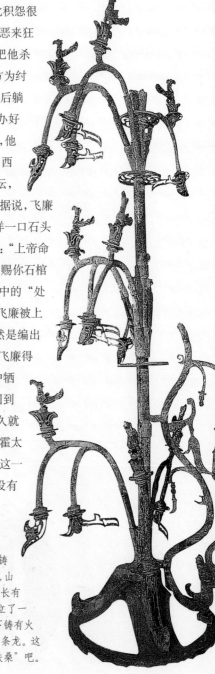

神木扶桑

青铜神树是商代晚期铸造的，上面饰有云气纹，山上也有云气纹。枝杈上长有果实，一条果枝上站立了一只鸟。在树杈和果托下铸有火轮。在树的一侧，有一条龙。这可能是东方的神木"扶桑"吧。

许多甲骨学著作

孙诒让　王懿荣　博学
罗振玉　刘鹗　善思

人物　关键词　故事来源

认定龙骨上的刻划是古代文字

研究商朝历史，有一件十分有趣而又具有重大意义的事，就是发现了甲骨文。清朝末年，河南彰德府，就是现在的河南安阳市，西北五里许有一个村庄名小屯村。那里的农民种地时经常挖到一些古代动物的骨骼。农民们以为是"龙骨"。龙骨是中药材，据说可治多种疾病，农民们便把龙骨论斤卖给药铺。后来有人发现，这些龙骨上常有用刀刻划过的痕迹。药材商不收刻划过的龙骨，农民发现骨上有刻划的，就把它刮平。有的干脆将龙骨磨成粉末，当作治破伤的"刀尖药"在庙会上出售。除了龙骨以外，自宋代以来，这一带还出土过商代的青铜器、玉器和骨角器物，因此北京、天津等城市的古董商经常来这里收购。

小屯村农民在出售青铜器等古董的同时，把上面有刻划的龙骨也卖给了古董商。古董商不知是何物，便以低价收下，带回北京、天津请教识货的人。光绪二十四年，即公元1898年，古董商又将收购到的有刻划的龙骨带到天津，给孟定生和王襄这两个穷知识分子看。他们认定龙骨上的刻划是古代人写的文字，可是他们

发现甲骨文

清朝末年，河南北部一小村庄农民挖到一些兽骨，上面有刀刻符号，后来证明是商代的文字，引起轰动。

出不起高价买下来作进一步研究。第二年，古董商将这批龙骨带到北京出售，当时有个大官僚名叫王懿荣，他认出龙骨上的刻划是古代的文字，便以每片二两银子的重金买下了这一批12片甲骨。从此，刻在龟甲和兽骨上的甲骨文受到人们的重视，开始了搜集、整理和研究的工作。人们把甲骨文的正式发现，定在1899年。

考释甲骨文，并用于研究商代历史

王懿荣在1900年八国联军打进北京时去世。当时有个叫刘鹗的，字铁云，曾经写过小说《老残游记》。他也酷爱古董，喜欢研究古文字。他从王懿荣的后人手中

买到一千多片甲骨，印成一部书出版，题名《铁云藏龟》。书中称这些甲骨是商代遗物，是"殷人刀笔文字"。这是我国第一部甲骨文的选本。不久，有一名学者孙诒让，他根据《铁云藏龟》的材料，写了一部有关甲骨文的研究著作，书名叫《契文举例》。他对一些文字作了考释，对甲骨的内容进行科学的分类，他开了研究甲骨文的先声。

数学史上了不起的贡献

我国是世界上最早应用十进位记数的国家之一，现在已发现的甲骨文中，记载的最大数目是三万。这些数目的记数法和我们现在在用的十进制记数法已经完全一致，这是数学史上了不起的贡献。

〔甲骨文的造字方法〕

商代后期的甲骨文，其构造方法已相当先进。一是象形，马、牛、羊等字都摘取动物特点画成；二是形声，如从水、羊声的洋，从儿、羊声的羌；三是会意，如手持肉在神示前为祭，跪在神示前张口为祝；四是假借，如"北"本指背而借指方位，"又"本像手而借为又、有。

运用象形、形声、会意、假借四种造字方法，甲骨文已不是图画，而是一种固定的文字。

古董商们看到甲骨文的身价高涨，为了垄断财源，他们一直不公开甲骨的出土和收购地点，谎称是从河南汤阴和卫辉收购来的，因而使许多人上当，徒劳往返。到1908年，学者罗振玉经过多方打听，得知甲骨的真实出土地点在安阳的小屯村，他就三次派人前往安阳搜求甲骨。他从一万多片甲骨中精选出二千多片，印成《殷墟书契》一书，在1913年出版。学者王国维把甲骨文的材料用于商代历史的研究，写成《殷卜辞中所见先公先王考》等论文，用甲骨文证明司马迁写的《史记·殷本纪》基本上是可信的，并纠正了《史记》中的某些错误，一时在学术界传为美谈。

大规模发掘和研究工作的深入

1928年以后，开始对河南安阳地区的殷墟进行大规模的科学发掘，陆续出土了大量甲骨。同时，对甲骨文的研究工作更加深入。学者董作宾根据许多甲骨文的材料认为，一片完整的甲骨卜辞，应该包括四个部分：先记下占卜的日期和卜人的名字，这叫做"前辞"；接着记录所要卜问的事情，这叫做"命辞"；占卜之后，视察兆文以判断吉凶，这叫做"占辞"；得到吉凶的结果后，还要记下如何行动和是否应验的情况，这叫做"验辞"。同时，他把全部甲骨文根据其贞人（即卜人）和各种特征，划分为五个时期。这样，甲骨文的研究又大大向前推进了一步。

外国人纷纷搜求，当作宝物

随着甲骨文的发现和研究价值的提高，一些外国人也纷纷前来搜集甲骨。从1903到1910年，美国人方法敛、英国人库寿龄和德国人威尔茨，先后来中国收购了几批甲骨，这批材料后来流入美国、英国、德国的一些博物馆中。1914年，加拿大人明义士以驻安阳长老会牧师的身份，长期在当地收集甲骨。他所拥有甲骨是

商王祭祀之地：郑州小双桥商代遗址

小双桥遗址是位于郑州商城西北约20公里的一处大型商代遗址。这里出土有大型宫殿基址，有祭祀牛头坑、牛角坑和祭祀狗坑，还出土有石磬、石圭和卜骨，从上述迹象分析，这里应是一处与商王祭祀有关的遗址。

外国人中最多的。这批甲骨现藏加拿大多伦多博物院。此外，日本人林泰辅等搜集到的甲骨也不少。大量甲骨流散国外，这是中国文物资源和科研材料的重大损失。

商代社会生活的百科全书

新中国建立以后，党和国家对甲骨文的研究予以高度重视，在河南安阳及其周围地区又作了多次大规模的发掘。据统计，到目前为止，共计出土有字甲骨在十万片左右，其中国内所藏为七万余片。上世纪七十年代末八十年代初，中国出版了一部大型甲骨文的资料书《甲骨文合集》，全书共十三册，精选甲骨四万多片，为研究商代历史提供了极大的方便。甲骨文的内容包罗万象，上自天文，下至地理，从国家大事到生活小事，还有当时各行各业的生产状况，在甲骨文中都有反映。这是一部商代社会生活的百科全书。

> **历史文化百科**

〔殷墟：商代后期的都城遗址〕

商代后期的都城遗址，在今河南安阳小屯村周围。1899年在此发现甲骨卜辞，1928年开始考古发掘，先后发现宫殿、作坊、陵墓等遗迹以及大量生产工具、生活用品、礼乐器等遗物，对研究商代后期历史价值极高。

据《竹书纪年》记载："自盘庚迁殷，至纣之灭，二百七十三年更不徙都。"殷墟即其所在地，它是中国历史上可知确切位置的最早都城。

遗址名称	遗址地点	所属文化类型
巫山遗址	重庆市巫山县龙骨坡	人类起源时期
元谋遗址	云南元谋上那蚌村	人类起源和早期人类演化的时期
蓝田遗址	陕西蓝田陈家窝和王公岭	旧石器时代早期
曲远河口遗址	湖北郧县清曲镇弥陀寺村	旧石器时代早期
周口店遗址	北京房山周口店龙骨山	旧石器时代早期
观音洞遗址	贵州黔西县沙井乡	旧石器时代早期至晚期（观音洞文化）
丁村遗址	山西襄汾县丁村	旧石器时代早、中、晚期（丁村文化）
许家窑遗址	山西阳高县许家窑村和河北阳原县侯家窑村之间的梨益沟西岸	旧石器时代中期（许家窑文化）
玉蟾岩遗址	湖南道县寿雁镇白石寨村	旧石器向新石器过渡时期
老官台遗址和白家村遗址	陕西华县县城西南渭河支流西沙河东岸	新石器时代早于半坡文化的类型（老官台文化）
裴李岗与贾湖遗址	河南新郑县裴李岗村	新石器时代早期（裴李岗文化）
磁山遗址	河北邯郸市武安县西南磁山镇磁山二街村东南	新石器时代早期（磁山文化）
兴隆洼遗址	内蒙古赤峰市敖汉旗宝国吐乡兴隆洼村	新石器时代早期（兴隆洼文化）
半坡和姜寨遗址	半坡遗址位于陕西西安市半坡村，姜寨遗址位于陕西临潼县姜寨村	半坡文化早期、史家文化晚期、西阴文化及半坡四期文化
河姆渡遗址	浙江余姚市河姆渡镇浪墅桥村	河姆渡文化
赵宝沟聚落遗址	内蒙古赤峰市敖汉旗高家窝铺乡赵宝沟村	新石器时代（赵宝沟文化）
泉护村遗址	陕西华县柳枝镇泉护村	新石器时代（西阴文化）
凌家滩遗址	安徽含山县铜闸镇凌家滩村	新石器时代晚期（早于良渚文化）
城头山遗址	湖南澧县车溪乡南岳村	新石器时代

距今年代	遗址文化特征	重要出土文物
200 万年	中国境内发现的最早猿人化石	一个门齿，一段下颌骨及少量石器
170 万年	对探索中国早期猿人的体质特征和文化提供了宝贵的材料	中门齿、少量石器和用火痕迹
115—65 万年	比北京猿人更为原始，已经会打制石器	头骨、上下颌骨和牙齿以及刮削器、石片
80—90 万年	石器类型以砍砸器为主，加工方法以单面加工为主	人化石、石制品、哺乳动物化石
70—23 万年	对研究人类发展史具有重要的意义	共发现 40 个以上不同性别和年龄的个体，石器和骨器
70 万年—57000 年	多刃器远多于单刃器	石制品、哺乳动物化石 3000 余件
5 万年	跨越旧石器时代早、中、晚三个时期	人牙齿化石、幼儿顶骨化石 2000 余件
10 万年	具有细石器文化先驱的性质，为研究细石器文化的起源提供了依据	石球、骨器、角器和铲式工具
1 万年以上	文化现象、面貌性质单纯	原始的陶片和水稻谷壳
7000 年	彩陶是黄河流域最早发现的	出土以陶器为主，居址为圆形半地穴式，有范围不大的公共墓地
9000—7800 年	对研究淮河流域北部地区公元前六千世纪的文化、农业、音乐和卜筮的状况，以及全新世环境变迁等，均提供了新的资料	七声音阶骨笛、成组龟甲及其刻符、绿松石饰、柄形石器和骨叉形器，以及大量炭化稻米
7400 年	华北地区新石器时代早期重要文化遗址	组成炊器的直壁大平底盂、倒靴状支架是代表器物，粟和家鸡为目前世界上所知年代最早的
公元前 6200—前 5400 年	明确了辽西地区与黄河流域新石器时代是谱系有别、平行发展、相互影响的文化；兴隆洼遗址是目前发现的年代最早、保存完整并做了全面揭露的史前聚落	墓穴中的一雌一雄整猪，在国内史前遗址中尚属首例；玦、管、凿等玉器是迄今所知年代最早的真玉器
公元前 4600—4400 年	姜寨遗址发掘面积 17084 平方米，是迄今中国史前聚落遗址中发掘面积最大的一处；在部分陶器上发现有刻画符号，为研究中国原始文字的起源提供了科学资料	以彩陶最为精美，如人面鱼纹彩陶喷盆（半坡）、鱼蛙纹彩陶盆等
7000 年	生产工具富有特色，原始雕刻艺术品丰富多彩	骨耜最具特色，榫卯结构、基座支撑的长条形木构干阑式建筑最为壮观
6800 年	对于研究中国新石器时代聚落形态和探讨燕山南北长城地带的考古学文化谱系等，具有重要的学术价值	椭圆底陶罐、陶尊形器、陶塑人面像
公元前 5000—前 4000 年	遗址面积 60 万平方米，是关中东部最大的新石器时代遗址，揭示了西阴文化发展去向	炭化稻米为研究我国新石器时代的农业生产，特别是稻作农业的发展过程提供了重要证据陶鸮鼎是迄今发现的西阴文化及以前时期构思制作最为精良的艺术品
5000 年	揭示了新石器时代晚期社会出现的巨大分化	玉龙是中国考古发掘出土的最早的一条龙；石钻是新时期时代考古最重要的发现之一
4800—6500 年	揭示了从大溪文化早期到屈家岭文化中期四种不同的文化遗存	稻田及其配套设施是目前已知的最早的水稻田

遗址名称	遗址地点	所属文化类型
良渚遗址	浙江余杭市良渚、瓶窑、安溪三镇	新石器时代晚期（良渚文化）
卡诺遗址	西藏昌都县东南卡诺村	新石器时代
城子崖龙山文化城	山东济南章丘市龙山镇龙山村	新时期时代晚期（龙山文化）
朱封龙山文化大墓	山东临朐县城南弥河北岸	新石器时代晚期（龙山文化）
二里头遗址	河南偃师市	夏文化早期
郑州商城	河南郑州市	商文化早期
殷墟	河南安阳市小屯村	商殷文化
泗水尹家城岳石文化	山东泗水县金庄乡尹家城村南	商殷文化
夏家店上层文化和夏家店下层文化	内蒙古赤峰市赤峰区	商文化中晚期
新干商代大墓	江西新干县大洋州乡程家涝背沙洲	商文化晚期
三星堆遗址	四川广汉市南兴镇真武村和三星村	商代蜀国早期（三星堆文化）
丰镐遗址	陕西长安县沣河	西周文化早期
周原遗址	陕西关中西部歧山、扶风两县之间	西周文化早期
天马—曲村晋国遗址	山西翼城和曲沃两县交界地带	西周晋文化
三门峡虢国墓地	河南三门峡市区	西周宣王时期
曾侯乙墓	湖北随州市城关西郊	战国早期
灵寿城与中山国王陵	河北石家庄平山县三汲乡	战国时期

距今年代	遗址文化特征	重要出土文物
4000—5000 年	对探索中国文明的起源和形成的研究具有重要意义	玉璧、玉琮
公元前 3000—前 2000 年	是西藏境内首次大规模考古发掘，对研究西藏高原原始文化具有重要意义	双体兽形陶罐
公元前 3000—前 2000 年	龙山文化动摇了几成定论的"中国文化西来说"	黑陶和灰陶器具
公元前 3000—前 2000 年	朱封大墓，为龙山文化乃至史前中国所仅见，开棺椁制度之先河，反映社会发生了更深刻的分化	四孔玉刀、双孔玉斧、陶器
公元前 1900—前 1400 年	是目前探索夏文化和中国文明起源及发展的关键性遗址	铜爵、玉戈、嵌绿松石兽面铜牌饰
公元前 1500 年	是我国发现最早和保存较好的一座商城	巨型青铜器和精美陶器，如兽面纹铜器和陶尊
公元前 1500 年	妇好墓是目前所知惟一能确定墓主身份并保存完好的商代王室墓；小屯南地甲骨对甲骨文和商代历史的研究有重要的意义	妇好爵、玉琮、刻辞卜甲
公元前 1500 年	是山东龙山文化和岳石文化最为丰富的地区	蚌箭镞、铜刀、骨鱼钩
公元前 2000—前 1100 年	是渤海北岸青铜时代最先出现空足三足器的文化	空足三足器、彩绘陶器
公元前 1500—前 1100 年	青铜器表现出强烈的地方特色，青铜工具和农具不少前所未见，表明商代的赣江流域已具有相当发达的农业和手工业	青铜器双面神人头像、兽面纹方鼎、双尾虎
公元前 1100 年	所出土的是商代蜀国早期的重器	金杖、铜神树、铜立人
公元前 1100 年	建立了西周文化的序列和分期，为西周考古学文化的研究树立了标尺，为西周时期的墓葬制度和墓俗研究提供了重要的资料	青铜器交工鼎、玉器玉龙
公元前 1100—前 800 年	首次发现大量周初甲骨文，为研究周初历史、周人与商人关系、周人与周围部族关系提供了重要史料	青铜器卫盉、卫簋、玉器玉人、玉鸟
公元前 1100—前 800 年	确定了该遗址为西周初年晋国始封地之所在；建立了晋文化的编年体系；大面积的墓葬，为研究当时的丧葬制度、社会结构及与之相关的问题提供了珍贵资料	四足铜方盉、铜簋、玉鹰
公元前 1100—800 年	人工冶铁制品及整件麻织衣物的出现，为科技史等相关学科提供了迄今最早的事物例证	虢季列鼎（7件）、虢季俑编钟（8件）
公元前 770 年	各类青铜器总重量达 10.5 吨，是迄今所出土青铜器数量最多的一次；各种器物上的文字总数达 12725 字，是我国先秦古墓发掘中一座墓出土文字资料最多的一次	曾侯乙编钟、木雕梅花鹿
公元前 770—200 年	出土文物填补了战国特别是中山国历史的空白	中山王昔兆域图铜板、"中山三器"、双翼神兽

聚焦：200万年前至公元前1046年的中国

原始的巫术礼仪和图腾活动在培育和发展人的心理功能方面，比物质生产劳动更为重要和直接。图腾歌舞和巫术礼仪是人类最早的精神文明和符号生产。

李泽厚

以数千处新石器文化遗址取得的信息，考古学家已能勾勒中国史前时代文化发展的轮廓：至少六七个地区性的文化，各有其发展的方式，形成中国文化多元性的特色，而这些古代文化又相互影响，终于逐渐融合为有中国色彩的史前文化。

许倬云

据地质学家研究，中国文化的发展实受到黄土的恩惠，黄土的性质是黏而腴，得水即能发酵，助长植物的发达，不需肥料。这黄土遍布于黄河流域的全境……极目平原一望无际。

顾颉刚

商代已是青铜时代，氏族组织是父系家长制度。在那时已有很高的文化，这种文化是从夏时开始的，而一直到列国时，还继续着；在文学方面，也是一样。夏是文学刚萌芽的时代，有许多史诗或散文遗留下来。商代到周初的文学则非常灿烂。这种古代文体，一直到春秋时才衰歇。

唐兰

先秦交通史和当时的民族混合运动关系甚为密切。后者发展到某一程度，往往可以表示先秦交通已达到某一阶段。同时先秦交通之一种新的进展，有时也可以表示出一种民族

文苑泰斗，学术名家，聚焦于200万年前至公元前1046年的中国。他们以宏观或者微观的独到眼光，对原始社会、夏商社会的政治经济和社会文化的各个层面作了深入浅出、鞭辟入里的解析。这些凝聚了高度智慧的学术精华，历经岁月洗礼，常读常新，是我们走进中国历史文化殿堂的引路人。

混合底倾向。这种情形，尤其是在交通区域之发展上更为明白。他如交通器具之增进以及路政沟渠等设施，有时也是和这运动有关系的。这是先秦交通史上底一大特色。

白寿彝

商代人与在欧亚大陆各地占支配地位的多数文明的情况不同，它发展起表意而非表音的文字，基本上是偶然的，但是偶然性对于中华民族的发展道路却有着重大的影响。它塑造了精英的本性：掌握这种文字之难，使得那些精于此道的人成为很少却又必不可少的精英。同样关键的是，这种文字也影响到文化扩展与涵盖的过程。居住在华文化圈边缘的民族，出于发展和捍卫其利益的实际需要而学习了汉语，这使它们被更有效地吸纳到汉文化之中。对他们来说，读写汉文不会轻易地与中国典籍的主题分离，而后者渗透着中国人的价值观。这使他们难于用自己的文化知识去清晰的表达当地人那种与中国人相反的看法。

蔡元培

商文化表现出物质生活的富庶，高度成熟的装饰艺术，明确的社会组织和祖先极度崇拜的神权政治。这是一种充满了活力和生命力的文明，但其间不免含有残酷和黩武的因素。纵然如此，这文化也为后来周朝的孔子及学派所代表的人文主义哲学奠定了基础。

李济

中国文字到了殷代，全为符号，以线条写出，尚存一部分象形文字近于图画，但若比对殷代金文中原始绘画文字，便可见其渐次演变之迹，已由绘画的美近而至于书法的美。

董作宾

200万年前—公元前2070年的社会生活、历史文化百科
（各条目按页码检索）

洪荒初开，文明肇始，中华民族由此发轫。当200万年前蒙昧而质朴的上古社会生活鲜明地展现在面前时，我们不由被这文明的第一步所深深打动。

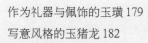

公元前 2070 年—公元前 1046 年的社会生活、历史文化百科
（各条目按页码检索）

夏商历史共一千多年，大禹治水、甲骨文、司母戊鼎等文化遗珍不胜枚举。它们不仅是中华民族的骄傲，同时也是全世界共同的宝贵财富。

人物

原始社会、夏商有神话中的英雄人物，有善于思考、勇于实践的发明家，有道德高尚、富有组织才能的首领，有帝王、将相、忠臣、奸臣、宫廷亲戚，各种官吏、隐士、奴隶、美女、妃子，还有许多爱情故事中的主人公，他们各自担任不同的角色，构成色彩斑斓的社会画面。人物索引使读者便于查阅，掌握各种人物的活动经历、性格特点。

各条目按笔画排列，按故事编号检索

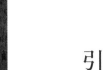

引

引

关键词

许多同类主题的故事集合在一起，更能启发我们的思维，得到深刻的教益，也便于检索和查阅。

各条目按笔画排列，按故事编号检索

图书在版编目(CIP)数据

创世在东方:200万年前至公元前1046年的中国故事/杨善群,郑嘉融著
- 上海:上海文艺出版社,2003,9
(话说中国)
ISBN 7 - 5321 - 2444 - 4
Ⅰ.创… Ⅱ.①杨… ②郑… Ⅲ.中国-古代史-普及读物 Ⅳ. K209
中国版本图书馆 CIP 数据核字(2002)第 068917 号

责任编辑
顾承甫　李　欣
整体设计
袁银昌　李　静
印前制作
袁银昌平面设计工作室
印务监制
陆祖展　胡昌杰

书名
创世在东方
　　——200万年前至公元前 1046年的中国故事
著者
杨善群　郑嘉融
出版、发行
上海文艺出版社
地址：上海绍兴路 74 号
电子信箱：cslcm@publicl . sta. net.cn
网地：www .slcm. com
印刷
广州大一印刷有限公司
版次
2003 年9 月第一版　第一次印刷
规格
810 x 1050　1/16　印张 18.75　插页 2
印数
1—13,000 册
国际书号
ISBN 7 - 5321 - 2444 - 4/K·176
定价
68. 00 元

告读者　如发现本书有质量问题请与印刷厂质量科联系　T:020 - 82214172
本书正文采用玉龙纯质纸